P9-BVC-254

colección *eldorado*

Plinio Apuleyo Mendoza

CINCO DÍAS EN LA ISLA

Plinio Apuleyo Mendoza

CINCO DÍAS EN LA ISLA

Grupo Editorial Norma
Barcelona, Buenos Aires, Caracas, Guatemala, Lima, México, Panamá, Quito, San José, San Juan, San Salvador, Santafé de Bogotá, Santiago

Primera edición, abril de 1997
Primera reimpresión, mayo de 1997

Diseño de cubierta de Willy Villa
Fotografía de cubierta de Willy Villa

Impreso en Colombia por Printer Colombiana S. A.
Printed in Colombia

CC 24008007
ISBN 958-04-3902-8

Este libro se compuso en caracteres Monotype Ehrhardt

Contenido

PRIMERA PARTE

I

¿Es el calor? ¿O bien es el olor que impregna el aire de la noche, este aliento sofocante y húmedo que uno respira en la oscuridad mientras se escucha en torno el latido de los grillos? Algo, en todo caso, le ha hecho vibrar una cuerda profunda de la memoria. Está de nuevo en Barranquilla: está en aquel barrio de otros tiempos, el Prado, aguardando a Claudia Aristigueta como antes aguardaba a Serena. Han pasado muchos años desde entonces, y ya nada es igual, salvo aquel tufo salvaje viniendo del río y de las ciénagas y el profuso palpitar de los grillos. La casa de Serena –lo ha comprobado la víspera– no existe. En su lugar se alza ahora un centro comercial. Donde resplandecían al sol, verdes y dilatados, los campos de golf del Country Club, se abre ahora un bulevar lleno de edificios. El padre de Serena, aquel viejo abogado alto y escuálido, de cabellos color ceniza, siempre vestido con un ajado traje blanco de lino, que tenía su polvorienta oficina en las calle de las Notarías, ha muerto. También la abuela. Y la propia Serena, entonces una muchacha bella y atrevida, llena de sueños impacientes, que él venía a buscar los sábados en la noche para llevarla a bailar al Patio Andaluz, se extingue ahora en París, ardiendo en fiebres vespertinas, sin saber hasta qué punto aquella ciudad, la suya, no es la misma de sus recuerdos. Serena ha olvidado que todo en el trópico desaparece sin dejar huellas. Todo allí es breve y fulgurante como sus amaneceres y crepúsculos. Vuelven puntuales a la ciudad las brisas de diciembre; se van; llegan las lluvias; crecen los arroyos de las calles; la humedad se come las maderas; la muerte se derrota de la manera más simple, olvidándola, y nada de los otros tiempos se recuerda, salvo los carnavales. Es el Caribe. Su encanto, piensa Manuel. Su tristeza profunda.

Aquella casa de Claudia Aristigueta no es ni sombra de lo que debió ser, piensa observando a los guardaespaldas que, en medio del patio, alrededor de una mesa, juegan un partido de dominó. Minutos antes, al aparecer en la gran puerta de rejas que sirve de acceso al patio trasero de la casa y a los dos garajes, aquellos hombres en mangas de camisa, armados de ametralladoras cortas, han venido hacia él y lo han rodeado con desconfianza. Por sus rasgos aindiados y sobretodo por su acento él ha advertido que son gentes del interior, cachacos. Luego, con la ayuda de un walkie-talkie, han hablado con el interior de la casa. Han dado su nombre. Un mulato muy viejo y muy alto ha venido caminando despacio, lo ha examinado con aire hosco y, finalmente, sin palabras, sólo con un gesto, ha autorizado su entrada. Pero no lo ha hecho pasar al interior de la casa. Lo ha dejado en la puerta que da al patio diciéndole: "Aguarde ahí."

Mientras espera al mulato, Manuel observa la enorme casa. Parece oscura y deshabitada. Es sombría. Las rejas de las ventanas están herrumbrosas. Marchitas palmeras se alzan en el jardín. Hay manchas de humedad en las paredes del patio. No debía ser ni sombra de lo que fue cuando vivía el viejo Simón Aristigueta. Había sido edificada por él cuarenta o cincuenta años atrás, copiando esas residencias de estilo español californiano que en los años veinte servían de morada a las divas de Hollywood. Su gran puerta con aldabones de bronce se abría entonces de par en par en rutilantes tardes de fiesta. Patios adornados con grandes enredaderas y fuentes con azulejos se llenaban de jóvenes de la alta sociedad: muchachos con blancos trajes de lino y sombreros de tartarita, muchachas con cabellos cortos y trajes de talle bajo que aprendían entonces a bailar el fox trot. Donde ahora los guardias juegan al dominó debían instalarse los músicos de aquellas famosas orquestas del Caribe que traía el viejo Aristigueta. ¿No había venido acaso un famoso clarinetista cubano que tocaba para Al Capone? Corría el champaña, ríos de champaña, decía Serena: se lo había contado su abuela. Eran otros tiempos; tiempos de paz. El país debía ser otro, piensa Manuel. Se buscaba oro en el lecho de los ríos; se descubría petróleo en las selvas; la United Fruit Company abría campamentos en la zona bananera; surgían las primeras fábricas; se tendían en todas partes rieles del ferrocarril y volaban sobre el río los primeros hidroplanos. Tiempos muy distintos, piensa Manuel oyendo las voces y las risas de los guardaespaldas. Nadie, temiendo un disparo o un secuestro, vivía protegido de cerca por hombres armados.

Acaba de encenderse una luz en la cocina que lo saca bruscamente de la sombra. El mulato aparece en la puerta.

–Pase por aquí –ordena.

Alto y con una cabeza de apretados rizos color ceniza, le habla como si viniese a buscar empleo. Criado de ricos, piensa Manuel. Debía olfatear quién pertenecía al mundo selecto de la familia y quién no. Cruzan la cocina y luego un corredor de limpios mosaicos con puertas enrejadas que dan a un patio interior. Finalmente lo introduce en una sala vasta y sofocante apenas iluminada por una pantalla de mesa. Salvo un sofá y una silla de bambú, que parecen provisoriamente puestos delante del televisor, los demás muebles, muy pesados, están cubiertos por fundas blancas. Amortajados, piensa él. Dentro, todo huele a humedad y encierro. Girando en lo alto, herrumbrosos ventiladores de grandes aspas apenas si mueven el aire. Qué lugar tan fúnebre, piensa Manuel, recordando de pronto que el marido de Claudia Aristigueta ha sido asesinado dos meses atrás.

–Siéntese –dice el mulato señalándole la silla de bambú–, la niña Claudia ya viene.

⇝

La niña. A Manuel le divierte encontrar de nuevo aquella expresión de la costa Caribe. Niñas serían siempre, hasta la vejez. Sentado en el sillón, recibe una tenue y constante ráfaga de aire caliente enviada desde lo alto por las aspas del ventilador. Es abril, recuerda ahora; las brisas se han ido, de ahí esa agobiante sensación, como si el tiempo y el aire se hubiesen detenido y lo único vivo, en el sopor de la hora, fuese el latido de los grillos que llega desde el jardín. Así ocurría siempre por aquella época. Un día cualquiera se iban las brisas. Nada se movía en los jardines. Sin el soplo providencial de los alisios, la ciudad quedaba abandonada a aquel calor tórrido y quieto, y en vez del olor de los jazmines, tan intenso en las frescas noches de diciembre, se metía a las casas un tufo de aguas y de flores muertas que uno ignoraba de dónde venía. Recién llegado de Bogotá, dieciocho o veinte años atrás, aquella ciudad le resultaba dura y sofocante. Barranquilla no era para él, en aquel momento, sino un inesperado y provisorio exilio de calles ardientes. Graznaban las lechuzas en la noche. Escribía algunos cuentos. Estaba solo, a la deriva, soñando con volver a Europa donde había transcurrido su primera infancia. De pronto, en el Hotel del Prado, una noche (cantaban, celebraban un cumpleaños) aquella muchacha tan bella y sorprendente, de grandes ojos oscuros, hablándole de Sartre: Serena. La había llamado. Había ido a su casa. Recuerda a la abuela, aquella anciana menuda y diligente que le abrió la puerta; la salita modesta, atiborrada de retratos y porcelanas; los grillos; el calor; y de pronto, igual que una racha de aire fresco, Serena con un traje rumoroso y ligero sentándose a su lado. ¡Como había cambiado todo luego de conocerla!: la soledad, la búsqueda de un trabajo, su afanoso ir de un lugar a otro por las reverberantes calles del centro. Iban al cine club. Vestido siempre con el mismo traje, un traje planchado con el triste esmero de los pobres, venía a buscarla los sábados para llevarla al Patio Andaluz, que era un lugar entonces de moda. Mientras la aguardaba en el sardinel, escuchaba el ruido de sus tacones en la galería y su voz despidiéndose de la abuela. Se abría la puerta y allí estaba ella, esbelta, luminosa, sus grandes ojos oscuros bajo la luz del porche. Más tarde, sentados en la penumbra refrigerada del night club, se olvidaban de la orquesta mientras hablaban de los libros que ella acababa de leer; de la novela corta que ella había enviado a un concurso de Life; de su trabajo en el hospitalito donde servía de instrumentalista sin cobrar un centavo. Le hablaba de mil cosas con esa impetuosa vivacidad de las muchachas de Barranquilla. Serena había aparecido entonces y nunca más se había ido de su vida. Nunca más, cosa sorprendente.

Nunca. Y aún después de todo lo ocurrido entre ellos, no llegaba a olvidarla. Menos ahora, en Barranquilla; la ciudad hacía hervir su recuerdo. El de la Serena de entonces. Buscaba el rastro de años olvidados. Si no, ¿por qué estaba allí, en aquella sala? ¿Por qué aquella idea de llamar a la amiga más antigua de Serena, a Claudia Aristigueta, a quien no conocía y cuyo marido había sido asesinado dos meses atrás? Quizás era una manera de aliviar aquel peso que llevaba dentro, de impedir que Serena desapareciera del todo, ahora que él había vuelto a Colombia; ahora, antes de que la muerte se la llevase.

Pasea la mirada por aquel salón funerario lleno de muebles cubiertos con sábanas blancas. La casa de un hombre muy rico de otros tiempos. No había aire acondicionado sino aquellos ventiladores de techo, de grandes aspas quejumbrosas, como los de un viejo barco de río. Ahora los ricos recientes, los que habían hecho su riqueza con el tráfico de marihuana o cocaína o con el simple contrabando, llenaban su casa de artefactos modernísimos, de mármoles y objetos de mal gusto. Allí, en cambio, quedaba la austeridad sin alardes de las viejas casas de la ciudad. Pero se sentía el fin de algo, piensa; no la ruina, pero sí el abandono, el fin.

Observa una fotografía sobre la mesa. Relumbra en el marchito reslandor de la pantalla su marco de plata antigua. Sin duda aquel viejo de pelo blanco, corto y vigoroso, y de cejas muy pobladas, debía ser el abuelo de Claudia, Simón Aristigueta. Había en sus ojos y en el mentón una dureza metálica que no desmentía su leyenda, la del buscador de oro y petróleo en las selvas vírgenes, convertido con el tiempo en pionero industrial. Las otras fotografías colgadas de la pared debían ser de hijos suyos. Las mismas cejas, solo que no blancas sino negras. Había en esa familia un sino trágico, decía siempre Serena. ¿No se había suicidado en París la madre de Claudia exactamente el mismo día que cumplía cuarenta años? Y ahora aquel banquero, marido de Claudia, asesinado dos meses atrás en Bogotá por un grupo guerrillero. No recordaba bien a Claudia. Quizás la había visto en uno de aquellos álbumes de fotografías que Serena guardaba en París. Claudia y ella habían sido princesas en el mismo reinado del carnaval. Claudia era bella y malvada, decía siempre Serena. Rica la una, pobre la otra, debían tener el mismo ojo mordaz para observar la sociedad que las rodeaba. Tenían eso en común. Escandalizaban a todo el mundo con sus caprichos. Hacían cosas que nadie, entonces, se atrevía a hacer. Fumarse un cacho de marihuana, por ejemplo. O volar sobre la desembocadura del río Magdalena al amanecer, después de una noche de fiesta, sin importarles que el piloto de la avioneta, un primo de Claudia, estuviese absolutamente borracho. Para ver salir el sol, decían. Correr los peligros más insensatos les importaba un comino. Debían ser, a los dieciocho años, las locas de la ciudad.

Un ruido de pasos le hace girar la cabeza hacia la puerta del salón. Oye una voz femenina.

–Hola.

Es mucho más joven de lo que imaginaba. El pelo y la silueta parecen todavía los de una muchacha; también el traje, ceñido a la cintura por un delgado cinturón blanco y con una falda de amplios vuelos. ¿Es ella o su hija?, alcanza a preguntarse, pero ya está ahí, fina, esbelta, muy alta, ofreciéndole con suma naturalidad la mejilla para que la bese.

–¿Encontraste lugar donde sentarte? Esta casa es un museo de horrores.

Su acento es leve, fácil, del Caribe, pero con esa nota refinada que recordaba en las muchachas del Country Club: el mismo de Serena.

Ahora la observa de cerca. Sus ojos, bajo las cejas, son de un verde intenso, fosforescente, casi irreal; le brillan los dientes al sonreír; el mentón y los labios, muy finos, parecen los de una belleza del cine.

Ella lo mira, risueña.

–Te vi alguna vez, hace un siglo.

–¿Realmente nos vimos alguna vez?

–Claro que sí. Eras muy flaco.

–Nada de raro, me moría de hambre. Cuando entraste, pensé que eras tu hija.

–*Quel compliment!* –se ríe ella–. ¿Esperabas una viuda llena de velos negros?

–Algo así.

Ella se ha dejado caer en el sofá. Se lleva las manos a la nuca apartándose el pelo.

–¡Qué calor hace aquí! Deberíamos abrir las persianas aunque se metan los mosquitos –examina la mesa de centro–. ¿No te ha dado nada de beber Navarrito?

–No. Me miró con desconfianza.

Ella se ríe:

–Navarrito tiene celos de todo hombre que cruce la puerta de entrada.

–¿Cleopatra adorada por su esclavo?

–Más o menos –una lumbre cómplice parece aclararle aún más los ojos–. ¿Qué quieres beber?

–Un whisky, quizás.

Ella toma una campanilla que hay sobre la mesa y la agita.

–Creo que no servirá de nada. Navarrito es sordo como una tapia. Sólo acude cuando por pura casualidad me ve con la campanilla en la mano.

Tiene humor, piensa él. No entiende de dónde ha salido aquella leyenda de mujer que inflige desaires a todo el mundo. Quizás sólo desprecia a los cortesanos de su familia.

–¿Por qué regresaste? –pregunta ella.

–Algún día tenía que volver.

–Es una locura cambiar a París por Bogotá. Y además llegas en una época negra.

–¿Tan grave es la cosa?

–Bueno, todavía sale el sol por las mañanas. Ya es algo.

–Y aquí vuelven las brisas de diciembre.

–De resto es el apague y vámonos. Este país no tiene componte, tú. ¿Ves esta casa? La vamos a cerrar. O a vendérsela a algún mafioso para que haga un edificio con piscinas y saunas en cada apartamento. Sólo ellos pueden vivir tranquilos. Ellos y los guerrilleros. ¡Venirte de París en estos tiempos!

–Yo no tengo nada que perder.

–Salvo la vida.

–La vida de un escribidor no le importa a nadie.

–¿Crees tú?

Agita de nuevo la campanilla.

–Diga, niña.

El mulato ha aparecido al fin en la puerta.

–Tráenos un whisky.

El hombre sacude la cabeza.

–No hay.

Ella lo observa con plácida incredulidad.

–Pídeselo a los escoltas. Se lo están robando ellos. Lo beben a escondidas.

En la voz del mulato hay una nota de desprecio.

–Cachacos –murmura.

A ella le brillan los ojos de risa.

–Los odia –explica volviéndose hacia Manuel–. Odia que entren a la casa con sus fierros. Navarrito no entiende nada de lo que está pasando. Es de otra época.

–Realmente tus guardaespaldas parecen terroríficos. Me rodearon todos al entrar.

–¡Qué va! Parecen personajes de historietas ilustradas, de

paquitos. Pero a la hora de la verdad no sirven para nada. Mi marido llevaba dos en su automóvil cuando lo mataron.

⁂

Ahora, bebiendo despacio el whisky que Navarrito ha puesto sobre la mesa con mucho desgano, Claudia le pregunta al fin por Serena. Pero lo hace de modo indirecto, como si quisiera eludir cualquier pregunta impertinente.

–¿Sigue leyendo a Séneca en las fiestas?

–Todavía –responde él, sin deseo de ir más lejos: le duele hablar de Serena.

Ella le refiere un paseo que hicieron juntas a Cartagena con motivo de las fiestas del once de noviembre. Se habían alojado en la casa de un historiador muy conocido en la ciudad. Serena no salía de la biblioteca que había en la casa, mientras Claudia y otras amigas suyas se agotaban en almuerzos y paseos en lancha por la bahía.

–Cuando nos invitaban a un baile, ella se llevaba un libro de Séneca en el bolso. Para leerlo en caso de aburrirse. ¡Imagínate, ella tan linda y con todos los hombres revoloteando alrededor suyo! El historiador estaba sumamente impresionado.

–Creo que tú también lo sorprendiste.

Claudia le dirige una mirada aguda.

–¿Te lo contó Serena? El pobre señor me encontró desnuda en la cocina, sirviéndome un vaso de agua. Él se disponía a ir a misa. Y yo, que acababa de llegar de una fiesta, me iba a acostar a esa hora.

Ríen. De repente todo fluye con facilidad y ligereza entre ellos, como si gracias a Serena se conociesen desde siempre. Le resplandecen a ella sus ojos muy claros evocando todas las extravagancias que se habían permitido con Serena cuando eran princesas de la reina, en el mismo carnaval. Él la oye fascinado; esa impetuosa vivacidad sólo la ha encontrado en el Caribe. Nunca había imaginado que aquella mujer con fama de fría, de dura (así lo decían todos) fuera así.

–Niña Claudia.

En la puerta del salón acaba de aparecer una enfermera empujando una silla de ruedas en la cual está sentada, inmóvil, extrañamente ausente, una mujer de edad.

–¿La llevo al cuarto?

Claudia se dirige hacia la anciana.

–¿Quieres ver la televisión, tía?

La mujer aprueba con la cabeza.

Claudia se incorpora del sofá.

–Es una hermana de papá –le explica a Manuel–. Sus hijos, o sea mis primos, prefirieron dejarla aquí para que sus esposas no protestaran. Viven en Miami. Ella tuvo un derrame cerebral. A esta hora ve una telenovela. Salgamos de aquí, ¿quieres?

Al salir al patio donde se encuentran los guardaespaldas, los envuelve el aliento cálido de la noche y un vasto cuchicheo de grillos. Claudia viene a su lado. Algo en su manera de caminar sobre agudos tacones, con un ligero vaivén de las caderas y el susurro del traje, le recuerda de nuevo a Serena cuando salían los sábados en la noche. El aire olía igual, a flores y aguas de pantano; graznaba una lechuza. Las palmeras, como ahora, estaban quietas. Todo era parecido, hasta la manera como el corazón hacía sentir por dentro sus latidos.

–¿Nunca abren la puerta de la calle? –le pregunta él.

– Sólo una vez al año, cuando viene el obispo.

–¿A confesarte?

–A la tía. Yo nunca me arrepiento de lo que hago –ríe ella.

–Buen principio.

Avanzan por el patio. Los guardaespaldas, al verla, interrumpen su juego de dominó y se ponen de pie respetuosamente.

–¿Te gustaría ir a un cine? –propone ella.

Aquello lo asombra. No imagina en cine a una mujer que es protegida por tantos hombres armados. Nada más ajeno, además, a su leyenda de mujer enclaustrada que ni siquiera, después del entierro de su marido, quiso recibir visitas de pésame.

–¿Hablas del cine club?

–Ningún cine club. Hablo de un cine popular, de un cine corroncho. ¿No los conoces? Son divertidísimos, tú. La gente grita, interpela a los actores. No hay nada mejor, viniendo de París, que un cine corroncho de Barranquilla.

–Me parece una muy buena idea.

–Déjame ver si consigo un automóvil para que lo manejes. No quiero llevar al cine a los escoltas. Son cachacos. Le van a disparar al primero que estornude a mi lado.

Dos de los guardaespaldas abren un vasto garaje. Dentro, cubiertos de polvo, hay media docena de automóviles. Entre ellos se destaca un Packard enorme, muy antiguo, con un galgo de plata en la trompa.

–Parece un altar de Corpus –dice él.

–Era el auto del abuelo.

Aquel Packard, recuerda él, estaba en la memoria de la ciudad. Largo y solemne, descendía a través de la ardiente polvareda de las calles, cuando aún Barranquilla no tenía pavimento, llevando al viejo Aristigueta hacia un caño del río donde antiguos capataces suyos, compañeros de aventuras, tenían ventas de frutas o de pescado. Era ya un auto vetusto, vetusto pero siempre muy limpio y con el reluciente galgo en la trompa, cuando el chofer de los Aristigueta venía a buscar a Serena, en aquellos carnavales en que ella y Claudia fueron princesas.

El garaje tiene un intenso olor a encierro y humedad. Claudia, que se ha dirigido a una repisa, remueve las llaves dentro de una caja de cartón.

–¿Coleccionan automóviles?

–Son de gente que ha muerto. O que se ha ido, como mis hijas. Te lo dije, esta casa es un museo.

Encuentra una llave y con ella abre la portezuela de un pequeño Fiat de color gris. Sentándose delante del volante, intenta ponerlo en marcha. El motor apenas emite un breve gruñido.

–¿A dónde van?

Navarrito está en la puerta del garaje, sombrío.

–¿Ninguno de estos cacharros funciona? –le pregunta ella.

–Ninguno. Están sin batería. ¿A dónde van?

Parece desconfiado, como un carcelero.

–Vamos a un cine corroncho, Navarrito.

El mulato contempla a Claudia con una especie de aflicción; parece un médico ante un caso sin remedio. Sacude la cabeza:

–Claudia Andrea, estás completamente loca.

–¿Por ir a un cine?

–Si vas, llevas toda la escolta. Es orden de Federico.

Ella mira a Manuel con risa.

–¿Te das cuenta la vida que llevo?

–¿Federico es tu tío?

–Mi primo.

Un recuerdo le ha llegado a través de las nieblas de la memoria.

Federico Aristigueta. Aquella fiesta en una finca cercana al pueblo de Malambo, muchos años atrás. Estaba él con Serena, recién casado. Era una tarde de mucho calor, había polvo, aguardiente, música de cumbias, borrachos que gritaban apuestas en torno a un círculo de tierra donde se enfrentaban dos gallos de riña. En medio de aquel jolgorio en el que todo el mundo hablaba al tiempo, bebía y reía, único inmune al polvo y al calor dentro de su blanco traje de lino, el rostro hermoso y glacial, las cejas muy negras, arrogante como un señorito andaluz, estaba sentado Federico Aristigueta. Sostenía un bastón con empuñadura de plata y no le quitaba a Serena los ojos de encima. No la miraba al descuido, sino fijamente, con provocadora insolencia.

–Tu primo es una joya –dice Manuel.

Ella tiene una expresión de risueña complicidad.

–Tú lo has dicho. Una joya.

Manuel tiene la impresión de que se adivinan los pensamientos.

–¿Qué tal si damos un paseo a pie? –propone ella, bajándose del automóvil.

–¿Por qué no?

⁓

Todo es igual a entonces: el zumbido de los aires acondicionados escuchándose en los jardines; palmeras y luces que parecen flotar en un vaho de calor; las calles desiertas. Por primera vez tiene él la impresión de que París está irremediablemente lejos. Puentes, árboles color de fuego en el frío del otoño, Serena, sus hijas, todo se alza ya sin peso en la memoria, como en un sueño.

Lejos, suena el silbato de un celador.

Claudia camina a su lado.

–¿Por qué decidiste regresar?

–Las cosas se acaban –suspira él–. Incluso, en mi caso, París.

–Así lo creo yo también.

El ruido de sus tacones en el pavimento. Hay en ella una delicada aura femenina: algo que la hace frágil y próxima a él, cosa extraña.

La voz de ella toma de repente un tono más íntimo, confidencial:

–¿Qué pasó con Serena?

¿Cómo explicárselo? Busca alguna frase y no la encuentra. Siente un peso en el corazón.

–No te lo podría explicar en dos palabras. Otro día, quizás.

Si es que volvemos a encontrarnos, piensa amargamente. La idea de no volver a verla le produce un oscuro malestar. ¿Es ella una réplica de Serena o un artificio nada más, un artificio creado por la noche, el olor del aire, los recuerdos asociados a aquella ciudad?

Se detiene de pronto, sorprendido. Aquella esquina. No hay duda, reconoce la quinta que se alzaba al otro lado de la calle, las dos palmeras del jardín y la terraza enrejada.

–¿No quedaba allí el Heyneman? Era un restaurante.

–Sí. Ahora es la casa de los Correa.

Ciertas noches el jardín se llenaba de luciérnagas. Brillaba en la terraza una luz azul de acuario. Serena se sentaba en la banqueta mecedora, a su lado, delante de un refresco de menta. Conversaban. Hacían proyectos. Ella deseaba dejar todo aquello: las fiestas, las partidas de tenis, las comparsas de carnaval para dedicarse a escribir. Y él, por su parte, quería hacer lo mismo. Guardaban ambos, escondido en el fondo de sí mismos, idéntico proyecto. No contaba para ellos otra cosa en la vida. Serena, sus ojos oscuros, sus manos muy largas, mirándolo. ¿Sabes que yo no podría casarme sino con un tipo como tú? Él había reído. "Acuérdate, sólo tengo dos camisas y este traje. Soy un muerto de hambre."

En el Heyneman, muchos años atrás.

–Venías aquí con Serena.

Le extraña la manera como ella camina sobre sus propios pensamientos.

–¿Cuál es tu signo astrológico?

–¿Qué crees tú?

–Piscis. Y si no, Capricornio.

Ella parece sorprendida.

–Soy Piscis.

–Ahora comprendo por qué me adivinas el pensamiento.

Oye una tos a la espalda, muy próxima. Él se vuelve con sobresalto. Lo estremece la silueta de aquel hombre con su ametralladora en la mano. Se ha detenido al pie de la palmera.

–No te preocupes –ríe ella–. Es uno de esos manicongos que me siguen adonde yo vaya.

–¿Siempre los tienes detrás tuyo?

–Vaya a donde vaya. Si yo miro la luna, ellos también. Aún así, de nada le sirvieron a Tomás.

–¿Tomás?

–Mi marido.

Su marido. Aquel banquero calvo, mucho mayor que ella, que él recordaba haber visto en la fotografía en un periódico, acribillado dentro de su Mercedes Benz. La prensa había hablado de un grupo guerrillero que lo amenazaba de tiempo atrás. Otra historia de locos, de fanáticos obsesionados por su propia guerra de liberación.

–*Quelle connerie la guerre* –murmura él.

Ella, muy despacio, en un francés perfecto, recita los primeros versos de aquel poema de Prévert.

–"*Rappelle toi, Barbara, / il pleuvait sans cesse sur Brest ce jour-là, / et tu marchais souriante, / epanouie, ravie, ruisselante /sous la pluie...*" Sí –interrumpe ella bruscamente; su voz suena dura–, *quelle connerie la guerre*.

Cae de nuevo, sobre ellos, el silencio rumoroso de la noche mientras caminan. Lejos, en alguna parte del río, se oye una sirena. Sus miradas se cruzan. ¿Cómo, a qué horas resultó recitando en un francés perfecto aquel poema de Prévert que él adora? Hay en ella una intuición aguda que lo desconcierta. No es una flor de esta ciudad. Nada que ver con las mujeres que se marchitaban hilvanando chismes en el club y jugando a la canasta. ¿Cuál sería su verdadero mundo?

Oye la voz de ella, muy baja:

–¿En qué piensas?

–En ti. Me hacía preguntas.

–Es más fácil que me las hagas a mí, directamente. Tienes derecho a tres, sólo a tres.

–Prévert.

–Ningún misterio. Lo estudiábamos en la clase de francés de mademoiselle Heuvy, en el castillo de Briamont.

–¿Suiza?

–Lausana, sí. Qué manera más boba de perder una pregunta, tú.

–Era una simple confirmación. ¿Por qué mataron a tu marido?

–Esa pregunta he debido prohibírtela.

–No la contestes.

Sobre la cara de ella ha caído una sombra repentina. Frunce el ceño. No lo mira. Tiene ahora un aire frío y desdeñoso. El encanto se ha roto, piensa él. Debe pensar que él participa de la misma curiosidad aviesa de la ciudad hacia los herederos de Simón Aristigueta, esa misma curiosidad pública que rodea a las celebridades y a los príncipes. Debe verme como un espía, piensa Manuel; otro intruso más.

–Olvídalo –dice él–. No quiero saberlo.

Inesperadamente, sin mirarlo, ella dice:

–Era a mí a quien querían matar. No tanto a él sino a mí.

Él se detiene.

–¿A ti?

Los ojos de ella tienen un brillo feroz cuando se clavan en los suyos.

–Sí, pero no me preguntes nada más. Ese es un asunto sólo mío.

II

Es como si un hilo recio e invisible, que no se atreve a romper, lo atara a la casa de Claudia Aristigueta. Cuatro veces, durante cuatro días consecutivos, ha cancelado su reservación en el vuelo a Bogotá. Y cada día, al despertar en su cuarto de hotel con el crudo resplandor del sol del Caribe encendiendo las cortinas y el clamor inmóvil e intenso de las chicharras viniendo de la calle, se ha hecho las mismas preguntas: ¿Qué hago yo aquí? ¿A qué vine? Y cada día, después del desayuno ha llamado a la oficina de la compañía aérea para reservar un puesto en el último avión del día. Ha sido ella, Claudia, la que ha terminado cada vez por imponerle un nuevo aplazamiento de su viaje. No se lo ha pedido de una manera explícita sino sutil, proponiéndole ver una película de Antonioni o invitándolo a cenar. Mensajes cifrados, bajo una apariencia de ligereza o frivolidad muy caribe, que buscan retenerlo, impedir que esa llama surgida entre los dos la primera noche se apague bruscamente. Él lo siente así. Lo intuye su corazón, que se alegra al tomar la decisión de quedarse un día más y que acelera sus latidos cuando transpone la puerta trasera de aquella casa, bajo la mirada hosca y desconfiada del mulato; cuando se sienta en el salón sofocante de muebles amortajados en espera de verla aparecer de nuevo, siempre fresca y radiante, con un traje ligero y de buen corte y los brillantes ojos color esmeralda llenos de humor. Han comido juntos, acompañados por la tía inválida que nunca habla, y se limita a contestar las preguntas de Claudia con silenciosos movimientos de cabeza, mientras zumban en lo alto aquellos grandes ventiladores de barco de río y llega del jardín el rumor de los grillos.

Han ido finalmente al cine popular seguidos por dos camperos llenos de escoltas, hombres rápidos y alertas con sus armas guardadas en maletines de lona que, por una vez discretamente, han tomado puesto en los bancos de madera del teatro, sumergidos en la bulliciosa multitud. Ambos, Claudia y él, se han divertido escuchando al público gritar sus propias réplicas a los personajes de Antonioni o comentar con ruidosas procacidades cualquier escena de amor. Y él, viendo los ojos de Claudia brillantes de risa y observando cómo, a la salida del teatro, se detiene ante un puesto de fritangas alumbrado con una lámpara de kerosene para comerse una butifarra, ha comprendido que ella toma distancias sólo frente a su propia clase o a la que adula a su familia, como si oliera de lejos el arribismo servil, pero no frente a la clase popular a la cual se aproxima con alegre desenvoltura. Igual que Serena; por algo eran amigas tan cercanas.

Así han transcurrido cuatro días desde la noche en que la vio por primera vez, y siempre se ha despedido de Claudia con un inexplicable peso en el corazón, seguro de irse al día siguiente y no volver a verla. Ha caminado por las calles de aquel barrio hacia su hotel, preguntándose qué le ocurre, por qué aquel vacío, aquella sensación de soledad abrumándole el corazón, como si estuviese perdiendo a Serena de nuevo o en todo caso a alguien que fuese su réplica. Y siempre, dentro de él, le ha parecido escuchar una voz desengañada y dura llamándolo al orden. Es absurdo, se lo ha repetido cien veces, sucumbir a un deslumbramiento repentino con una mujer que acaba de conocer, sólo porque de algún modo le recuerda a Serena, porque era amiga suya y pertenece a su misma ciudad. Es una trampa urdida por las circunstancias, un espejismo, una desesperada fabulación de adolescente, le dice aquella voz cada noche, mientras respira el aire caliente y húmedo, de regreso al hotel. Debo irme, dice, y es ella, Claudia, la que siempre acaba por demoler su propia decisión con algún pretexto trivial.

Aquella misma mañana de domingo, por ejemplo: hacía sus maletas con el sol ardiendo en la ventana y el insomne clamor de las chicharras viniendo de la calle, cuando ha sonado el teléfono y ha oído la voz de ella proponiéndole ir a la playa. Y él ha aceptado, una vez más, con un alborozo secreto reemplazando de pronto la oscura aprehensión de su partida inminente, dispuesto a cancelar por quinta vez su reserva en el avión. La ha esperado largo rato en el vestíbulo del hotel. La ha visto aparecer manejando el mismo Fiat lleno de polvo que la primera noche, en el garaje de su casa, intentó poner en marcha inútilmente. Y ella ha llegado al fin, con un pañuelo en la cabeza y grandes lentes oscuros y unos pantalones bermudas, ligera y radiante y tan joven como podría serlo su propia hija. Sentado a su lado, él la ha visto conducir el auto a gran velocidad por avenidas casi vacías y llenas de luz y calor, antes de encontrar la vieja carretera que lleva al mar. Como de costumbre, la siguen dos camperos llenos de hombres armados.

–Ahora tenemos una autopista. Pero supongo que tú prefieres el viejo camino.

–¿Por qué lo crees?

–¿No viniste en busca de tus pasos perdidos?

–De pronto esa fue la idea, sí. ¿Dime, a todas partes tenemos que ir con tu guardia pretoriana?

Ella mira los autos que la siguen por el espejo retrovisor.

–Se supone que no deben desampararme ni de noche ni de día.

–¿Te siguen nadando cuando te echas al mar?

Ella sonríe sin apartar los ojos de la carretera.

–El agua les encanta.

Él se distrae contemplando el polvoriento paisaje, al lado de la carretera. Aquellas tierras estériles donde sólo crecen el trupillo y las zarzas, alternando con ciénagas de aguas muertas bajo la luz reverberante del mediodía, le han recordado a Serena y al día en que se casaron.

Iban por la misma carretera y a la misma hora rumbo a una casa de Puerto Colombia que les habían prestado para pasar la luna de miel.

–¿Sabes una cosa? –decía ella, Serena–. Mi papá y mi mamá pasaron también su luna de miel en Puerto. Pero entre ellos y nosotros había una gran diferencia.

–¿Cuál?

–Mi mamá tenía la impresión de haberse casado con un extraño. Yo no.

–Ni más faltaba.

Serena, a su lado, casi veinte años atrás.

–Pero sí hay algo completamente idiota –se lamentaba Serena–: llego virgen al matrimonio. Como mis amigas del Country Club. Culpa tuya.

–Soy un gentleman británico. No quería llevarte a un motel con bombillitos rojos.

–Había la playa.

–Eso lo sacaste de alguna película, seguro. Aquí, si vas de noche a una playa te pica una culebra.

–¡Qué cachaco eres!

Él se reía.

–¿Sabes una cosa? –decía ella.

–¿Cuál?

–No debemos separarnos nunca. Es muy difícil que alguien se entienda como nos entendemos nosotros.

–Claro que no. Aparte de que nos casamos hace apenas una hora y cuarenta y cinco minutos.

–Aunque parezca ahora imposible, amores contingentes pueden presentársenos a ti y a mí. El instinto rara vez es monogámico. Mejor saberlo y estar preparados. Lo es en los elefantes y en los canarios, pero no en el hombre.

Él se doblaba de la risa, conduciendo el automóvil por aquella carretera, veinte años atrás.

–¿De dónde sacaste eso?

–Sartre y Simone de Beauvoir asumieron desde muy jóvenes sus amores contingentes. Y al aceptarlos, ellos lograron salvar aquello que...

–No, yo hablo del cuento de los canarios y de los elefantes.

–De un libro de etología muy interesante que encontré en la Librería Nacional.

Aquella carretera removía recuerdos.

–Estás mudo –dice Claudia.

–Me estaba acordando de la luna de miel con Serena. ¿Dónde estabas cuando nos casamos?

–Estuve en tu matrimonio.

–No es posible.

–Vivía en Nueva York. Vine por dos días y asistí a la fiesta que dio tu suegro en el Country.

Después de todo era explicable que no la reconociera. Su memoria recupera un vasto salón del Country Club lleno de gente sentada en torno a las mesas. Alguna de esas mujeres jóvenes y bellas con grandes sombreros que alzaban hacia él miradas curiosas (¿quién era aquel cachaco que se había casado con la loca de Serena?) había sido ella, Claudia Aristigueta.

–Yo fui al matrimonio, mi marido no.

–¿El banquero?

–El anterior.

–¿Cuántas veces te has casado?

–Dos veces.

–¿Qué hacía el primero?

–Un poco de todo. Era polista, aviador, corredor de automóviles. Pero su más firme vocación es la de cazador de fortunas. Vive ahora en California con una millonaria.

El automóvil ha ganado una colina y ahora, a través del parabrisas, se ve un polvoriento paisaje de palmeras que desciende hacia la playa y el mar. Nubes blancas flotan en el cielo hirviente del mediodía.

Apartándose de la carretera, Claudia avanza por un camino de tierra crepitante de chicharras. Un soplo ardiente de aire con el denso olor del mar se mete por las ventanillas. A la derecha, muy abajo, interrumpida a veces por lenguas de agua de muy poca profundidad sobre las cuales pasan, chapoteando, camionetas y jeeps, se extiende una larga playa de arena gris.

Claudia detiene el auto frente a una fonda muy rústica. Es un rancho sin paredes, un simple cobertizo de hojas de palma sostenido por cuatro palos, abierto a la brisa y al panorama luminoso de la playa, e impregnado de un denso olor a pescado frito.

–Ven –dice Claudia bajándose del auto–, no hay un lugar mejor en todo el litoral para comerse un pargo. Es el rancho del alemán, ¿no lo recuerdas?

Manuel encuentra en su memoria, veinte años atrás, aquel mismo cobertizo de hojas de palma alzándose solitario en una playa entonces salvaje. Sobre el techo ondeaba una bandera alemana; un altoparlante dejaba oír, en la ardiente desolación de aquellos domingos, nostálgicas canciones bávaras y marchas militares. Su propietario, un antiguo marino alemán de pálidos ojos color aguamarina en un rostro renegrido por el sol del Caribe, con el torso siempre en carne viva y una gorra blanca de capitán de barco, freía pescados al lado de sus hijos y de su esposa, una india escuálida, siempre atareada y siempre encinta.

Todavía queda la bandera –le dice Claudia señalándole en el techo un trapo tricolor ahora descolorido por el sol–. El alemán murió. Su hija heredó el negocio.

–¿Y qué pasó con las marchas militares? –pregunta él.

–La hija prefiere la música tropical –ríe Claudia–. Es completamente caribe.

Sentados a una mesa, con la brisa muy fresca viniendo del mar y toda la algarabía de la playa en el aire, beben una cerveza muy fría y comen rodajas fritas de plátano verde. Los escoltas permanecen en los camperos, a pocos metros de la fonda, escuchando la transmisión de un partido de fútbol.

–¿Tus esclavos no comen?

–Al contrario, tienen un apetito de tiburones. Saquean todo el tiempo las neveras de la casa. De hambre no se mueren, tenlo por seguro.

La propietaria de la fonda, una mulata muy joven con la misma diáfana mirada azul del alemán, se acerca trayéndoles unas lonjas de pargo recién sacadas de la parrilla.

–La mezcla de india y alemán es afortunada –dice él viéndola alejarse con un leve contoneo de las caderas.

–Muy buena, es cierto –dice Claudia–. ¿Sabías que mi abuela también era mezcla de india y alemán?

–¿Lo dices en serio?

–Sí. Mi abuelo la conoció cuando era muy joven en algún lugar del Chocó. Sabía cazar caimanes.

Él la mira con incredulidad buscando en el rostro de Claudia una huella así sea remota de aquel ancestro. No la encuentra, a no ser que el contraste del pelo tan oscuro y los ojos tan verdes y brillantes y algo rasgados proviniera de su abuela.

–¿Tenía ella los ojos verdes como los tuyos?

–Verdes, sí. Yo viví con ella, de niña, cuando mi padre la llevó a París. Allí estaba en el hotel George V, muy vieja y muy digna, y completamente fuera de lugar. Jamás habló una sola palabra de francés. Cuando le entregaban el menú, en el restaurante del hotel, fingía leerlo (y es posible que ni siquiera supiera leer) y acababa pidiendo siempre el mismo plato.

–Nadie pensaría que tienes una abuela india. Tus manos son muy finas. Parecen las de una dama florentina pintada por Botticelli.

Le ha tomado la mano para examinarla. Pero en cuanto tiene dentro de la suya aquella mano suave y frágil y muy bien proporcionada, siente nacer en la flor más fina de sus nervios la tentación de una caricia. Ella de algún modo debe advertirlo, porque el brillo de sus pupilas deja de ser vivo y móvil como el de una llama para convertirse en un punto que se dilata y profundiza como las pupilas de una gata cuando le acarician el lomo.

–Para tener una mano así –dice él retirando la suya– se necesitan muchos antepasados que jamás hayan hecho un trabajo manual.

–Pues te equivocas. ¿Nunca oíste hablar del abuelo?

–Cómo no. Tu abuelo es una leyenda nacional.

–Excavó una mina de oro con sus propias manos. Y mi abuela, la india, le ayudaba a remover las piedras.

A las cinco de la tarde, cuando el sol empieza a bajar, hay un dorado resplandor en las dunas y en el agua. A contraluz, en una breve colina al extremo de la playa, se divisa un lúgubre caserón en ruinas.

Claudia y él pasean por la playa.

–¿Te acuerdas del castillo de Salgar? –pregunta ella.

A él le cuesta trabajo confrontar aquella construcción de muros leprosos, castigados por el salitre y por el tiempo, y de ventanas sucias y como ensombrecidas por la arena que el viento levanta de las dunas, con el castillo de Salgar que guarda en su memoria.

Allí venía con Serena los atardeceres de domingo. Sobre la playa, entonces vacía, con algunos troncos podridos que las mareas arrojaban sobre la arena, volaban las gaviotas en círculos de desolación. Oían sus chillidos. El castillo, o sea aquella casa con una torre, estaba entonces habitado por huérfanos del interior del país cuyos padres habían sido asesinados en épocas de violencia política. A través de las ventanas abiertas al incendio del atardecer, envueltos en las penumbras de aquel caserón antiguo, veían a veces a los niños respondiendo en coro las oraciones de un rosario.

Serena y él se sentían de pronto sobrecogidos observando el triste mar de Puerto Colombia en aquella hora crepuscular. Serena no tenía entonces más de veinte años, y andaba sumergida en un torbellino de lecturas buscándole un sentido a la vida. "Hay que encontrar otra cosa", decía refiriéndose al destino dócil de las abuelas, tías, primas y amigas. Sentía de algún modo la necesidad de derrotar la futilidad de la vida que se agitaba en torno suyo. "Debemos irnos lejos, escapar de este mundo asfixiante", repetía cada domingo mientras resbalaban por las dunas subiendo hacia el promontorio donde se alzaba aquel falso castillo. Ahora, subiendo por el mismo camino con Claudia, lo estremece todo el tiempo transcurrido desde entonces, la apuesta ardiente y dolorosa asumida por Serena, sus libros ignorados, la enfermedad que quema sus últimas fuerzas y aquellos años tan duros vividos por ambos en París. Ve pesadas barcazas de carbón deslizándose sobre el espejo helado del canal de San Martin; los árboles sin hojas en las dos orillas; la lúgubre fachada del hospital Saint Louis; la empinada rue de la Belle-aux-Granges; el servicio de hematología; los corredores desvencijados; la fila triste y paciente de enfermos, con todo el frío de París en los huesos y toda la pobreza de los tristes suburbios en las ropas, hombres derrotados con papelitos azules en las manos esperando durante horas una consulta fugaz con un médico sin alma; y entre ellos, con una chaqueta de piel de conejo comprada en un almacén de saldos invernales, también con un papel azul en las manos moradas de frío, los ojos muy oscuros y grandes brillando por la fiebre, asumiendo en silencio, con la luminosa serenidad de una santa, aquella amenaza de muerte que pesa sobre ella, Serena. Aquel viaje al fondo de la noche había empezado inocentemente allí, en aquellos atardeceres de domingo en Salgar. Allí, de espaldas al castillo, mirando el sol hundiéndose en el horizonte, mirando el mar, las dunas, los troncos podridos y la vasta playa gris bajo el vuelo de las gaviotas.

–Tengo arena en los ojos, en la lengua, en los sitios más recónditos –ríe Claudia, a su lado, empujando una puerta de hierro que sirve de acceso al caserón.

Caminan en torno al falso castillo, que no es sino una ruina sin color. La mano en el pañuelo que lleva sobre la cabeza, con sus bermudas blancos y unos zapatos tenis, los lentes oscuros protegiéndola del sol crepuscular, Claudia parece una deslumbrante muchacha norteamericana caminando en Palm Beach. O quizás, piensa él mientras observa la suave perfección de sus rasgos cuando vuelve hacia él la cara, una celebridad cinematográfica. Detrás de esa belleza preservada, él se pregunta si hay campo para dudas, inquietudes, pasiones y tormentos como le ocurría a Serena, o si sólo hay la fácil y alegre desenvoltura de las mujeres de su clase en aquella ciudad.

Avanza delante de él hacia el lugar donde la colina parece una proa proyectada sobre el mar y el vasto panorama de la costa. De pronto, ella aparta la mano del pañuelo y el viento se lo arrebata llevándolo hacia las dunas. Ella deja que el pelo le azote al cara. Acercándose, él experimenta un brusco deseo de abrazarla. Ella debe sentirlo así, porque parece encogerse como si necesitara incrustarse en el anillo de sus brazos mientras el pañuelo es arrastrado por el viento hacia la playa. Pero es absurdo, piensa él. Absurdo caer como un adolescente ante aquel impulso repentino, el insensato deseo de apartarle el pelo de la cara y besarla a ella, Claudia Aristigueta, la amiga de Serena.

Ella se vuelve hacia él.

–Dime, ¿en qué estás pensando?

–Me estaba haciendo preguntas sobre ti.

–¿Por qué te las guardas?

–Debo ser un hombre muy tímido.

–¿Qué quieres saber?

–Nada muy concreto. Quisiera saber qué guardas en el fondo del alma. Nada menos.

A ella se le ensombrece la cara.

–¿Es sólo curiosidad? No te fíes de las apariencias. Nadie sabe nada de nadie. Volvamos a la ciudad.

Igual que la primera noche, cuando le preguntó por qué habían asesinado a su marido, hay en su voz y en su ceño una oscura contrariedad. Se ha dado vuelta y echa andar delante de él hacia el automóvil. Camina junto al muro del caserón envuelta en el aire luminoso y saturado de arena del atardecer, el firme trasero moviéndose bajo la tela ligera de los pantalones bermudas. Apenas le da tiempo de subirse en el auto. Arranca con un ímpetu que toma por sorpresa a sus guardaespaldas. A través de una nube de polvo, él los ve corriendo hacia los camperos. No sabe qué decir. Se siente torpe y confuso con la vista fija en la cinta de asfalto de la carretera, que el Fiat devora veloz. Está oscureciendo. Después de todo, la ciudad puede tener razón. Siempre ha sido vista Claudia como una mujer capaz de feroces desaires. Él no la conoce aún. Los ricos muy ricos, en un país donde el poder alcanza dimensiones imperiales, se permiten toda suerte de insolencias y caprichos, piensa.

–¿Qué pasa, Claudia? –le pregunta suavemente.

Ella no aparta la vista de la carretera.

–Nada pasa, tú.

–Perdiste el pañuelo.

–No importa. Es sólo un trapo.

Y no hablan más. Entran en la ciudad donde acaba de encenderse el alumbrado público. Él observa de reojo el perfil obstinado de ella, el trazo rotundo y colérico de la boca bajo los lentes oscuros. No sabe a qué horas aparece la fachada del Hotel del Prado, el toldo de la entrada y los choferes de taxi escuchando por radio los comentarios de un locutor deportivo. Ella detiene el auto. Aparta los lentes de su cara y se vuelve hacia él. Fríos cristales de luz le hacen brillar los ojos con dureza.

–Adiós. Me encantó haberte encontrado.

–Qué frase más horrible.

–No le des color.

El rostro de ella mantiene una dureza de mármol.

–¿No puedes explicarme qué ha ocurrido, qué te ha molestado?

–No hay nada que explicar.

–En ese caso, adiós.

Baja del automóvil con un sordo peso en el corazón. El auto parte veloz, seguido por las dos camionetas llenas de escoltas.

Caminando por los pasillos del hotel, con la densa algarabía de los grillos subiendo de la oscuridad de los jardines, se dice a sí mismo que nunca aprenderá a conocer a las mujeres. ¿Qué le había ocurrido a Claudia? No entiende nada. Se siente oscuramente humillado y triste. Algunas luces se han encendido en torno a la piscina. "No veo qué vine a hacer aquí", piensa de nuevo. Debía dejar dormir sus fantasmas en paz. Cada hora (esta oscuridad sofocante poblada de rumores de insectos), cada sitio (aquel viejo hotel, sus largos corredores de mosaicos) le devolvían recuerdos. Le parecía que era sólo ayer cuando venía con Serena al night-club del hotel, los sábados en la noche. Entraban en las tinieblas glaciales de aquel Patio Andaluz con su decorado de arcadas moriscas y estrellas de plata. Cantaba un negro, en la orquesta, un aire cubano de moda: "Y yo que te quiero tanto, caramelo santo..." Las miradas se alzaban hacia Serena, a medida que iban desfilando entre las mesas. Serena tan joven, tan bella.

Entra al cuarto, prende el aire acondicionado y se deja caer en la cama. Quizás debía tomarse un whisky para quitarse aquel sentimiento depresivo que seguía pesándole en el corazón. Había sido un estúpido preguntándole a Claudia qué tenía en el alma. Se había ofendido. Era una mujer temperamental. Y aquel impulso repentino, el deseo de abrazarla, de besarla, quizás dictado sólo por un juego de circunstancias, el castillo, el mar, el vacío del domingo, los recuerdos de Serena en aquella playa, sin duda la necesidad de tener a alguien a su lado y cubrir el vacío ahora que realmente no tenía a nadie. Pero había que sortear las trampas de la soledad. Guardar en el ropero el violín y el ramito de violetas. Ninguna limosna para el pobre huérfano. Eso le quedaba, ahora que había vuelto: clausurar el pasado, entrar en la realidad que durante años había rehuido, ahora agravada por asaltos, combates, tensiones, amenazas, secuestros, violencias de todo orden. Zambullirse en el pantano, envolverse lujosamente en aquella capa de desastres ahora que podía mirarla y tal vez describirla con frialdad, sin las enajenaciones de la juventud.

Se incorpora en la cama buscando en la libreta de teléfonos el número de la oficina de la compañía aérea en el aeropuerto. De pronto, escrito con letra grande y apresurada, encuentra en una página el número de Claudia. Sin pensarlo dos veces, lo marca en el disco.

Reconoce la voz de ella.

–¿Qué pasó? –dice él de manera impremeditada como si otro, distinto a él, estuviese hablando. El corazón le late con prisa.

–Me estaba preguntando lo mismo.

–Tuve el impulso de abrazarte allá en Salgar.

–Seguir sus impulsos es un lujo que muy pocos se permiten.

–Es lo que me suele ocurrir. Salvo cuando...

–¿Cuando qué?

–Cuando alguien me interesa demasiado. Entonces vuelvo a ser el muchacho terriblemente tímido que fui.

–Pensé en eso, después. ¿Sabes una cosa? En esta ciudad todo el que se acerca a mí es como si fuera de vidrio. Sé lo que lleva por dentro. Siempre quiere algo. Casi nunca lo confiesa, pero quiere algo. Gira, da vueltas, te llama, dice esto o aquello, pitos y flautas, sin atreverse a revelar lo que uno ha visto desde el comienzo.

–¿Y viste algo en mí?

–Justamente nada. Eso me gustó. Quizás sólo buscas a Serena y encontraste algo de ella en mí. Pero no más. Y de pronto surgió esa llama tan linda. Ahí estaba, brotó en Salgar y la apagaste. Por miedo.

–Miedo de echarlo todo a perder por una torpeza.

–Pues la torpeza tuya fue esa.

–Eres terrible.

–Todos lo dicen.

–Ahora comprendo por qué eras tan amiga de Serena. Ustedes son un par de brujas.

Oye la risa de ella: el hielo se ha roto.

–¿Qué haces? –pregunta ella.

–Quiero verte.

Claudia guarda un breve silencio.

–Ahora no. Más tarde –hace una pausa, reflexionando. Su voz toma de pronto un tono resuelto–. Baja a las diez de la noche. Pero no busques la salida principal del hotel. Sal por el bar. Es más discreto. Verás el Fiat. Una enfermera irá a buscarte.

–¿Una enfermera?

–Como lo oyes... Síguela sin protestar adonde ella te lleve.

A la hora convenida, él está allí. Una vez más, abandonando el bar refrigerado, lo sorprende el hálito ardiente de la ciudad. Divisa, en efecto, el pequeño Fiat estacionado en la avenida, bajo una palmera, con los faros apagados. Frente al volante, distingue la cofia casi fantasmal de la enfermera, su bata blanca. Lleva unos lentes oscuros que retira cuando él abre la puerta, dejando ver a un mismo tiempo el relámpago de los ojos y de sus dientes.

–Estás completamente loca.

–¿Apenas ahora lo descubres? –ríe Claudia–. No había otra manera de escapar a los escoltas.

❧

Conduce el automóvil velozmente, empujando a veces la palanca de cambios con un ademán brusco y sin parar en la luz roja de los semáforos. Las avenidas parecen desiertas a esta hora del domingo. Claudia se detiene al fin delante de un bar cuyo letrero en luz fosforescente brilla solitario en la calle. Antes de bajarse, se quita la cofia de enfermera.

–Entremos a este antro –dice.

Penetran en las tinieblas intensamente refrigeradas de un local donde apenas se distinguen las mesas y la barra del bar iluminada por la trémula vena azul de un tubo de neón. La música, atronadora, parecería destinada a cubrir un gran salón de baile lleno de gente. Pero, salvo el bar y un camarero, semejantes a buzos en la penumbra submarina, el lugar está desierto.

Sentado al lado de ella, en la oscuridad del salón, él experimenta una oscura ansiedad que intenta apaciguar bebiéndose un whisky doble con mucho hielo. El volumen de la música hace imposible cualquier diálogo. A Claudia parece divertirle aquel lugar. De vez en cuando encuentra su mirada con una centella de risa en las pupilas.

–Di algo –dice ella.

–¿Qué puedo decirte a gritos?

–En realidad, aquí nadie viene a hablar.

–¿Solo a bailar?

–O a fumar marihuana. Hablar ya es asunto de otro siglo.

–Bailemos entonces.

La pista es un espacio de dos metros cuadrados sumergido en una espesa tiniebla azul cruzada por relámpagos blancos. A él le estremece sentir contra el suyo el contacto de aquel cuerpo, de senos duros y pequeños y esbeltas caderas, ligeras como una llama, que oscilan al ritmo de la música. Le parece que está desnuda bajo la bata de enfermera. A tiempo que le roza con los labios el lóbulo de las orejas, tan delicado como un capullo, respira la fragancia limpia y sutil del perfume que usa.

–¿Qué haces? –murmura ella.

La besa despacio, largamente: primero en los párpados, luego en los labios, encandilado por el intermitente relámpago de luz que a cada instante estalla sobre el rostro de ella, sacándolo de las tinieblas y dándole un tinte lívido, una especie de fosforescencia sobrenatural, así como al traje blanco que lleva puesto. La besa estremecido hasta la médula por la fragancia de su piel y de sus cabellos, por aquel contacto tibio y ávido de su lengua buscando la suya a través de los labios y por la presión de sus senos bajo la mano que los ciñe suavemente.

–Qué prisa, tú –la oye susurrar.

–Vamos a cualquier parte –oye su propia voz quemada por la ansiedad–. Salgamos de aquí.

Ella pone en marcha el automóvil. Arranca con violencia haciendo gemir las llantas en el pavimento. Corriendo veloz, sin cuidarse de los semáforos en rojo, el auto deja atrás las últimas quintas dormidas de la ciudad y se interna en la oscuridad salvaje, palpitante de olores y rumores de monte, de una carretera. Él no piensa en nada. No puede. Siente sólo la fiebre de su deseo latiéndole con un apremio sordo, sin tregua, lleno todavía de sus besos, de la fragancia de su piel y de su pelo y de aquel hálito de marismas, húmedo y sofocante, que se mete por las ventanillas del auto mientras enjambres de insectos reverberan en la luz de los faros. Cuando aparta la vista del camino, vislumbra la blancura fantasmal del traje que ella ha recogido a la altura de los muslos para poder conducir y el perfil de su cara como esculpido en mármol bajo el alboroto del pelo, contra el fondo oscuro de la noche. Ignora a dónde van. No puede hacer nada distinto que aguardar, ardiendo en el fuego lento de su propio deseo, confiando en ella, en la resolución férrea y muda con que conduce el automóvil. Al fin, al extremo de una calle de tierra que se desprende de la carretera, ve un muro blanco y la puerta de un garaje bajo el resplandor lúgubre de un letrero de neón: sin duda un motel, un lugar previsto para los amores sigilosos de la madrugada en medio del monte.

Como si adivinara sus pensamientos, ella dice:

–Cucarachas, sábanas no muy limpias...

–¿El lugar donde los gerentes llevan a sus secretarias?

–O los médicos a las enfermeras –ríe ella–. Vas a tener problemas si entramos ahí. Y yo también, de pronto. Es un lugar que sólo conozco de nombre, por supuesto.

Retrocede con violencia, da la vuelta con un rechinar de llantas y emprende el regreso, de nuevo férrea y silenciosa, los ojos fijos en la carretera. Ahora parece mostrar la misma resolución fría y colérica de aquella tarde, cuando volvían de Salgar. El sordo deseo que latía por dentro de él se apaga como una brasa rociada con agua. En su lugar, aparece la grieta de un desasosiego maltratándole el corazón. Empieza a preguntarse con alarma si Claudia no será una histérica, sujeta siempre a cambios de ánimo imprevisibles.

La luces que ahora, tras la oscuridad cerrada de la carretera, brillan en lo alto de los postes le indican que están entrando de nuevo en la ciudad.

Sombríamente él descubre que se está aproximando nuevamente al hotel. Se decide de pronto.

–Claudia, sube conmigo.

–¿Te parece bien llevar a tu cuarto a una viuda tan respetable como yo?

Los ojos de ella brillan de risa.

–No había pensado en eso –dice él.

Ella detiene el auto frente a la puerta del hotel.

–Ahora, si lo que deseas es una mujer, los choferes del hotel conocen direcciones...

Él reacciona, vivamente.

–¿Por qué dices esa barbaridad? Me interesas tú –siente que su voz le tiembla–. No sé por qué. Ayer pensaba que todo se debía a Serena. Pero no. Hay algo más. No sé cuánto más, pero...

Ella lo ha atraído con violencia y lo empieza a besar. De nuevo siente su lengua tibia, ávida, traviesa buscando la suya. Lo aparta. Sonríe con una mirada extrañamente fija en él.

–Bueno, esto no estaba previsto. Vamos.

El auto arranca, y de nuevo él ve desfilar casas dormidas, avenidas desiertas, luces rojas de semáforos que ella no atiende.

–Debías saber una cosa –dice ella, de pronto–. La gente no importa. Los sitios tampoco. Nada importa, sino lo que uno quiere y decide. En ese Hotel del Prado, siendo muy joven, perdí la virginidad... Y no lo pensé dos veces.

Acaba de detenerse frente a la puerta principal de su casa. El guardia armado que se encuentra en la esquina se aproxima con su ametralladora bajo el brazo. Claudia, ya en el andén, lo aguarda tranquilamente.

–¿Qué hay? –le dice.

El hombre, desconcertado, la reconoce.

–Perdone, niña.

Ella camina hacia la puerta de la casa, sus talones moviéndose rápidos bajo el blanco uniforme, que parece fosforescente en la oscuridad. Saca una llave del bolsillo.

La puerta se abre sobre un vestíbulo vasto y oscuro, con pesados muebles, que huele a encierro.

–Sígueme sin hacer ruido –murmura ella tomándolo de la mano.

Suben por una escalera ancha hacia un vestíbulo del otro piso, apenas iluminado. Ella le señala una puerta cerrada, sin duda la del cuarto donde duerme la tía o la enfermera, colocándose un dedo en la boca para indicarle silencio.

Entran en el cuarto de temperatura glacial en el que ronronea un aparato de aire acondicionado. Ella cierra la puerta con llave detrás suyo. La luz tamizada de la pequeña lámpara de mesa ilumina una cama de una amplitud excepcional.

Se besan, tambaleantes. Ella, desprendiéndose de él, se deja caer en la cama. Ha cerrado los ojos. Las aletas de la nariz le tiemblan febriles.

Con la sangre zumbándole en los oídos y latidos de ansiedad en la garganta, él va desabotonándole la bata de enfermera. Como lo preveía, ella no lleva nada debajo del traje, de modo que sus senos le brotan redondos y pequeños con oscuros pezones color vino. Él se inclina para besarlos.

–¿Qué haces? –la oye murmurar con una voz que parece un quejido.

❧

Sopla una fresca brisa de madrugada agitando las palmeras; palpitan todavía los grillos en la oscuridad; de vez en cuando se escucha el silbato de un celador, mientras camina hacia el hotel por las calles del Prado. Una sensación plena y liviana le recorre la sangre llenándole el corazón. Densa fragancia de flores. Desnuda, palpitante en la penumbra dorada del cuarto. El pelo tan oscuro. Los ojos de fiebre bajo un velo trémulo de pestañas, y aquellas delicadas aletas de la nariz tan sensibles como la cuerda de un violín que el placer hace vibrar. Claudia. El solo nombre lo estremece. Enamorarse ahora, qué extraño. Serena, Serena, este es tu barrio, ella es tu amiga. Y tú te mueres en París. Los ojos se le llenan de lágrimas. "Estoy loco", piensa.

La luz intensa de la mañana enciende las cortinas en el cuarto del hotel cuando lo despierta el timbre del teléfono. Al otro lado, oye la voz ligera de Claudia.

–¿Te gustaría venir conmigo a una isla?

–¿Una isla?

–Sí, con muchos cocoteros y playas desiertas.

–¿Dónde?

–En las islas Vírgenes o en las islas del Viento... El nombre te lo dejo. Necesitamos una casa donde yo pueda gritar.

–¿Gritar?

–Sí, eso, gritar. Sin pudor. ¿Te escandalizo? (Oye su risa.) Me gusta gritar cuando lo hacemos, sin que oigan los pistoleros que están en el patio y sin despertar ni a la enfermera ni a la tía.

III

El pájaro debe estar muy cerca de la ventana. Aquel grito quejumbroso y selvático, de altas notas escalonadas, ha penetrado en sus sueños y suave, gradualmente, lo devuelve a la realidad, que es por lo pronto sólo la sensación de las sábanas perfumadas con lavanda entre las cuales ha dormido, y luego el distante rumor de las olas rompiéndose en la playa. Rayas de sol se dibujan nítidas en las persianas de madera. Cuando calla el pájaro, oye, sigilosas, las aspas de un ventilador en lo alto. Sorprendido, pasea una mirada por aquel cuarto decorado en suaves tonos marfil, cuando descubre a Claudia durmiendo a su lado.

Está de espaldas a él, desnuda. Ve sus cabellos negros y espesos esparcidos por la almohada; ve su larga espina dorsal bajo la piel que es suave, fresca, recorrida por una pelusa dorada como la de un melocotón maduro; ve la cadera, su curva de ánfora alzándose con suave delicadeza bajo la sábana que apenas la cubre, revelando el punto recóndito donde nacen firmes sus nalgas. Fascinado, como si quisiera comprobar que aquella mujer dormida no es un sueño, le roza el hombro con los dedos. Ella respira profundamente. Se queja, sin despertarse.

Mi amor, piensa él.

Le sorprende llamar así, mi amor, a Claudia Aristigueta.

Se siente bien, con un sosiego de corazón que se parece a la dicha. Durante el largo viaje en lancha desde Antigua, la tarde anterior, hasta aquella isla para él completamente desconocida, todos los poros de su cuerpo parecían haber absorbido el sol y el aire salobre y tonificante del Caribe. Todavía le arden los hombros. Sin hacer ruido se desliza fuera de las sábanas. Bajo la planta de sus pies, siente el contacto fresco y limpio del piso de mosaico. Entreabre una hoja de la persiana, que cruje como la quilla de un barco viejo. Con la claridad temprana aún, y un soplo de aire tibio, le llega el espeso aliento del mar y de la húmeda fronda tropical en torno a la casa. Abajo, entre el follaje, divisa el agua móvil y azul, rizada de espumas al romperse en los bancos de coral, que llega hasta la playa.

Se acuerda de la primera vez que vio el Caribe. Tenía catorce años; estaba con su padre en un hotel de Cartagena. Se había levantado de la cama como ahora, había corrido la cortina de la ventana para encontrarse de pronto no con los cerros grises y el cielo de ceniza de Bogotá, sino con el espejo azul de la bahía. Desde entonces el Caribe había suscitado en él aquella sensación de plenitud, mientras que Bogotá seguía asociándose al mundo lúgubre de su infancia.

Se le ocurre pensar que de esta última sensación no podrá liberarse, ahora que además de esos recuerdos pesan sobre la ciudad oscuras violencias y una miseria que la roe como un cáncer. Dos meses atrás, apenas, Tomás Ribón, el marido de Claudia, había sido ametrallado en plena calle. ¿Por qué? Era un misterio. También lo eran las amenazas que pesaban sobre ella. Querían matarla. Al parecer, la ráfaga de ametralladora que derribó al banquero dentro de su automóvil, disparada desde una motocicleta, estaba destinada a Claudia, recuerda de pronto. Y le parece absurdo, no puede comprenderlo, viendo cómo la luz limpia de la mañana se tiende sobre ella. Claudia duerme apretando contra sus senos una almohada.

Aquella noche, en una grieta entre dos sueños confusos, había descubierto que Claudia estaba despierta. Parecía mirar la oscuridad con ojos muy abiertos.

–¿Qué te pasa? –le había preguntado.

Después de una larga pausa, ella habló con una voz oscura y tranquila.

–Creo que nunca podré volver a Colombia.

–¿Por qué?

Tardó de nuevo en hablar.

–Me matan.

–¿Quiénes? ¿Por qué?

–No te lo puedo decir.

La había tomado en los brazos. Había sentido de nuevo aquella fragancia de flores salvajes en su pelo. Estaba desnuda, temblorosa, desamparada. Le había acariciado la cabeza metiendo la mano en esa fronda densa y fragante de sus cabellos hasta tocarle la base del cuello donde parecían alojarse, en un nudo tenso y electrificado, todos sus temores. Habían terminado haciendo el amor, envueltos en una red sigilosa de caricias, de besos y suspiros.

Con este recuerdo en su cabeza, abre la puerta del baño. Le sorprende todo aquel lujo: mármoles, espejos azules, luces tamizadas, grifos de plata, toallas espesas y fragantes, panes de jabón que nadie ha tocado aún y toda suerte de frascos de perfumería en las repisas. Le maravillan aquellos grifos que lanzan resueltas plumas de agua, cuyo contacto es tan fino como la seda. Piensa en el banquero. Sin duda aquella casa refinada había sido obra suya. Debía ser un refugio; una isla para escapar, de cuando en vez, a las amenazas de su país revuelto.

Empieza a afeitarse cuando ve de pronto, reflejado en el espejo, un sombrero colgado detrás de la puerta. Es muy amplio, de paja y con una cinta amarilla, idéntico a uno que tenía Serena. Entonces le llega un recuerdo.

Era junio, uno de esos días frescos y llenos de luz que parecen una cesta de promesas y fragancias estivales. Él aguardaba a Serena en el Deux Magots. No en la terraza donde la gente se divierte mirando cómicos, funámbulos, mimos o prestidigitadores, sino en el interior, que estaba penumbroso y con una agradable fragancia de café recién molido. De pronto, en la puerta, de espaldas a la luz intensa de la calle, había aparecido Serena con un amplio y casi estrambótico sombrero de paja.

Las miradas la habían seguido hasta su mesa, atraídas no sólo por aquel sombrero oriental sino por ella misma, por Serena, que traía un traje claro de verano con una falda de vuelos plisados y se veía muy linda y esbelta, con sus grandes ojos oscuros brillándole con vivacidad.

–Según el médico no debo recibir una sola gota de sol en la cara –había explicado ella quitándose el sombrero–. Por eso lo compré. Es un sombrero chino, ¿te gusta?

–Exótico.

–Va bien con mi tipo. El vendedor del almacén France-Orient me dijo que con él parecía una tailandesa.

–¿Qué pasa con el sol?

–Me salen manchas en la cara en forma de alas de mariposa.

–Muy poético, pero no te veo ninguna mancha.

–No te das cuenta de nada. Me las cubro con el maquillaje. ¿Sabes una cosa, Manuel? Este mal, según el médico, no se cura nunca y tarde o temprano lo mata a uno. Él me aconsejó convivir con él. Pero la palabra no es convivir sino luchar.

–Convivir es resignarse.

–Exacto. Y yo he entendido, al fin, que desde que se nace luchan dentro de uno la vida y la muerte. Decidí que a la vida yo le daría todos los rehenes posibles, ahora que estoy amenazada. Por eso decidí salir, en vez de quedarme tranquila en la casa.

–Y comprarte el sombrero.

–Y comprarme el sombrero. Y mañana, muriéndome de susto, empiezo a escribir al fin la novela. Un libro también es un rehén que uno le da a la vida. Es un rehén tan importante como las dos niñas. Sólo me preocupa una cosa.

–¿Cuál?

–La cortisona. Parece que lo hincha a uno. Y yo no quiero verme gorda como mi mamá.

–Nunca serás gorda. Además ese problema se resuelve comiendo sin sal.

–Así es. Cuando el médico comprobó que la enfermedad no había tocado el riñón ni los pulmones (todavía no, dijo el muy desgraciado con el tacto de un elefante), me sentí feliz. Necesito vivir lo suficiente para escribir el libro. ¡Y tengo tantas cosas del lado de la vida! Te tengo a ti, a las niñas, los libros, las películas...

–Tu gata Lou Salomé, los chocolates.

–Mi gata y los chocolates Leonidas. Deberías probarlos. Son chocolates blancos deliciosos, se deslíen en la boca.

Permanece con la máquina de afeitar inmóvil en su mano, mientras contempla en el espejo su propia cara embadurnada de jabón. Qué extraña era Serena: una mujer y una niña convivían en ella. La mujer lo miraba como a un hijo un poco loco; la niña como a un padre protector. ¿Cuál de las dos imágenes era cierta?

Ahora, en la terraza, contemplando el mar, sigue pensando en Serena, y el recuerdo de Serena le ensombrece el ánimo. No se ha alzado el calor: algo de la frescura de la lluvia caída durante la noche se respira en el aire. Vuelan pájaros azules de un lado a otro;

sordamente palpitan en la vegetación grillos y cigarras. La casa se alza en una colina. Tallado abruptamente en el monte, con piedras altas y desiguales sirviendo de peldaños, perdiéndose a veces bajo el follaje, el camino desciende hacia el muelle delante del cual fondeó la lancha que los trajo la víspera. En aquel lugar el agua es de un verde profundo pero, más allá del rompeolas y los bancos de coral, deriva del azul turquesa al verde esmeralda.

Serena, piensa, no volverá nunca al Caribe, aunque este fuera en realidad su verdadero mundo. A base de renunciar a todo para escribir sus libros, encerrada en su mínimo apartamento de Belleville, enferma, consumida por súbitas fiebres nocturnas, había terminado, como una de esas santas iluminadas del medioevo, en ese lindero intenso y secreto, casi trágico, entre la vida y la muerte. Recuerda la última vez que la vio, dos meses atrás. Estaba muy pálida. Tosía, le temblaba el mentón. Ahora tenía a su lado, en buena compañía, a su gata Salomé y a una minúscula perrita de lanas grises que había comprado recientemente. El humo del cigarrillo que le ardía entre los dedos, dedos de artista, largos, muy finos, y el de todos los otros cigarrillos que había fumado aquella tarde, envenenaban el apartamento. Junto al televisor, en un delgado florero de cristal, languidecía una rosa. Las rosas eran para ella símbolo de vida y de suerte.

–Se te está muriendo la rosa –había comentado él.

Ella había sonreído.

–Yo soy como esa rosa.

Sus ojos no tenían aquel estupor infantil que había conservado mucho tiempo después de casarse. Eran profundos y tristes. La muchacha llena de ímpetu y curiosidad que había llegado con él a París empezaba a desaparecer tras los rasgos de una mujer todavía hermosa pero marchita, absurdamente derrotada por la vida.

–París es muy duro –había dicho él.

–Duro, sí. Nadie te da una mano cuando caes.

En aquel momento, viéndola igual que la rosa moribunda del florero, él la había recordado tal como era a los veinte años, subiendo en el crepúsculo del domingo hacia el castillo de Salgar. Aquel recuerdo parecía un sueño. ¿Qué había ocurrido entre ellos? Se lo había preguntado más tarde.

–La vida –dijo ella.

Pero no, no era la vida, piensa él mirando un bote de motor que se aproxima navegando muy cerca de la costa. No era la vida la que había conseguido demoler su ímpetu, aquella sed de Serena por saberlo todo, por intentar las empresas más locas y casarle a su medio los más provocadores desafíos: entrar en un colegio marxista de varones, trabajar en un hospital lleno de niños moribundos, casarse con él, que no tenía un peso, dejarlo todo para irse a París sin dinero, proponerse como modelo en una casa de modas, dar lecciones de español en el Instituto Berlitz, vivir en pisos destartalados poniendo cualquier cosa en una olla para dar de comer a las dos niñas mientras él buscaba un trabajo, y en medio de esos terribles apremios escribir con letra apretada y menuda, en un cuaderno, un libro hermoso y feroz lleno de nostalgias y violencia, donde lo vivido por ella y los recuerdos guardados en la memoria de su ciudad habían quedado atrapados para siempre. No, no era la vida de París la que había terminado venciéndola (a ella que tanta fuerza había mostrado), sino aquella enfermedad tan extraña. Le robaba fuerzas, le quitaba el aire de los pulmones, el sueño y el apetito, y encendía la brasa de sus fiebres nocturnas, fragilizándola para afrontar la dureza inevitable de París. Serena –era absurdo a su edad– experimentaba esa fatiga que siembra insidiosamente la muerte a fin de ser recibida como un descanso deseable.

No era fácil admitirlo. No lo admitía él, de hecho. No podía aceptar aquella fuerza oscura y terrible que se abatía sobre Serena amenazándola igual que una ráfaga de aire amenaza la frágil llama de una vela. Fuerza letal que quería llevarse también una parte de él mismo, todo lo que habían compartido juntos: aquellos lejanos tiempos de Barranquilla; noches en el Prado; noches en el Heyneman; noches en el Patio Andaluz; la casita cercana a los cuarteles donde habían vivido recién casados; el toque de diana y los pájaros del amanecer revoloteando en los árboles; las iguanas corriendo por la sala, la noche, las estrellas, las palmeras, las brisas que venían puntuales en diciembre; tantas, tantas cosas.

Tantas cosas: aquel amanecer en la clínica cuando nació Clara Lucía, la mayor de sus hijas: no se habían apagado las luces del alumbrado público pero ya un fulgor rosado, el amanecer, surgía tras la línea del río. Asomado a una ventana que daba a la avenida 20 de Julio estaba feliz, recuerda; feliz, tembloroso, agotado, hambriento, estragado por la falta de sueño como cualquier padre primerizo; feliz por aquel ser diminuto y envuelto en pañales que berreaba. Y más tarde, París. París, los árboles del bulevar Jourdan dorados por el otoño, vislumbrados por aquel autobús que los traía del aeropuerto y Serena diciendo, nunca, nunca más volveré, te lo juro, haremos nuestra vida aquí. Aquello no lo olvidaría nunca mientras viviese, como tampoco la nieve del primer invierno cayendo en el parque de Luxemburgo, las dos niñitas saltando enloquecidas de felicidad en aquel paisaje de cuento de hadas, bajo la nieve, sin soñar que su madre decidía en aquel momento su destino por ellas, a Barranquilla no volverían, allí crecerían, allí se casarían, allí vivirían libres de prejuicios y machismos atávicos. Y lo duro que había sido todo después, lo duro, sí, el bulevar de Clichy, los puestos de tiro al blanco, los sex-shops al lado de la puerta, escaleras, más escaleras, escaleras siempre, frío y olor a moho y a sopa fría en los corredores, y la caja de aquellas galletas que Serena robó para las niñas una tarde en el mercado Leclerc, el grito de la cajera, la manera como los dos lloraron sentados en la cama cuando ella se lo contó al volver de la calle. Humillaciones sin fin. Así como todo lo bueno, también. Todo lo profundo y cierto que habían compartido en París a lo largo de años desgarradores y luminosos: amigos, poetas, pintores, exiliados, gente diáfana, sufrida, solidaria, que llegaba con una botella envuelta en papel de seda, y el fuego de la chimenea en invierno o bien las ventanas abiertas a las fiestas del crepúsculo estival mientras comían, mientras reían y charlaban, protegidos de todo mal por aquel anillo de afecto. También París había sido eso.

Ahora no había más remedio que amortajar aquellos recuerdos. Si podía, si lo dejaban en paz alguna vez, piensa viendo cómo se acerca navegando despacio aquel bote con un motor fuera de borda. Dentro, media docena de negros con franelas de colores vivos ríen y gritan: oye sus voces. Había que apartar la mirada del pasado y continuar viviendo, aceptando con interés todo lo nuevo e imprevisto que la vida podía traerle aún. También Claudia veía las cosas así. Apenas dos meses después de haber enviudado, había asumido aquella fuga con él. Lo había traído a su refugio. Dormían juntos. Era la vida. Alza el brazo: los negros del bote lo están saludando.

Alguien le habla a sus espaldas: es Graham, el mayordomo o camarero de Claudia, aquel inglés todavía joven y con una pulsera de plata en la muñeca, que la víspera, en el muelle, se había hecho cargo de su equipaje. Alto, derecho, colorado, delgado como una vara, siempre con una corbata oscura a pesar del calor, trae en las manos una bandeja con jugo de naranjas y le está diciendo en inglés algo que él no entiende.

–Langostas –dice al fin en un castellano cauteloso y como refinado por su acento británico, señalando el bote que se aleja.

Claro, aquellos negros eran pescadores de langostas.

❧

Claudia es una reina, quizás lo ha sido siempre, desde la cuna: la idea le llega de pronto contemplando el ceremonial del desayuno. Graham y una negra con delantal blanco han traído fuentes de plata, un servicio de café, servilletas de lino y copas de cristal hasta la mesita de mármol instalada en un rincón de la terraza desde la cual se contempla una vasta extensión de la costa y el horizonte, el lomo azul, casi desvanecido de la isla de Antigua. Claudia se ha sentado delante de él. Descalza, vestida con una larga túnica de color marfil, sin una onza de maquillaje en la cara, va destapando una tras otra las fuentes que contienen panqueques, miel, huevos fritos y trozos de papaya salpicados de hielo.

–Esa túnica es una perversidad –le dice a Claudia, observando cómo a través de la tela de lino se dibujan muy firmes sus senos.

–Una perversidad oriental –ríe ella–. La compré en Hong Kong.

–¿Nunca te pones nada debajo de esa túnica?

–Nada. Estoy como Dios me echó al mundo.

–Qué malos pensamientos debe tener Graham.

–*Pas de problème*. Es homosexual.

–Vi su delicada pulsera de plata en la muñeca.

–Nada se te escapa –ríe ella.

La túnica, en efecto, revela, tamizándola apenas, su desnudez. Mientras la observa, él experimenta de nuevo una oscura ansiedad palpitándole en la sangre. Hace años que no me ocurría, piensa: haber dormido con una mujer sin que un solo gramo de deseo por ella se haya gastado en toda la noche.

–Si me miras así –le arden a ella las pupilas–, tendré que ponerme algo encima.

Sin maquillaje parece aún más bella. Bella y pálida. Exaltados por el contraste del pelo tan oscuro, sus ojos verdes adquieren una extraña fosforescencia lunar.

–Si supieras todas las cosas poéticas que estoy pensando a propósito tuyo. Nunca me había ocurrido, menos a la hora del desayuno. Voy a terminar hablando en verso.

–Si tus versos son buenos, no es grave –dice ella sirviéndole el café.

–El corazón me late como si hubiera vuelto a la época de mi primera novia.

–¿Quién era ella?

–Una niña que apareció una tarde con un vestido blanco de organdí y un lazo de seda, blanco también, en la cabeza, rodando sobre un par de patines frente a mi casa, en el barrio La Magdalena de Bogotá. Desde luego fue un amor platónico.

–¿Por qué?

–Todas mis novias lo eran. No me atrevía a decirles nada. Era muy tímido. Así, hasta que descubrí el whisky. Con decirte que tuve que esperar treinta años, casi nada, para acostarme con la que había sido la niña de los patines.

Ella se ríe mirándolo por encima de la taza de café.

–Has recuperado el tiempo perdido, según veo.

–Esta es la primera vez que confieso estar enamorado sin haber bebido otra cosa que un jugo de naranja y una taza de café.

Ella se pone repentinamente seria.

–Es mejor que no te enamores.

Él la contempla sintiendo de pronto un peso sordo en el corazón.

–¿Por qué lo dices?

Ella rehúye su mirada.

–No le des color –dice al fin.

Él permanece en silencio dominado por aquella oscura aprehensión. ¿Seré siempre –piensa– un adolescente estúpido incapaz de mirar fríamente la realidad?

Siente las pupilas de ella observándolo. Su voz tiene un tono grave:

–Quizás es algo que yo quería decirme a mí misma. Olvídalo, por favor... Dime más bien, ¿qué quieres hacer hoy?

–La respuesta, si es sincera, puede parecerte procaz.

–Ponte serio. Podemos ir en lancha a la isla de al lado. Tiene unos farallones maravillosos. A menos que vayamos al otro lado de la isla en jeep. Hay un restaurante que es famoso en todas las Antillas.

–Vamos a la playa que está ahí, al lado del muelle. Después veremos.

¿Cómo llamar aquello? A favor de la brisa y del calor que vibra en el aire, algo ha empezado a latir sordamente dentro de él mientras van a la alcoba para ponerse los trajes de baño. Algo: latido, vértigo, ansiedad que le sube por la sangre viendo cómo Claudia camina delante de él en su túnica vaporosa de lino por una galería interior de la casa adornada con cestas y máscaras de las islas. Algo, que sin duda tiene que ver con la forma como polvorientos haces de sol filtrándose por las persianas de madera revelan a través de la túnica el cuerpo de Claudia, su larga espalda, las nalgas bien esculpidas moviéndose al vaivén de un elástico juego de piernas. Huidiza y deslumbrante como un pez cuando lo alcanza, bajo la superficie del agua, un relámpago de sol, aquella desnudez de pronto revelada se sumerge en el pozo de sombra de la alcoba. Allí, bajo el suspiro del ventilador, está todavía intacto su olor, su fragancia de flores silvestres envuelta en telas de sueño. Ella se detiene; él tropieza y la toma por la cintura. Sin duda, Claudia ha sentido aquel deseo suyo quemándole los flancos cuando cruzaba la galería, porque ahora vuelve hacia él la cara con expresión traviesa, y se deja besar el cuello y la boca. Le tiemblan las aletas de la nariz.

De repente lo aparta, ahogándose en suspiros.

–No ahora.

–¿Por qué no?

–Suponte que sea un agüero –lo besa suavemente en el mentón–. Todo es mucho más lindo a la hora de la siesta. Ponte el traje de baño.

↬

Idénticas, a medio construir, con pilas de arena y cemento en la puerta, aquellas casas se alzan en un claro polvoriento de la vegetación, cerca de la playa. Claudia dice que adentro hay murciélagos. No quiere entrar por miedo que un murciélago alce el vuelo. "Esos bichos me aterran", dice; una brizna de pavor le asoma a los ojos bajo el sombrero de paja que lleva puesto.

Bajan hacia la playa por el camino, respirando en el aire un áspero calor de monte calcinado por el sol. Centelleantes lagartijas huyen al oír sus pisadas.

A él le intrigan aquellas construcciones irregulares, algunas con láminas de cinc en el techo.

–¿Qué piensan poner ahí?

–Cosas de Tomás –responde ella evasivamente–. Quería poner escoltas.

–¿Aquí, en esta isla perdida? –pregunta él, incrédulo.

–El secuestro lo volvió muy desconfiado. Obsesivo. Veía fantasmas.

–¿El secuestro?

–Creí que lo sabías. Lo publicó la prensa. Todo el mundo lo sabe.

–¿Cómo fue aquello?

Ella frunce el ceño.

–No quiero hablar de eso. Zona prohibida.

Algo tan simple como una cicatriz en la rodilla (descubierta por él cuando le aplicaba aceite bronceador), ha hecho que Claudia le hable de su abuelo, del legendario Simón Aristigueta. Buena parte de la mañana han permanecido tendidos en la arena mientras el sol arde y reverbera en torno suyo, mientras lentas formaciones de pelícanos o alcatraces vuelan sobre el mar quieto y azul y la brisa agita la copa de los cocoteros.

Ella le ha referido inicialmente la historia aquella, a propósito de la cicatriz: la caída de un caballo cuando corría por los prados de Palm Beach, una fractura que se complicó hasta un punto inverosímil pues debió ser trasladada de urgencia, con la pierna hinchada y tumefacta, al Mercy Hospital de Miami. Adivinó que algo muy grave le estaba ocurriendo por la fiebre altísima que la consumía, el color y el tamaño que había tomado la pierna y la cara de su padre. Él, que era un hombre suave, sonriente y encantador, estaba verde del susto. Temblaba al lado de la cama. A través de los vapores de la fiebre, ella sentía su mano helada tomando la suya, oía su voz pidiendo valor, mucho valor. Su padre (ella lo sabría después) acababa de hablar con el doctor Rozenthal, un cirujano eminente del Mercy Hospital, y él no le había dado esperanza alguna de que pudiese salvar la pierna. Había que amputarla y pedía al padre de Claudia que firmara un papel autorizando la operación.

Para el doctor Rozenthal la ciencia médica tenía la exactitud glacial de las ciencias matemáticas. Todo se decidía por una especie de ecuación cuyo resultado dependía de las radiografías, biopsias, análisis. Pequeño, con unas manos firmes y seguras para manejar el bisturí, con unos ojos claros y fríos, tenía frente a hombres y mujeres que venían a su despacho, en el hospital, temblando por su vida o por la vida de sus parientes, la misma expresión de cansancio profesional de los carceleros o los empleados de una funeraria. Solo temía a los abogados. No quería tener líos, de suerte que cualquier intervención suya estaba protegida por toda suerte de cláusulas y autorizaciones firmadas. Por eso, antes de operar a Claudia, quería que su padre firmase aquel papel.

Pero el padre de Claudia, Ramón Aristigueta, no se atrevía a firmarlo. Hijo de un millonario, todo en la vida le había resultado a él fácil salvo tomar decisiones de alguna importancia. Y aquella era sencillamente terrible. Otros –el abuelo, su esposa y su socio– habían decidido siempre por él. Incluso cuando se casó en Bogotá había tardado más de la cuenta en dar el sí que solicitaba el sacerdote, para asombro de su esposa, de los presentes y del propio cura. De suerte que cuando el doctor Rozenthal le alargó aquella hoja pidiéndole su firma, no pudo hacerlo. "Debo consultar con papá", le dijo, como si en vez de tener cincuenta años, tuviese dieciocho.

Esa vacilación le salvó a ella la pierna. Porque el viejo Simón Aristigueta le ordenó a su hijo no firmar nada, fletó un avión en Barranquilla y aquella misma noche apareció en el hospital con el mismo arrugado traje blanco con el que dormía la siesta en una mecedora cuando lo despertó la llamada. El doctor Rozenthal no lo olvidaría nunca. Cuando entró en el despacho acompañado por su hijo, sin detenerse siquiera a ver a su nieta, el cirujano no debió encontrar entre los dos ningún parecido: el hijo, Ramón, era pálido y alto y con una distinción de aristócrata; el padre, en cambio, un anciano vigoroso y rústico, que daba la impresión de ser más grueso por la manera como se desplazaba y abarcaba espacio en una habitación. No se quitó el cigarro de la boca pese a los letreros que prohibían fumar. Quizás no entendía nada porque estaban escritos en inglés. O quizás porque no estaba acostumbrado a acatar órdenes de nadie y mucho menos de un papel. Tampoco se quitó el sombrero bajo el cual se enmarañaban de un modo prodigioso dos cejas con blancura de algodón, parecidas a las de un Papá Noel; cejas que no suavizaban para nada la tranquila ferocidad de los ojos. Estos eran de un color metálico muy extraño. No parecían humanos, sino los de una fiera al acecho. Se achicaban con dureza antes de dar una orden. Tenía unos labios grandes y agrietados por el calor o por el hábito de sujetar siempre un cigarro encendido, y una oreja que debió sorprender al doctor Rozental porque no estaba completa: parecía roída por un animal de monte, por un hongo, por una enfermedad tropical o por un comienzo de lepra.

–¿Qué era?

–Un balazo –dice Claudia.

Un balazo recibido en su juventud. Nadie, según ella, supo jamás dónde le habían pegado aquel tiro: si en la Guerra de los Mil Días, cuando tenía quince años y combatía en Panamá a órdenes del general Santo Domingo, o más tarde, en el Chocó, cuando a bordo de un viejo barco iba por una telaraña de ríos y caños selváticos comprándole a los negros los racimos de plátanos por sólo tres centavos; o en el Carare, buscando petróleo; o más tarde, en Antioquia, cuando descubrió la mina de oro que lo hizo al fin rico. En todo caso, era una oreja perforada por un balazo. La oreja, aquellos ojos feroces y metálicos bajo la maraña de algodón de las cejas o la manera de pararse en el despacho, debieron impresionar a un hombre tan poco impresionable como el doctor Rozenthal. Eso, y también la leyenda que de Simón Aristigueta había propagado alguna vez la revista Time describiéndolo como uno de los hombres más ricos de América Latina. Y el doctor Rozenthal respetaba mucho el dinero. El dinero, para él, daba la medida de un hombre, de su triunfo en la vida. Así pues, con una docilidad insólita en él, el médico se dispuso a mostrarle radiografías de la pierna de Claudia, cosas que el viejo apenas miró, escuchando distraídamente la traducción en castellano de aquellas explicaciones, hecha por su hijo.

–Dile que no me muestre más retratos, eso es asunto suyo –dijo al fin.

Leyó, o se hizo leer, en cambio, con mucho cuidado, la hoja autorizando la operación. La leyó o escuchó las cláusulas escritas, husmeando lo que el cirujano pretendía con ello. Al final, muy despacio, estrujó el papel en su mano con una expresión de asco y lo arrojó a sus pies.

–Vamos a hablar sin papelitos, doctor –dijo apartando el cigarro de la boca.

Ramón, su hijo, traducía a toda prisa, parpadeando inquieto pero en el fondo aliviado, o más aún, maravillado de que su padre pudiese expresar ese algo decidido y categórico que él, Ramón, nunca encontraba dentro de sí mismo.

–A la niña, doctor –decía el viejo–, me la deja con sus dos piernas completas. Las necesita. También me la deja viva. Si es así, Dios y yo se lo pagaremos como es debido.

El doctor Rozenthal intentó interrumpirlo con un ademán impaciente, pero el viejo no se lo permitió.

–Si no es así –agregó, alzando el cigarro a la altura de su oreja perforada por un balazo, mientras las pupilas de sus ojos metálicos se achicaban, crueles como las de un jaguar–, le juro una cosa: los abogados más importantes de este país no habrán tenido mejor negocio en su vida que el de ponerlo entre rejas y arruinarlo. Y si no lo ponen entre rejas, lo haré poner yo en un ataúd, se lo aseguro. A nadie se le quita una pierna simplemente por caerse de un caballo.

A falta de cenicero, apagó el cigarro en una porcelana en la que nadie parecía haber puesto un dedo, y se fue sin oír al médico ni despedirse de él, dejando detrás de sí sólo el denso, apestoso aroma de su tabaco.

–¿Así era él, tal como me lo estás pintando?

–Así era el abuelo –confirma ella.

Sí, el abuelo sabía desde los remotos tiempos de su adolescencia que los hombres se movían sólo por miedo o por interés; y que, por consiguiente, sólo infundiéndoles temor o halagándolos con la posibilidad de tener algo o mucho más de lo que tenían podía uno dominar su cobardía o su pereza, y lograr que sacaran de sí mismos el máximo de esfuerzo. Así había llevado a término cuando joven las empresas más temerarias en las selvas del Chocó y del Carare y en las montañas y en los ríos de Antioquia. Sólo que para tocar estas dos cuerdas –el miedo o la codicia– era necesario tener sobre ellos una forma cualquiera de poder. Ese poder lo había buscado desaforadamente durante buena parte de su vida: con un sombrero ancho, un pañuelo rojo al cuello y un machete de cortador de caña, primero; luego con un rifle casi tan alto como él y un cinturón de balas, en el polvo, el humo, la sangre de la Guerra de los Mil Días, como joven oficial de las tropas liberales puestas a órdenes del general Santo Domingo. Después, cuando vino la derrota y el tratado que puso fin a la guerra, y los liberales insurrectos debieron buscarse de algún modo el pan en un país desangrado y empobrecido, iría tras el poder, ahora representado en la riqueza, buscando algo siempre: maderas, plátanos, petróleo, oro, y llamado por todos, en los primeros años, El Panamá; más tarde, El Jaguar. Su poder reposaba entonces sólo en su salvaje energía, capacidad de mando, estoicismo extremo y en caso necesario, en la frialdad con que podía disparar un arma de fuego o aceptar (se lo contaría un día a Claudia) un duelo a machete en alguna fonda de Antioquia, a la luz de una vela, utilizando un costal enrollado en el brazo a manera de escudo. El dinero, que llegó al fin cuando logró legalizar la propiedad sobre una mina de oro descubierta por él y en la cual trabajó con su propia mujer acarreando piedras y cavando túneles, le conferiría un poder mayor, incuestionado y tranquilo. Para entonces, instalado en Barranquilla, tras una efímera aparición en Bogotá donde su oreja perforada, sus trajes arrugados y sus modales rústicos horrorizaron a todo el mundo, y un viaje a Europa donde se aburrió enormemente viendo catedrales y museos, sabía que el miedo creado en los otros –no ya de perder la vida, pero si el empleo o algún contrato– era su más firme factor de dominio. Había aprendido desde siempre a no hacer ni recibir confidencias, a no retractarse de nada, a no revelar temores y a no compadecerse de nadie. En cuanto a hambre, miseria, enfermedades o infortunios había visto todo lo que debía ver. Había vivido en medio de arañas venenosas, de serpientes cascabeles, de ratas del tamaño de un conejo, de nubes de jejenes, de rayas, caimanes y pumas y mosquitos capaces de tumbar en una hamaca, devorado por la fiebre, al hombre más fuerte, para saber que con un poco de suerte sólo el duro (el templado, decía él) sobrevive.

Nunca dejaba, pues, ningún resquicio de su personalidad que pudiese situarlo en una posición frágil frente a los otros. En cambio, buscaba esa grieta, por mínima o sutil que fuera, en los demás para descargar allí, justamente allí, la fuerza de su poder. Así, cuando el doctor Rozenthal le extendió la hoja que debía exonerarlo de responsabilidades relacionadas con la intervención quirúrgica que se proponía hacerle a ella, Claudia, el viejo vio de inmediato dónde estaba la grieta del cirujano. Aquel doctor temía las complicaciones legales en un país como los Estados Unidos donde cualquiera puede demandar al vecino o a la administración municipal sólo por haber cometido la tontería de romperse una pierna por no mirar un hueco en la calle o pisar una costra de hielo. El viejo conocía demasiado bien la naturaleza humana para sospechar que el médico, en el caso de Claudia, decidía cortarle la pierna antes que correr mayores riesgos o ensayar terapias aventuradas. Al fin y al cabo la pierna no era la suya, la del doctor Rozenthal. Así que luego de amenazarlo de aquella manera brutal, fue a ver a su nieta dejando al cirujano pálido y perplejo, asustado ante el riesgo que siempre había temido: una demanda exorbitante a cargo de un enjambre de picapleitos tan voraces como lobos.

–Nunca supe lo que hizo, aparte de reunir una junta de médicos y hacer venir a un famoso colega suyo de Nueva York. El hecho es que, gracias al abuelo, al cabo de un mes salí del hospital con mis dos piernas y una rótula de plata.

–Realmente crees que habría cumplido su amenaza si...

–Claro que sí. El abuelo despreciaba a los hombres que hablan sólo por hablar. Realizaba todo lo que se proponía. Ahí estaba su fuerza.

IV

Lanzándose desde las tablas del embarcadero, se zambullen en el agua que es allí verde y profunda. Nadan hacia el rompeolas braceando despacio; hacen la plancha; se dejan mecer por el vaivén tranquilo del mar, y luego regresan. Chorreando agua, los labios impregnados de sal, se han tendido de nuevo en la playa.

–Ahí viene el fiel Graham –dice Claudia.

El camarero inglés baja, en efecto, por el camino que desciende al muelle y a la playa trayendo una bandeja y una mesita plegable. En la bandeja hay una botella de ginebra, vasos, latas de agua tónica, una jarra de jugo de naranjas, un balde con cubos de hielo y un plato de almendras saladas. Lo dispone todo con mucho orden al lado de ellos. Luego, con ademanes de barman profesional, prepara dos gin tonics. En los vasos grandes y de buen cristal crujen los cubos de hielo cuando vierte la ginebra.

Impecable, con una camisa blanca y su corbata oscura como si fuese un empleado de banco, inmune al calor, Graham parece adiestrado para desempeñar su oficio en cualquier clima sin perder una onza de su compostura. La única nota que contradice el almidonado rigor de sus modales es aquella pulsera de plata, coqueta y un tanto femenina, que relumbra en su muñeca cuando les acerca los vasos.

–¿Nunca suda? –le pregunta él a ella cuando Graham se ha retirado.

Ella sonríe.

–Es un inglés muy correcto. Quizás está escandalizado de verte conmigo, pero lo disimula muy bien.

Claudia dirige la vista al mar. Muy cerca de las olas vuelven a pasar, en larga formación, una bandada de gaviotas.

–Iba siempre de pesca con Tomás.

Los dos permanecen en silencio.

A él le parece una delicia beber despacio aquel gin tonic muy frío, con su lejano gusto a jengibre y a limones refinado por el alcohol, mientras siente el sol ardiéndole en los hombros y en la espalda, el sudor resbalándole por la frente y el olor limpio y salobre del mar adulándole el olfato y la memoria. Algún minúsculo cangrejo corre de pronto por la arena. En torno a ellos vibra y reverbera la luz en la playa y en el agua. Oyen las olas. Más allá de los bancos de coral, verdes y azules intensos, en sucesivas pinceladas, se disputan el horizonte hasta la remota silueta de la isla de Antigua.

Claudia ha dado la vuelta y ahora yace tendida de espaldas sobre la arena. El sombrero le protege la cara. Ha cerrado los ojos. Sensibles al resplandor, los párpados le tiemblan ligeramente. También sensibles, las finas aletas de la nariz y los labios parecen cincelados con delicadeza por un buril muy fino. Grumos dorados de arena le tiznan el mentón. Ha echado los brazos hacia atrás, de modo que los senos se alzan con firmeza bajo la tela del traje de baño y los pezones se le marcan rotundos. Las piernas recogidas hacen más recóndito y esquivo el vértice del sexo. Su mano larga y fina sujeta el vaso sobre la arena.

A él le sorprende aquel júbilo manso que late dentro de él a medida que bebe la ginebra: como si velas por largo tiempo recogidas y húmedas fueran largadas de pronto al viento y al sol.

–Así debe ser el paraíso –suspira–. El que perdió Adán.

–¿Cómo? –pregunta ella sin abrir los ojos.

–Una isla. Mucho sol. Un poco de ginebra. Una mujer que le despierta a uno sus mariposas dormidas.

–En esa fórmula, la mujer es sólo el cubito de hielo en el vaso de ginebra. Eva cuenta muy poco para ti.

–Te equivocas. Sin Eva no habría paraíso.

Ella se decide a mirarlo. El vivo destello de sus ojos verdes relampaguea bajo el sombrero y se va haciendo gradualmente profundo y manso.

–Qué extraña es la vida –murmura.

–¿Por qué lo dices?

–Nada de esto estaba previsto. Es algo fuera de libreto.

–Completamente.

–¿Qué pensaría Serena si nos viera?

–Le divertiría, creo. Diría que he hecho sobre ti una transferencia o algo por el estilo. Siempre tiene teorías, tú lo sabes.

–El abuelo la llamaba filósofa. Además le gustaba su atrevimiento. Al fin y al cabo era muy parecida a mí.

–Y a ti, ¿cómo te llamaba él?

–La niña. Me adoraba. Y yo a él. Pero no quiso conocerme sino a los quince o diecisiete años.

–¿Por qué?

–Caprichos suyos. Y entre él y yo, cuando nos vimos por primer vez, se produjo un verdadero *coup de foudre*. Me hipnotizó su poder.

–Cuenta.

⸙

–De ese poder sólo tuve la evidencia cuando vine de París, donde yo vivía con mis padres, para pasar vacaciones en casa del abuelo. Hasta entonces yo sólo sabía que era una niña rica, mucho más rica que la mayoría de mis condiscípulas en el colegio. Esa impresión nunca la tuve en Bogotá, de niña. Por lo menos hasta los seis o siete años. No es fácil explicártelo. Pero sí cuando llegué con papá a París, primero al hotel Bristol, luego a un apartamento en la Avenue Foch, y vi techos tan altos como nunca había visto en ninguna casa, arañas de cristal, gobelinos, espejos, jarrones de Sèvres, consolas de mármol, ventanas dobles y persianas de madera cuyas hendijas todavía ostentaban el papel azul de los tiempos de la guerra para impedir que se filtraran hacia afuera los resquicios de luz. La impresión de ser algo así como una princesa, la tenía siempre al despertarme y observar cómo un criado francés con un chaleco de rayas rojas y negras entraba en el cuarto con una bandeja que colocaba sobre la mesita y corría las cortinas diciéndome a mí, que era sólo una niña de inmensos ojos verdes perdida en una cama muy ancha, "*Bonjour, mademoiselle*". Más tarde, en el colegio suizo adonde me mandaron interna, ya llevaba yo la certeza de pertenecer a un mundo distinto al de la gente que cruzaba la calle. Porque en aquel colegio de mademoiselle Heuvy (tres castillos en lo alto de la colina con vista al lago Leman) nadie que no fuese un privilegiado había puesto sus pies. Sólo en mi curso había cinco princesas hindúes con un diamante en la frente. Los roperos estaban llenos en invierno de abrigos de mink. Y lo que enseñaban en las clases de "*maintien*" no estaba destinado al común de la gente, de esa gente que sólo veíamos cuando subíamos en un tranvía hasta la cima de la colina. Nos enseñaban a quitarnos los guantes sin mirarnos las manos, a cerrar la puerta de un salón dándole la espalda a la puerta y no a quienes estaban adentro, a sentarnos sin recogernos las faldas, a abotonar el abrigo comenzando por la parte de abajo y no por la parte de arriba, a no llevar jamás en los bolsillos dinero contante y maloliente y desde luego a poner una mesa reconociendo todos los cubiertos y sabiendo dónde sentar a un príncipe, un obispo o un embajador.

«Yo sabía, pues, al salir del colegio, dónde estaba mi puesto en el mundo. Lo sabían los porteros de los hoteles y las vendedoras de las *boutiques* apenas me veían entrar. No obstante, sólo cuando conocí al abuelo en el aeropuerto de Barranquilla tuve la idea real del poder. Él vino a buscarme. No sé cómo, tal vez por el mismo olfato de las vendedoras o de las azafatas, me reconoció de inmediato. Se quedó observándome a través del humo del cigarro. "Tienes algo de tu abuela", dijo. Sólo eso. Y luego, siempre hostigada por aquel humo del cigarro que le hice botar por la ventana del Packard para sorpresa suya ("nadie se ha atrevido a pedirme semejante cosa", dijo sorprendido, obedeciéndome), me di cuenta de cómo él era distinto a mi padre. Transfiguraba todo lo que iba encontrando a su paso. Al verlo, ancho, pequeño, colorado, con sus cejas de Papá Noel y su arrugado traje de lino blanco, todo el que tuviese puesto algo en la cabeza se lo quitaba; todas las caras, las de los maleteros, empleados de aduana, policías o choferes de taxi, enrojecían, se ofuscaban o cobraban una expresión atenta como la de un perrito a la vista de su amo. El abuelo pasaba sin verlos, ni contestar su saludo, poniendo su mirada sólo sobre aquel a quien debía dar una orden. Aquello era el poder en su verdad elemental, el mismo de los reyes cuando los reyes eran reyes con mando absoluto, y no simplemente el poder de un hombre muy rico. Lo iba descubriendo a medida que la actitud de los maleteros o los empleados de aduana del aeropuerto se reproducía en todos los niveles. Bastaba que el abuelo irrumpiera en el Country Club, adonde nunca iba, sólo para enseñarme dónde podía jugar al tenis, para que de inmediato hombres que hablaban y reían a gritos en las mesas del club callaran con respeto y se fueran incorporando. Tampoco él les contestaba el saludo, ni se quitaba el sombrero; todo lo que merecían era un gruñido. No había al parecer industrial, político, abogado, ingeniero, arquitecto o comerciante que no dependiera de él en alguna forma. Y toda aquella gente, vestida con despreocupada elegancia y dueña de automóviles y casas, le producía fastidio. "Son sapos", decía el abuelo. En cambio, se detenía a hablar de pronto con un camarero mirándolo de un modo muy amistoso. "Ajá, Rebolledo, ¿cómo anda esa vida?", le decía. Rebolledo, un buhonero o un vendedor de frutas o pescado, tenían derecho a una amistosa conversación con él. Y era en el caño, el lugar más nauseabundo de la ciudad, donde el abuelo parecía sentirse a sus anchas. Yo lo acompañaba. Hasta el olor a pescado y fruta podrida le gustaba. Debía recordarle sus días en el Chocó. Allí, en el caño, en medio del hedor y de las aguas color de fango, se convertía en otro, un hombre bromista y hablador. "Cuídate, que los goleros ya te echaron el ojo", le decía al pasar a algún vendedor de huevos de iguana señalándole con el cigarro los gallinazos apostados en los tejados de cinc. Y todo el mundo reía. El abuelo era popular en el caño. Allí no producía el respeto reverente que le tenía el resto de la ciudad, sino gritos y réplicas disparadas desde las canoas o bajo los toldos donde se freían plátanos o mojarras. Era como si fuera uno de ellos, venido a más. Tal vez, de verdad, lo era. En todo caso, las gentes de la sociedad le producían fastidio.»

–A ti también.

–A mí también. Al segundo o tercer viaje a Barranquilla, siempre de vacaciones, sentía la necesidad de poner distancias asfixiada por aquel enjambre de muchachas tontas, bonitas o superficiales, que andaban siempre invitándome a tés, juegos de canasta, desfiles de moda o estúpidos clubes de jardinería. De pronto, en medio de ese mundo, encontré a Serena, que era alta, muy bella y a quien todo el mundo tomaba por loca por culpa de extravagancias tales como enfrascarse en un libro de Séneca si un baile de carnaval la aburría. Era la única que parecía conocer el mundo, aunque lo más lejos que había conocido hasta entonces era Cartagena. Y cosa extraña, siendo muy pobre, aunque de buena familia por parte de su madre, sabía caminar, sentarse, manejar y distinguir todos los cubiertos como si hubiese recibido lecciones de "*maintien*" en el colegio de mademoiselle Heuvy.

–¿Cómo te lo explicas?

–Fue obra de su abuela.

–¿También sus lecturas?

–También. La abuela la educó como si viviese entre nobles y no en una casa en ruinas a las cuales llegaba tu suegro trayendo la comida en cajas de cartón compradas donde los griegos de El Mediterráneo.

–¿La llevaste a tu casa?

–Sí, una noche. A Federico, mi primo, se le iban los ojos detrás de su cintura de avispa y sus piernas muy largas. Y, de pronto, con gran desparpajo, resultó discutiendo con el abuelo a propósito de los negros. Le hablaba del instinto, del sentido hedonista que teníán de la vida, de cosas perfectamente incomprensibles para él, pero que este oía con una especie de incrédulo estupor. "Ya veo que eres la nieta de Genoveva", le dijo. "Estás muy linda para ser filósofa como ella." Y así la llamaba, por cierto, la filósofa. Trae a la filósofa, me decía siempre. Y se empeñó en que ambas fuéramos princesas del carnaval.

–¿Cómo se prestaron a jugar ese papel?

–Tal vez fuimos un desastre como princesas. Pero nos divertimos mucho. Ganamos fama de locas las dos.

–No me extraña.

–¿Te molesta que te hable de Serena?

–Todo lo contrario.

–Me han dicho que está pobre y enferma.

–¡Pobre lo ha sido siempre!

–¿Qué pasó entre ustedes dos? Bueno, hemos convenido que eso no se pregunta. Estamos llenos de semáforos en rojo. ¿Vamos a almorzar?

⁂

Apenas da vuelta a la llave de la ducha estalla sobre su cabeza un profuso surtidor de agua que le golpea la cara y los hombros ardidos por el sol. Es un placer sentir la caricia de aquellas plumas de agua tibia, sentir cómo penetran en los poros limpiándolos de arena, de sal y de sudor, cómo resbalan por los vellos del tórax, por su abdomen y por sus piernas llevándose el velo de tierra que le oscurece los talones para convertirse en un torrente rápido y oscuro sobre el mármol de la bañera. El jabón, un pan blanco y perfumado, añade a los rápidos juegos del agua corriendo por su cuerpo, móviles arabescos de espuma. Cierra los ojos, respira una honda fragancia de lavanda. La Drome en verano. Prados de lavanda en la clara luz de agosto vistos desde la ventana de una casa de piedra en la primera luz del día, Serena leyendo un libro al lado suyo, la indecible frescura de aquel aroma, y ahora el agua corre arrastrando también la espuma como si fueran jirones de un velo de novia, dejando sobre su piel, en vez del áspero olor salobre del mar, un ligero rastro de aquella fragancia floral.

Mientras se seca con una de las muchas toallas blancas apiladas en orden sobre una butaca de madera, advierte en su cuerpo tostado por el sol la huella blanca del pantalón de baño. El lujoso espejo azul abierto sobre los dos lavamanos idénticos, le devuelve su imagen en aquella atmósfera de acuario. El sol le ha oscurecido los hombros. No hay grasa en el abdomen, que es largo y plano como una tabla de lavar; sus caderas estrechas y sus muslos todavía firmes le hacen pensar que París o la vida elegida por él no le han dado ese tipo de madurez pesada y satisfecha de tanto condiscípulo suyo. Sirve de algo haber vivido como un marginal, piensa con humor.

El agua de colonia que encuentra sobre la repisa del baño tiene una agradable fragancia a limón. Se fricciona despacio sin importarle el vivo escozor que produce allí donde el sol ha ardido su piel. Pasando a la alcoba contigua bajo el leve susurro del ventilador de aspas, busca en el clóset una franela amarilla de algodón, unos bermudas blancos y un par de alpargatas. En el otro baño oye a Claudia cantando bajo la ducha. ¿Será esto la felicidad?, se pregunta cruzando la galería de las máscaras hacia el vestíbulo contiguo a la terraza, donde Graham dispone las cosas para el almuerzo. Le pide a este una ginebra con mucho hielo, y mientras la prepara, inspecciona, al lado del soberbio estéreo empotrado en un mueble con libros y cerámicas, una hilera de casetes: Mozart, Brahms, Sibelius, Vivaldi, canciones de Agustín Lara, de Joan Baez y Maria Betania y una selección de viejas cosas de Amstrong. Se decide por Maria Betania.

El coro de las cigarras es ensordecedor ahora que el sol deja caer sobre la isla una luz dorada y vertical.

Claudia viene del fondo de la casa con el pelo húmedo y una larga túnica blanca, atada detrás del cuello por dos tiras, que le deja la espalda descubierta. Lentes oscuros con finos aros blancos le ocultan los ojos. Está descalza.

–Ven a servirte –le dice deteniéndose junto a la mesa–. Graham nos ha preparado un bufé frío.

Sobre la mesa adornada con un mazo vibrante de trinitarias, Graham y la negra han dispuesto bandejas de langosta, langostinos, ensalada de papas, apio, aguacates con camarones, rodajas de mango, galletas de soda y, sobre un lecho de hielo picado, un recipiente con caviar y dos minúsculas cucharillas de plata.

Claudia lo ayuda a servirse y luego, caminando con pasos breves como una geisha japonesa, se dirige a la terraza donde han dispuesto la mesa bajo un gran parasol amarillo. El aire luminoso en el que vibran insomnes las chicharras está cargado de ardientes olores vegetales.

–Tráenos el vino –ordena Claudia a Graham. Levantando los ojos, observa sobre los cocoteros, en el duro resplandor del mediodía, el dilatado horizonte marino.

–Qué lindo color tiene el mar a esta hora –dice él.

–Es el color del mar en las islas. Azul turquesa.

Ella empieza a comer la langosta cortándola en trozos pequeños que humedece en mayonesa. Él la imita. La langosta es de una frescura deliciosa. Mientras come, observa las muñecas y las manos de ella, tan finas. Uno de sus dedos luce un discreto aro con chispas de diamantes. Se pregunta de dónde puede haber heredado aquella fragilidad y armonía de los huesos. El lino fresco y blanco de la túnica en vez de vestirla parece desnudarla.

–Otra túnica prohibida.

–¿Por qué prohibida? Me cubre del cuello hasta los pies como el hábito de una monja.

Se ha quedado contemplando un pajarito gris y amarillo que ha llegado hasta el borde mismo de la mesa, mirando de un lado a otro, inquieto.

–Qué atrevido –dice ella.

–¿Cómo se llama?

–No sé cómo lo llaman aquí. En Colombia les decimos azucareros porque el azúcar les fascina.

Graham aparece con una botella de vino blanco empañada por el frío de la nevera. Envolviéndola con una servilleta, le sirve dos dedos de vino en su copa y espera. Él lo prueba. El vino frío, seco, muy ligero, es excelente.

–¿Qué es, un Bourgogne?

Graham asiente.

–Un Pouilly Fumé.

–Era uno de los vinos preferidos de Tomás –dice Claudia–. Tomás sabía más de vinos que el mejor *sommelier* de Nueva York.

Su mirada, fija en la copa de vino, parece perseguir un recuerdo:

–Era un obsesivo –murmura–. Conseguía siempre lo que se le metía en la cabeza. ¿Has tenido alguna vez un verdadero *coup de foudre*?

–¿Amor a primera vista? Claro que sí.

–Tomás tenía pasiones repentinas y se entregaba a ellas en cuerpo y alma. Un día era la pesca, otro día era el vino o esta isla. La vio desde el yate, y se enamoró de este lugar. No descansó sino hasta que compró el terreno e hizo la casa.

–Contigo fue igual.

–Igual. Y yo tuve también un *coup de foudre* por él desde que fui con papá, que era amigo suyo, a su oficina en Nueva York. Me gustó al instante, pese a que me llevaba treinta años.

–Del otro, del primero, hablas con menos entusiasmo.

–Era un imbécil. Un simple cazador de fortunas.

–Pero, ¿cómo...?

–¿Cómo caí con él? Tenía dieciocho años.

❧

A medida que ella va hablando de ese primer marido, un portorriqueño llamado José Barker Iribarra, él empieza a verlo: el típico seductor, deportista, vagamente aventurero y un tanto libertino que uno ve en las discotecas de moda de Nueva York, París o la Costa Azul, en los torneos internacionales de tenis, en las carreras de autos y en los casinos, siempre a poca distancia de una mujer de mucho dinero. Montaba con habilidad caballos de polo, manejaba automóviles y avionetas; era un buen tenista; se tuteaba con los campeones de tenis a los que seguía cada vez que había un campeonato internacional. El prototipo, sí, del seductor profesional, del cual puede enamorarse a primera vista una suramericana de dieciocho años, si hasta entonces ha vivido interna en un colegio de Lausana y pasado vacaciones en una casa a la antigua, enorme, resguardada por un enjambre de sirvientes y por un abuelo áspero, millonario y desconfiado de todo aquel que se acercara a ella.

Y así ocurrió cuando Barker Iribarra apareció con el primo de Claudia, con Federico Aristigueta, de quien había sido condiscípulo en un colegio de la Florida, para asistir al campeonato de tenis que se celebraba todos los años en el Country Club de Barranquilla. Ella se enamoró de él, de sus frescas indumentarias deportivas, del medallón de plata que le colgaba entre los vellos del pecho, de la manera como improvisaba en un perfecto y caricaturesco acento británico un monólogo de Shakespeare o como interpretaba al piano canciones de Cole Porter. A diferencia de los demás hombres de la ciudad, no se sentía para nada cohibido delante del abuelo, del viejo Simón Aristigueta, aunque este sólo le contestara sus saludos con gruñidos y dejara traslucir en sus duros ojos de un gris de acero, bajo las cejas de Papá Noel, todo el antiguo desprecio suyo por hombres que ponían en sus ropas la misma coquetería de una mujer y que ni siquiera, para pagárselas, habían horadado montañas, cruzado selvas, drenado ríos o al menos usado un revólver para labrarse una posición como contrabandista o esmeraldero. Para el viejo, aquel portorriqueño, salido nadie sabía de dónde, era un zoquete y un patiquín, palabras que expresan lo más despectivo de su vocabulario: ladrón o asesino habrían sido más valorativas, pues cualquiera de estas condiciones suponía un esfuerzo y un riesgo más serio que el de imitar las canciones de los negros norteamericanos en un piano.

Por su parte, Barker Iribarra no se sentía muy impresionado por aquel viejo siempre vestido de blanco y con la oreja izquierda perforada por un balazo. Le parecía rústico. De "pezuña gruesa", decía. No entendía cómo, con su inmensa fortuna, se obstinaba en vivir en aquel clima de negros, visitando compadres en un caño de aguas podridas y comiendo en su casa los mismos pescados y plátanos de los bogas del río. Así que no sólo se permitió juzgar sin el menor respeto a aquel patriarca millonario, sino que se complacía en burlar sus órdenes. Sacaba a Claudia del Country (el ámbito más lejano a su casa que le estaba permitido), la llevaba al aeropuerto, la hacía subir en su avioneta, la sujetaba sólidamente al asiento antes de despegar, antes de elevarse y empezar a realizar en el aire toda suerte de piruetas de circo haciéndole correr a la muchacha más bella y protegida de la ciudad, a la joya de Simón Aristigueta, riesgos insensatos. Aquellos ascensos y descensos escalofriantes le producían a ella un vértigo comparable en intensidad a la muerte o a un éxtasis sexual. Algo de esto último había. Una de las estratagemas usuales de Barker Iribarra era precisamente la de desencadenar de esta manera en una muchacha todavía virgen, aquellas sensaciones que la dejaban estremecida hasta la médula, temblorosa, húmeda, con ganas de llorar. Lo cierto es que en cuanto aterrizó por primera vez y detuvo la avioneta en el hangar, la besó, le abrió la blusa, le mordió los senos, la tocó hasta enloquecerla y la dejó luego en su casa hecha trizas por dentro.

–Te violó.

–No allí en la avioneta. Al día siguiente.

Ella no podía dormir. Aquello que sus profesoras, en Lausana, llamaban concupiscencia o desorden de los sentidos y de lo cual, con excitado sigilo, hablaba con sus compañeras a orillas del lago Leman, estaba a punto de ocurrirle haciéndola temblar de fiebre y ansiedad. Estaba completamente loca. Decidida. Con gran tranquilidad recibió al día siguiente la peluca rubia y los lentes oscuros que le pasó en el automóvil Barker Iribarra cuando salían del Country dejando a sus espaldas la algarabía del partido de tenis. Disfrazada de este modo subió al cuarto del portorriqueño en el Hotel del Prado.

–Y allí fue donde...

Hoy no puede imaginarse, dice mirando fijamente el horizonte marino cabrilleante de sol, cómo semejante pobre diablo podía haberla trastornado hasta tal punto. No entiende su arrebato de entonces. Hoy en día, un tipo así, aunque fuese un amante muy diestro, la convertiría en un témpano del Ártico.

Y él era un buen amante a su manera, una manera vanidosa, calculada, enteramente deportiva, diestra, con la misma destreza con que llevaba por el campo de polo una yegua; es decir, sin pasión, sin entregarse, conservando distancia. Pero ella, en ese entonces, nada sabía de los hombres. Simplemente se había consumido en la fragorosa combustión de sus propios instintos, sueños y expectativas, de modo que el propio Barker Iribarra quedó sorprendido, quizás asustado con el furor de su entrega. Ella lloró, gritó, gimió, le clavó todos los dientes en el hombro dejándole una herida que pasó por todos los colores impidiéndole durante varias semanas asomarse en pantalón de baño a una piscina.

Ella no alcanzó a ver cómo la huella de estos mordiscos feroces viraba del rojo sangre al magenta, al morado y al verde, porque Barker Iribarra se fue para Panamá prometiendo escribirle y llamarla todos los días. Lo hizo. Pero el abuelo acabó por enfurecerse. "Cada vez que ese maricón de la camisa bordada llame a la niña, díganle que no está", ordenó a los sirvientes. El abuelo Simón era un hombre que tenía un respeto sagrado por sus propias órdenes. Nunca hay que arrepentirse de nada, le decía. Nunca, pero nunca, debe uno retractarse. Él era de acero. Así que aquella orden cayó en la casa como una sentencia inapelable. Barker Iribarra, que había soñado con una conquista fácil, acabó enloquecido de furor e insultando a Navarrito, el mulato, que apenas oía la voz, le decía: "No insistas, muchacho. Haz de cuenta que Claudia Andrea se murió y está en el paraíso."

Fue entonces cuando ella se enfrentó por primera vez al abuelo y se salió con la suya. Nadie lo había logrado. Ella sí. Tenía, desde luego, algo a su favor: el abuelo la adoraba. Ella era algo más que su nieta favorita: la única mujer que había conseguido poner en sus ojos de metal, acostumbrados a ver cómo ante el poder todo se ablanda, se hace adulador, rastrero y corrupto o simplemente temeroso, una lumbre de ternura. Ella no pudo comprender entonces por qué atrajo de manera tan exclusiva el afecto de un viejo que a sus propios hijos miró siempre con desdén, sólo por saber que nunca se levantaban antes del sol y se hacían llevar a la cama el desayuno como si fueran señoritas de sociedad o mujeres inválidas. Quizás, dice Claudia, encontraba en ella rasgos de carácter parecidos a los de su abuela. Nadie, salvo ellas dos, por ejemplo, le habían hecho arrojar su apestoso cigarro por la ventanilla del automóvil. Tenían ambas una capacidad de decisión tan fuerte como la suya. El abuelo la llamaba Pelusa o la niña y se ocupaba de todo lo suyo de una manera tan absoluta que el propio padre de Claudia, Ramón Aristigueta, no tenía ni voz ni voto para decidir nada que tuviese relación con ella.

Quizás Barker Iribarra le había permitido descubrir su propio temple a bordo de la avioneta. Cuando el portorriqueño dejó caer el cacharrro aquel dando vueltas, como una hoja seca, con un gemido de hierros y lonas sumándose al bramido del motor, lo que brotó de sus entrañas no fue susto sino júbilo. Descubrió en ella una aptitud para el desafío tan íntima y propia como los latidos de su propio corazón. Era más fuerte que el susto. Quedó demostrado que a nada le temía. Le gustó comprobarlo. Por eso al día siguiente tomó casi con alegría la peluca rubia y los lentes que le pasaba subrepticiamente en el auto Barker Iribarra. Quería saber cómo era aquello, acostarse con un hombre. No le hizo caso al ardor y a la sangre de la virginidad violentada en la cama de un hotel, y expresándose sin ningún reato, gimiendo, o mordiendo, buscó dentro de su propio cuerpo, con ferocidad, aquel espasmo salvaje de placer que le hizo gritar y luego clavarle los dientes en el hombro.

Aquella revelación de su propio coraje le permitiría enfrentarse por primera vez a una decisión del abuelo. De modo que cuando este prohibió que pasaran las llamadas de Barker Iribarra, ella se negó a comer. El viejo, al principio, no se inmutó. "Si quiere morirse de hambre por semejante majadero, allá ella", decía viendo sacar del cuarto las bandejas con la comida intacta. Tampoco ella cedió. Permaneció en la cama muriéndose literalmente de hambre, sin escuchar a las sirvientas ni al propio Navarrito que subían a su cuarto con platos de comida rogándole asustados que comiera algo. Asumir los desafíos, llegar al límite extremo si era necesario, allí, pensaba ella, estaba su fuerza. Atreverse era su divisa, la misma del abuelo. Y al fin, cuando vinieron los médicos a la casa y ordenaron su traslado a una clínica para alimentarla con suero, ganó la apuesta. "Te saliste con la tuya", le dijo el abuelo Simón. "Cásate con el zoquete. Él no busca sino tu dinero. De modo que si te casas, debes establecer una absoluta separación de bienes. Él será propietario de sus camisas de seda y de sus zapatos de maricón, y tú de lo tuyo. Podrá viajar, vestirse como quiera con tu plata y alojarse en los mejores hoteles contigo, e inclusive comprarse automóviles y un yate, pero sólo eso. Nunca le darás un centavo para jugar ni pondrás nada a su nombre, ¿estamos claros?" Era un pacto propuesto por él, que ella aceptó. "Está bien abuelo." Y ya en la puerta, antes de abandonar el cuarto de la clínica, con el cigarro apagado en los labios y su eterno y arrugado traje de lino blanco, el abuelo le dijo: "Además, te voy a decir una cosa: tú saldrás de él, cuando lo conozcas, dándole una gran patada en el culo."

–¿Y así fue?

–Así fue, pero no tan pronto como lo preveía el abuelo. Alcanzó a hacerme dos hijas.

La fiesta de matrimonio la celebró el viejo en Barranquilla

fastuosamente. "Sólo para que la gente no vaya a creer que te preñó", dijo. Como lo acostumbraba a hacer treinta años atrás, trajo dos grandes orquestas, una de Venezuela y otra de Puerto Rico. Fue un evento de dimensiones internacionales gracias a los amigos de Federico Aristigueta y del propio Barker Iribarra. Snobs, deportistas, muchachos del *jet set* internacional se confundían en los prados con los amigos bogotanos de Ramón Aristigueta. Barker Iribarra impresionó a todos estos con su exuberante simpatía y su smoking tropical que usaba con un corbatín violeta y una camisa de última moda. Se entendió perfectamente con su suegro, con Ramón Aristigueta, pero no logró ablandar al abuelo Simón. Sólo se atrevió a acercarse a este cuando lo vio en un rincón del vasto jardín dando órdenes a los criados.

–Quisiera tomarme una copa con usted, abuelo –le dijo con una desfachatez que no era un efecto de lo que había bebido, sino un rasgo de su carácter, el que lo había llevado hasta el punto donde estaba.

–Yo no soy abuelo suyo –gruñó el viejo llevando su cigarro humeante a la altura de la oreja perforada por un balazo–. Y le voy a decir una cosa; si usted se porta mal con la niña, si le toca un pelo o le roba un centavo, lo más piadoso que le puede ocurrir es recibir un tiro. Hay cosas peores.

La alegría de la boda se le esfumó de inmediato a Barker Iribarra.

–Pezuña gruesa –comentó a Claudia soplando su anillo, apenas le refirió lo dicho por el viejo.

–Así que se casaron y tuvieron dos hijas. ¿Cómo se vive con un play boy internacional?

–Horizontalmente, bien. Al principio. Pero desde que uno se encuentra en posición vertical, todo es desastroso. Vives con un ser inmaduro; con un mal actor.

–Repite siempre los mismos números.

–Siempre. Y el repertorio es limitado. El mismo monólogo de Shakespeare, los mismos chistes y las mismas canciones de Cole Porter. Se vuelve una manía en él torturar a los *maîtres* de hotel. El vino siempre le sabe a corcho. Y su necesidad de seducir es una enfermedad constante.

–Hombre, mujer o gato.

–Sólo los gatos se salvan. Le producen alergia.

–Pasión por el dinero.

–Por el consumo. Jamás se compraba un solo par de zapatos, sino una docena. Compraba compulsivamente como si toda aquella vida se le fuera a acabar al día siguiente: ropa, mucha ropa; relojes; una avioneta y un yate. En realidad el yate era para impresionar. Se aburría mirando el agua.

–¿No es incómodo que todo eso lo pague su mujer?

–No, si lo haces discretamente. Por ejemplo, con una cuenta en Suiza para pagar lo que gasta con las tarjetas de crédito. Una tarjeta de esas es para él como una pistola para un vaquero del oeste. Hace invitaciones fastuosas y adora aparecer en las revistas fotografiado con gente célebre.

–¿Las celebridades lo aceptan bien?

–Al principio les cae simpático. Después conocen sus trucos. Lo soportan porque su mujer es atractiva, más inteligente que él y con clase.

–¿Celoso?

–No, y menos con las celebridades. Le halaga que se fijen en su mujer. Él, de su lado, se interesa en sus mujeres y hace todo por seducirlas.

–¿Lo conseguía?

–A veces. Es un amante de género deportivo, ya te lo dije. Todo funciona bien en la cama hasta que empiezan a despreciarlo. Te conviertes en un témpano con él.

–Si es así, ¿cómo...?

–¿Cómo duré siete años con él? No es tan simple. Te sujetan las hijas, quizás el orgullo. Te vuelves cínica. Este u otro, lo mismo da. Te acuestas con otros, y él lo sabe y no dice nada. Te dices: todos los hombres tienen la misma vanidad de pavos, mejor conservar al que acabas manejando como un niño. Hasta que un día dices stop. Pones sobre el matrimonio una lápida y una cruz.

–Has hecho el retrato de un verdadero imbécil.

➺

Fatuo, superficial; un hombre que arreglaba su ropa con una pulcritud enteramente femeninas, usaba lociones distintas según fuera de tarde o de noche y se empeñaba en saber de antemano qué traje llevaría ella para cualquier cena o recepción a fin de elegir el suyo y lograr similitudes o contrastes capaces de dar a su aparición un efecto teatral. Teatral, eso era. Aquella necesidad suya de atraer siempre la atención venía de lejos, tal vez de su infancia en los hoteles de San Juan de Puerto Rico donde trabajaba su madre.

Barker Iribarra hablaba siempre de la suya como de una familia muy aristocrática de la isla y de su padre como de un alto oficial de la marina mercante norteamericana oriundo de Filadelfia. Le gustaba mostrar el anillo con un escudo de armas. Claudia, con el tiempo, había llegado a saber la verdad. La directora de un conocido colegio femenino de Barranquilla, que era de Puerto Rico y pertenecía, ella sí, a una buena familia, le había confirmado los ilustres abolengos de los Iribarra. Eran gente bien de Ponce. El viejo José Iribarra tenía fincas de café. Ana María, su hija, era a la vez linda y ligera de cabeza. Había tenido una rápida y confusa relación con un joven oficial de la marina de guerra norteamericana, cuyo barco estaba sólo de paso en San Juan. Aquel oficial había desaparecido de su vida sin siquiera saber que ella estaba encinta. El viejo la había repudiado, sus hermanas se habían negado a tratarla. La muchacha era vivaz como un fósforo, con cejas muy negras y ojos oscuros, brillantes y decididos. Dejó a los suyos. Desapareció de aquel mundo donde había vivido de niña; mundo de umbrosos cafetales que su padre recorría con una mula cargada con dos cestas, en una de las cuales iba ella, cuando pequeña; cafetales, caserones con patios y helechos y mujeres bordando en los corredores. ¿Dónde estuvo? ¿Qué hizo? Nadie supo. Años después se la vio en San Juan, trabajando en un hotel de lujo como responsable de relaciones públicas. Su problema era el niño, un muchacho de bucles femeninos y con los ojos oscuros de la madre, que atraía la atención de los turistas cuando aparecía en el vestíbulo del hotel o en los jardines sombreados por los parasoles. Porteros y huéspedes lo mimaban. Él estaba a toda hora buscando a su madre, y la madre siempre se encontraba con algún hombre, riendo o bebiendo una copa, y no sabía cómo quitarse al niño de encima. Cuando tuvo suficiente dinero, decidió enviarlo a un colegio de Florida donde escasamente el muchacho debió aprender las cuatro operaciones, pero sí todos los deportes que practicaban los muchachos ricos. Copió su indumentaria y sus modales, no tardó en descubrir que sus ojos oscuros, una piel tostada que hacía resaltar su sonrisa de dientes muy blancos y aquel resplandor de cobre que parecía emanarle de los músculos del pecho y de los brazos, fortalecidos por el deporte, seducía o trastornaba a las mujeres. Aprendió, pues, a seducir, doblegar, poseer, con aquella destreza suya, igualmente deportiva, para el amor. Y aun después de casarse con Claudia, continuó seduciendo a esposas de magnates, diplomáticos, cineastas, publicistas: unas bellas, otras no, pero todas figuras del *jet set*. Era inofensivo lo suyo. A ella no le incomodaba si lo hacía discretamente. Y esa situación se mantuvo hasta que el portorriqueño terminó enredándose, de manera más bien pública y alimentando los chismes de las revistas, con una reina de belleza venezolana espectacular, frívola y lo suficientemente tonta como para enamorarse de él. Con ella terminó aquel pacto nunca explícito de libertades mutuas.

–¿Mutuas? Quieres decir que tú...

–También yo, claro.

En su caso, no hubo nunca la banalidad y la promiscuidad que él mostraba en sus relaciones. Nunca tuvo nada con las celebridades que Barker Iribarra adulaba. Campeones de tenis o vulgares millonarios con pelos en las orejas y una flor en el ojal intentaban toda suerte de asedios y asaltos sin resultado alguno. Se enojaban. La consideraban fría. Como el mármol, decían. Sus *affaires* habían sido pocos, discretos, marginales, dictados más por un sentimiento de admiración o amistad, con hombres por completo opuestos a Barker Iribarra. Así, hasta que apareció en su vida Tomás Ribón.

Era el abogado que debía tramitar su divorcio. Y todo cambió con él.

–He ahí la historia de mi primer matrimonio –dice Claudia–. Creo que he hablado demasiado mientras tú te guardas todo lo tuyo. Qué cachaco eres.

–Dame tiempo.

–Todo el que quieras.

Detrás de los lentes oscuros, los ojos de ella lo miran profundos, letárgicos. Se han quedado en silencio, envueltos en el sopor de la hora y del vino que han bebido. Son las tres de la tarde. Nada se mueve, ni una hoja en el aire ardiente y ciego de luz; el coro de las chicharras parece suspendido para siempre en una nota soñolienta y unánime. En la sombra del parasol, sobre dos copas de helado, vuelan algunas moscas. Y de vez en cuando aparece allí, inquieto, mirando de un lado a otro, un pájaro azucarero.

–¿Qué quieres hacer? –dice ella.

Su voz ha tenido de pronto un registro íntimo, confidencial, que le hace apresurar a él los latidos del corazón.

–No hagas preguntas bobas. Tú lo sabes.

Ella sonríe despacio bajo el doble reflejo de sus lentes oscuros.

–Nunca te andas con rodeos, tú –Se levanta de la mesa–. ¿Vamos?

V

La ardiente ansiedad de aquella mañana después del desayuno está allí de nuevo, viendo la espalda de ella, desnuda y con el fino vello dorado en la piel quemada por el sol; viendo el ligero vaivén de las caderas bajo la túnica mientras camina tras ella por la galería de las máscaras. En contraste con la luz que hay en la terraza, la alcoba parece a oscuras con las persianas de anchos tablones de madera dejando sólo unas finas rayas de luz. A él le sorprende la manera como Claudia, al entrar, arroja los lentes sobre la cama y dándose la vuelta con ímpetu le echa los brazos al cuello. Él la toma por el talle que siente frágil y palpitante en sus manos, la estrecha y empieza a besarla, estremecido a un mismo tiempo por el fuego de aquella lengua entre sus labios, por el denso aroma del pelo y de la piel y por el contacto contra su cuerpo de los senos muy firmes y del arco de la cadera. Palpitante de deseo, su mano derecha desciende del talle de Claudia hacia la curva de la cadera y la redonda dureza de las nalgas; luego resbala entre las piernas y sube de nuevo para demorarse en la flor viva y ardiente del sexo que parece abrirse a su caricia bajo la tela de la túnica; regresa al talle, sólo un instante: guiado por una viva necesidad de sentir todo el contorno de su cuerpo asciende por la piel ardiente de la espalda, roza el hombro con suavidad a tiempo que su mano izquierda sube sin prisa hacia la nuca, al encuentro con la otra, para desanudar las cintas que sujetan el traje. En la honda penumbra de la alcoba ve de pronto cómo la túnica, obedeciendo dócilmente a sus manos, le resbala por el cuerpo dejando que los senos, libres de aquella envoltura de lino, le broten con ímpetu, más blancos por el contraste con la piel tostada de los hombros y el cuello. Apartando sus labios de los de ella, busca ahora la base palpitante del cuello, la roza sintiendo los latidos de sus arterias abrasadas por el deseo y llega al seno, al duro pezón color vino que siente fresco, ávido, erecto, con una delicada textura de pétalo.

Oye la voz de ella, oscura, cortada por suspiros, casi un cuchicheo:

–Despacio, hazlo todo despacio –y de pronto, con una ronca vehemencia–: ¡Y por Dios!, quítate esa ropa.

⁓

En la cálida penumbra del cuarto, sobre un revuelo de almohadas y sábanas, han quedado exhaustos, lánguidos, felices, fuera de tiempo, olvidados de todo, la sangre en sosiego, el corazón recibiéndola con un flujo constante y pacífico. Tras las quejas y jadeos del amor, la alcoba recobra los murmullos que vienen de fuera: el latido remoto de las olas y siempre, muy cerca de la ventana, en un árbol del jardín, el arrullo de una torcaza. Gime suavemente el ventilador que hay en el techo.

–Soy completamente desvergonzada, ¿verdad?

–Completamente. Como suelen serlo las reinas y otras damas que todo el mundo respeta.

Ella se ríe. Se ha vuelto hacia él, que está tendido de espaldas en la cama. Apoyada en el codo, las pupilas de gata más brillantes que nunca, a medias envuelta en la sábana y tan cerca que su pelo le roza la cara, le está trazando un surco en los vellos del tórax.

–Siempre lo he sido. ¿También tú?

–No.

–¿No lo fuiste nunca con Serena?

–Con Serena no.

–¿Entonces?

–Con la niña de los patines, pero sólo treinta años después de haberla visto por primera vez. Cuando ese amor dejó de ser platónico...

En su memoria, está viendo a Adriana. Es una tarde de invierno, en París. La habitación permanece en penumbras. Ella ha acabado de entrar. Ha irrumpido en el cuarto con una ráfaga de aire frío y una delicada fragancia de perfume. Se ha quitado los guantes, se ha sacudido la nieve del pelo, se ha quitado el abrigo de visón que arroja sobre la cama y ahora está sentada allí, las sensitivas aletas de la nariz en el resplandor de la lámpara, las rodillas muy juntas, las piernas muy largas con medias de tonalidad oscura, los zapatos de agudos tacones, la estrecha falda gris como cortada por un tijeretazo en el costado, que deja ver, al sentarse, la curva de la rodilla y una parte del muslo, la fina blusa de Ungaro de seda color fucsia de mangas flotantes cuyo puño se cierra con dos botones en la muñeca, la malvada inocencia del escote en forma de ojal, bajo un lazo, a través del cual se ve su cuello esbelto descendiendo hacia la esplendorosa playa del esternón y el surco donde nacen los senos, que se alzan sin exuberancia como partiendo en direcciones opuestas, firmes bajo la seda transparente de la blusa, marcándose en las puntas. Todo ello sustentado por una ligera arquitectura ósea afirmada en las caderas sobre la cual cae siempre con elegancia la ropa de los mejores modistos del faubourg Saint-Honoré o de la Avenue Montaigne que ella, Adriana, visita todas las tardes de su vida.

–Qué tiempo hace afuera –dice sacudiéndose todavía la nieve del pelo–. Bebí una cantidad de vino con Norbert.

–¿Cuál Norbert?

–El príncipe, tonto.

–¿El príncipe de noventa y cuatro años que te invita todos los domingos?

–Noventa y cuatro años no. Noventa y tres. Es absolutamente divino. Me invitó al Vieux Galion, ese restaurante que está en un barco siempre anclado en el Sena. Luego me llevó a un museo, a ver estatuas.

–Esculturas.

–Todos esos señores desnudos con sus cosas al aire me pusieron nerviosa.

–¿De quién estás hablando?

–De las estatuas, bruto –se ahoga de risa dejándose caer sobre la cama–. Las estatuas del museo. Me pusieron nerviosísima. ¡Con el calor que hacía adentro, la calefacción, y todo el vino que habíamos bebido! Pobre Norbert. Si supiera los pensamientos que yo tenía en la cabeza mientras paseaba con él por aquel museo, se habría quedado súpito. Me cree un ángel. Y en realidad –dice mirándolo traviesamente–, hoy estoy necísima.

–Estás pensando en ella –dice Claudia.

–Todo lo adivinas siempre.

–¿Quién es?

–Tú no la conoces. Fue el amor platónico de mi juventud. Se casó muy joven con un diplomático español y ha vivido en Europa toda su vida. También en Egipto y en la India.

–¿Por ella dejaste a Serena?

–No, no fue exactamente así.

–Pero te enamoraste de ella la primera vez que la viste...

–Descubrí que ese desorden existía, sí. Ya te lo dije, ocurrió un atardecer en el barrio La Magdalena de Bogotá.

Anochecía. En el aire azul y frío que venía del cerro con su olor de eucaliptus, se encendían las luces de la calle. Entonces la niña aquella, como una libélula, vestida con un traje claro y ligero y con una cinta blanca de seda en el pelo, había aparecido, rodando por el andén sobre unos patines. Se había detenido frente a un muchacho que estaba con él, llamado Juan Mauricio Robledo, sujetándose en la reja de entrada para no perder el equilibrio. Había llamado primo a Juan Mauricio, le había gritado algo, había reído antes de continuar deslizándose en los patines por el andén, ligera, graciosa, lindísima. Y él había experimentado aquella conmoción recóndita que produce el primer brote de amor por una mujer. Se había sentido pobre, pequeño, mal vestido, con las rodillas sucias, mientras seguía con la vista, en el aire azul y frío del anochecer bogotano, aquella cinta blanca florecida en el pelo, el traje claro yendo aquí y allá sobre los patines, como una figura de ballet.

–¿Y eso fue suficiente para que treinta años después volvieras a sentir lo mismo?

–No, claro que no. La encontré años más tarde en casa de unas primas convertida en una muchacha.

⁂

–Debía tener entonces unos diecisiete años. Yo era entonces un estudiante de derecho; un estudiante pobre y tímido, hijo de una viuda que para sostenernos a mí y a mi hermana se las arreglaba manejando un restaurante escolar del municipio, conseguido gracias a su amistad o lejano parentesco con el alcalde de Bogotá. Mi papá fue cónsul en Valparaíso y más tarde en Amberes (allí de niño aprendí el francés). Arisco, orgulloso, correcto, muy pagado de sus buenos apellidos, conservador, y odiaba que llamaba la chusma o la plebe. Pasó años en la Cancillería hablando siempre mal del ministro liberal de turno al que veía como un advenedizo y de los diplomáticos que enviaba al exterior, vigilando escrupulosamente las solapas de su saco, las rayas del pantalón y las notas e informes que debía redactar; le echaba tiza a los cuellos de las camisas para que no se notara que estaban raídos. Al parecer era un funcionario excelente. Sus hermanas, mujeres todas muy bonitas y distinguidas, se casaron bien, en Bogotá, así yo crecí como pariente pobre de una tribu de tías y primas de buena sociedad, que vivían en casas de La Cabrera o El Nogal y que pasaban sus domingos en el Country o en el Club de los Lagartos. A mí me invitaban algunas veces a sus casas. Creo que no apreciaban mucho a mi madre; la veían de medio pelo. Puedo vernos aquellas tardes de sábado o aquellos domingos, no mal vestidos sino tal vez todo lo contrario, vestidos con esa corrección modesta de los pobres: mamá con su sastre negro, un sombrero de velo y una cartera de charol, mi hermana con el uniforme del colegio de las monjas y yo con un traje oscuro, camisa de cuello almidonado y corbata, como un notario, en medio de primas que llevaban suéteres comprados en los Estados Unidos, faldas escocesas o bluyines y mocasines americanos, y de tíos y tías vestidos como si vinieran de presenciar un partido de polo. Todos ellos ponían sobre nosotros una mirada de lástima mientras bebían whisky y jugaban al bridge o a la canasta. Vivíamos siempre en casas modestas, húmedas y oscuras y con patios manchados de hollín, de modo que aquellas quintas con jardines y árboles muy altos, con perros de raza, con parqués encerados, alfombras y objetos costosos de porcelana o de cristal sobre las mesas y trofeos deportivos en la repisa de la chimenea donde siempre ardía un buen fuego al oscurecer, nos intimidaban profundamente.

«Allí, pues, en una de esas casas, la de tía Elisa, encontré de nuevo a la niña de los patines. Era, como te dije, una muchacha de diecisiete años, lindísima. Estaba con Ingrid, mi prima, detrás de un piano, jugando con las teclas, y lo mismo que me había ocurrido a los trece años volvió a sucederme: aquel frío, aquella agonía del corazón y de nuevo la sensación de resultarle insignificante. No es para mí, pensaba.»

–Complejos.

–Complejos, sí. No era para mí, creía, pero no le quitaba los ojos de encima. No sólo era linda, sino también muy loca. La loca de Adriana, decían mis primas. La veo detrás de aquel piano, con suéter blanco arremangado en los codos y una cadenita de oro al cuello, riendo y hablando siempre de un modo impetuoso. Su abuela era italiana, de Florencia. Quizás a ella debía esos rasgos tan finos: las delicadas aletas de la nariz, los labios, el mentón bien dibujado, todo ello animado por unos ojos oscuros y luminosos. Yo no sabía qué decirle, pues todo lo que hacía en aquella época, aparte de estudiar derecho, era encerrarme en la Biblioteca Nacional para leer, hasta la hora del cierre, libros de Nietzsche y de Schopenhauer. Nada de eso tenía que ver con ella. Estaba con Ingrid en el sexto año del Gimnasio Femenino y se habían hecho amigas.

«Cuando supe que ahora iba todos los sábados a casa de mi prima, empecé a ir también. Llegaba con cualquier pretexto, agonizando de timidez, enrojeciendo cuando Ingrid me llamaba "el sabio" delante de ella, feliz de ser su *partner* en un juego de canasta y de hacer trampas con plena complicidad. O absurdamente triste cuando al llegar descubría que ella no estaba, que había sido invitada al campo o a Los Lagartos. Tu novia no vino, me decía Ingrid, traviesa.

»Sólo muchos años después, en París, vine a saber que Adriana había vivido una situación similar a la mía. En sus recuerdos había casas iguales a las que mamá alquilaba, en Chapinero o en Teusaquillo; había las cajas de lápices de colores compradas en el almacén Ley, la taza de café con leche como única comida por la noche y hasta la Emulsión de Scott y el Jarabe Yodotánico. Pobre en un colegio de niñas ricas, hija de un botánico, había sufrido también la vergüenza del suéter agujereado en el codo o la suela del zapato desprendida, y no tener qué ponerse si la invitaban a una fiesta. Yo no lo sabía, no podía adivinarlo entonces, y aun sí lo hubiese sabido, no habría avanzado nada con ello, pues si de algo quería huir Adriana, si de algo huía o ha huido siempre, buscando la amistad de mis primas, luego relacionándose con hombres ricos, nobles o con poder, era de ese mundo que nos fue común, mundo en el que nunca alcanzaban los sueldos y en el que una cuenta de luz o de teléfonos elevada es una verdadera catástrofe.

«Algunos domingos, Antonio Holguín e Isabel, mi tía, nos invitaban a una finca que tenían por los lados de Tabio. Regresábamos con Ingrid y con ella en el automóvil de mi tío cuando empezaba a oscurecer. Recuerdo esos atardeceres de domingo en la sabana: potreros, sauces, eucaliptos, bruma, tapias de tierra pisada, el agua triste de las inundaciones bajo aquel frío cielo color ceniza teñido de algunas pinceladas rojas al occidente, donde moría el sol. Recuerdo el temblor de sentirla cerca de mí, en el auto; la tristeza de no haber ido nunca más allá de leerle las líneas de la mano o pasado subrepticia y tramposamente una carta de naipe bajo la mesa; la aridez de tener que esperar toda una semana para volverla a ver. Luego, el regreso a casa: allí, después de la muerte de papá, todo tan frío, pobre y húmedo, mamá arropada con un chal y con una botella de agua caliente bajo los pies, mi cuarto mal alumbrado por un bombillo colgado en el techo, el pito de los trenes llegando a la Estación de la Sabana, algún concierto en la Radio Nacional, poemas de Amado Nervo, libros de Nietzsche o Schopenhauer, sueños, montones de sueños, todas esas cosas tan tristes, tan cómicas.»

–¿Nunca le tocaste un dedo?

–Nunca.

–Quizás esperaba un milagro. Milagros sólo los veía en las películas románticas de la Metro y en las novelas: la pasión silenciosa y devota al fin correspondida, ese *happy end* que establecía una justicia para el débil, para el pobre o el bueno, al cabo de incertidumbres y desaventuras. A veces creía que ella empezaba a reparar en mí, pues se quedaba mirándome de pronto y me encontraba parecido a su hermano. Decía que yo, como él, era un ratón de biblioteca. Y como era impulsiva, algún día jugando a la canasta, conmigo de *partner*, saqué la carta que nos daba el triunfo, un as, se levantó de la silla y me dio un beso diciendo lo adoro, ¿no se dan cuenta de que yo adoro al sabio distraído? Sabio, así me llamaba. Eso fue todo lo que ocurrió entonces. Pero en aquel momento cualquier gesto así desataba no sé cuántos sueños locos, esperas, agonías renovadas de los sábados.

«Un día, temblando, me atreví a invitarla a un recital en el Teatro Colón, a cargo de uno de esos cursis recitadores españoles que por ese entonces pasaban por Bogotá. Le di cita en el Monte Blanco, una fuente de soda de moda. Pero no vino. Me ardían como brasas en el bolsillo las boletas del recital. Pensé que quizás se había equivocado y que podía estar en la puerta del Colón esperándome, y allí me fui en un taxi. Llovía en la calle, sonaban timbres, la gente subía ya al foyer del segundo piso. Terminé solo, oyendo lúgubremente al andaluz, un tipo con un sombrero cordobés y medio amariconado, recitar *La casada infiel.*

»Juré no verla más. Dejé de ir dos o tres semanas a la casa de mi tía Elisa y de mi prima Ingrid. Me quedaba aquellos sábados en la Biblioteca Nacional, siempre muerto de hambre, leyendo páginas de Schopenhauer acerca de cómo los grandes espíritus se forjan en la soledad. Al fin, no pude más: volví. Ni siquiera se acordaba del recital. Sorprendida de verme erizado de espinas como un cactus, se acordó de repente mientras tomábamos el té. Qué bruta, dijo, se me había olvidado por completo, pobre sabio. En el automóvil que nos llevaba de regreso a nuestras respectivas residencias, me preguntó si estaba muy bravo con ella. Me dio un beso en la mejilla.

«Nuevas esperas, agonías, ilusiones frustradas. Y toda esa historia concluiría de una manera desventurada con una serenata. Quizás aquella serenata cambió mi vida. Por culpa de ella, de esa serenata y no necesariamente de Carlos Marx, entré en el partido.»

–¿Fuiste comunista?

–¿Quién no lo ha sido entre nosotros a los veinte años? Mis dos mejores amigos de entonces en la Nacional, Fernando Montoya, Montoyita, que hoy es abogado de no sé qué consorcio financiero...

–Trabaja con mi primo Federico.

–Claro. El otro amigo de la época, también era comunista, era Luis Céspedes Marín, que luego ha sido parlamentario y ministro. Pasábamos tardes y noches en un café de Chapinero bebiendo cerveza. Siniestra época: dictadura, violencia, muertos, patrullas policiales; llovía siempre. Hijo de un magistrado, Montoyita era un muchacho grande, erudito, zurdo, con unos estupefactos ojos azules detrás de lentes con una gruesa montura de carey. Céspedes, que vivía molestándolo, era lo opuesto: cínico, pequeño, borracho, amigo de putas. Formaban una pareja muy cómica. No tardaron en descubrir que yo andaba enamorado. Supieron de quién. Se los dije yo mismo después de beber una tarde de sábado muchas cervezas en el café. Céspedes tuvo entonces la idea:

«–No seas pendejo –me dijo–; tal como están las cosas tienes que manifestarte más. Lo preciso es una serenata.

»Yo no estaba para nada convencido de ello. Nunca le había dado serenatas a nadie; me parecían ridículas. Para sorpresa mía, Montoyita encontró que la idea era muy acertada.

»–Eso de las serenatas es un rezago casi feudal, uno de tantos que quedan en el país –dijo como si fuera un profesor, abriendo muy grandes sus ojos azules–. Pero qué caray, con las chinas de la burguesía bogotana eso es muy efectivo –se quedó cavilando, suspiró, movió la cabeza–. Muy efectivo.

»–Con las proletarias, en cambio, basta un empellón –comentó el cínico de Céspedes.

»Los tipos que contrataron en la Plaza de las Nieves, tras un largo regateo, parecían pistoleros con guitarras. Sombreros echados sobre la cara, ruanas friolentas, les brillaban los dientes de oro al reír. En el taxi, percibí en sus ruanas un tufo de aguardiente. No sé cómo cupimos todos con las guitarras. Me sentía igual que si fuésemos a perpetrar un asalto. Estaba asustado y arrepentido, pero ya era tarde.

»Adriana vivía en una casa de ladrillo de dos pisos, por los lados del estadio El Campín. El barrio parecía un cementerio. Bajo las débiles luces del alumbrado público, las calles se alargaban desiertas y glaciales. Céspedes había sacado del bolsillo de la gabardina una botella de aguardiente, que se la pasaba a los músicos y también al chofer. Montoyita parecía adivinar mi pavor. Estaba un poco borracho: se le veía en la manera de bizquear y de decirme a cada paso, en el taxi: "A las chinas de la burguesía les gusta esto." Y repetía: "Les gusta esto." Pero yo no lograba compaginar aquel olor a ruanas y a aguardiente, las risas de los músicos y sus dientes de oro con Adriana, sus finas ventanas de la nariz y su cadenita en el cuello.

»Delante de la casa, sumida en un profundo silencio, Céspedes fue ubicando a todos con movimientos sigilosos de conspirador. Quería saber cuál era la ventana de Adriana, pero yo no tenía la menor idea.

»–¿Empezamos con una rancherita, doctor? –preguntó uno de los músicos.

»–No, no, con algo romántico –ordenó Céspedes, eficaz–. Un bolero. ¿Conocen algo de Los Panchos?

»Cantaron *Rayito de luna* con unas voces más bien horrendas, sin que ninguna luz se encendiera en la casa.

»–Bebe para entonarte –me aconsejaba Montoyita, solícito, pasándome la repugnante botella de aguardiente.

»Hacía frío; croaban los sapos. El taxi aguardaba delante de la casa y yo sólo tenía ganas de huir. Saltar dentro y dejarlos allí, con su serenata.

»A Céspedes se le ocurrió que los músicos debían tocar *Despierta*, otra canción de Los Panchos.

»–Es lo más apropiado en estos casos –decía con una voz ya mellada por el aguardiente.

»Decidió, para espanto mío, acompañar a los músicos en la segunda canción con una voz más fuerte que la de ellos y desde luego más destemplada. "Despierta, dulce amor de mi vida", cantaba;

rugía más bien. Su participación produjo un efecto fulminante. Se encendió la luz de una alcoba en el segundo piso. Tras los visillos de la ventana apareció una silueta que los apartó tímidamente para observar la calle; luego, de manera decidida abrió la ventana. Surgió algo que resultó ser una señora con un gorro sumamente extraño. Hablaba. Céspedes hizo callar a los músicos para oírla.

»–Hagan el favor de no hacer tanto bochinche que aquí hay gente durmiendo. Van a despertar a Jesús María.

»–¿Quién es Jesús María? –preguntó Céspedes.

»–Mi marido.

»–¿Y su hija dónde anda?

»–Eso a usted no le importa, malcriado. Deje más bien ese bochinche.

»Aquello indignó a Céspedes.

»–¿Cómo que bochinche? El trío nos costó cuarenta pesos.

»–Cantamos una bella canción de Los Panchos –intervino Montoyita.

»–Del carajo –dijo Céspedes, lo que produjo en Montoyita una risa incontenible.

»–¡Qué groseros! –exclamó la señora–. Si no se van, voy a llamar a la policía.

»Yo estaba aterrado. Aterrado, sobrio, con un hierro frío en el estómago. Quería desaparecer. "Vamos, vamos", les decía a los músicos que no sabían si continuar la serenata o callarse del todo. Sólo uno de ellos me hizo caso y entró en el taxi. Céspedes, secundado inexplicablemente por Montoyita, continuaba discutiendo con la señora del gorro. Le decían que debía cuidar mejor a su hija y no dejarla por ahí, a esas horas, con cualquiera.

»Mi única esperanza era que todo terminara ahí, con un incidente deplorable con la madre a quien yo por fortuna no conocía.

Pero en aquel momento un automóvil dobló la esquina y se aproximó a la casa. La luz de sus potentes faros nos envolvió a todos y relampagueó en las ventanas del primer piso. Era un Ford Mustang último modelo, de color rojo. Se detuvo detrás del taxi en el que yo intentaba meter desesperadamente a Montoyita. Demasiado tarde. Alguien abría la puerta del Mustang y se bajaba. Oí a mis espaldas, alegre, inconfundible, la voz de Adriana.

»–¡Qué emoción! –alcanzó a decir–. Una serenata.

»–¡Qué va, mijita! –gritó la señora del gorro desde su ventana del segundo piso–. Son unos borrachos que me están faltando al respeto.

»Di la vuelta seguramente muy pálido y con el corazón latiéndome enloquecido, para encontrar a Adriana, su abrigo de fiesta, sus ojos llenos de asombro.

»–¡El sabio! –exclamó.

»No pude explicarle nada porque en ese momento se adelantó hacia nosotros el conductor del Mustang, un muchacho alto, bien parecido, enfundado en un soberbio abrigo camel y con guantes de cuero.

»–Hagan el favor de no molestar a la señora –dijo con voz firme.

»Céspedes reaccionó, irritado.

»–No se las venga a dar de mosquetero.

»–Los mosqueteros somos nosotros –dijo Montoyita sacando la cabeza por la ventanilla del taxi.

»No pudo continuar porque se ahogó en su propia risa.

»Todo se volvió muy confuso. Adriana se interponía entre su amigo y Céspedes que estaban a punto de pegarse; yo hacía entrar a los músicos en el auto. En el momento de partir, al fin, a Céspedes se le ocurrió, para cerrar la noche con broche de oro, lanzar un grito de "Muera la burguesía", que repercutió en la calle desierta.

«–En política sí no nos meta, doctor –protestó uno de los músicos.

«Y así acabó todo con Adriana.»

☙

–¿Qué pasó después? –pregunta Claudia.

–Jamás volví a casa de mi tía Elisa. Dos o tres años después, por una prima, supe que Adriana se casaba con un diplomático español mucho mayor que ella. Los vi, por cierto, en un coctel en el Hotel Tequendama.

Giran las aspas del ventilador en lo alto. Fuera, en la claridad de la tarde, tras las persianas cerradas, se escucha la queja de la tórtola, mientras él evoca aquella imagen amarga; Adriana, bellísima, más mujer que nunca, con un ceñido traje negro de coctel, hablando en forma confidencial con un hombre alto, maduro, elegante, que podía ser su papá. Un diplomático español con el pelo gris en las sienes. Franquista, cosa afrentosa para él que estaba ya en el partido. Había leído varios libros sobre la guerra civil española: *L'Espoir* de Malraux, *Por quién doblan las campanas* de Hemingway y *La forja* de Arturo Barea. Con Céspedes y Montoyita escuchaban canciones de los milicianos españoles cada vez que bebían en su casa. Y allí estaba ella, Adriana, en aquel salón del Hotel Tequendama, con aquel fascista español (así se expresaba) hablando con esa intimidad cómplice que aun en medio de la gente logran establecer los enamorados. Mejor así, pensaba pálido, estremecido, desgarrado hasta la más íntima fibra del corazón por aquellos celos, observándolos a distancia con un vaso de whisky en la mano. Mejor así, en campos contrarios, pensaba. Ella con un representante de Franco, de la plutocracia y de la casta militar española; él con todos los que luchaban por una sociedad nueva, socialista. Mejor así, pensaba, con el mismo encarnizado furor con que se encerraba años antes a leer en la Biblioteca Nacional libros de Schopenhauer, y sintiendo que muy a pesar suyo tenía los ojos húmedos de lágrimas. Se acercó a ella, al fin. Y ella, Adriana, lo recibió de la manera más imprevista, con una alegría perfectamente espontánea y trivial, como si nada hubiese ocurrido y todo fuese igual a la época en que se encontraban donde la tía Elisa: "Hola, sabio, ¿qué milagro, dónde te habías metido?" La risa le hacía temblar las pestañas. Estaba bellísima, sí.

Se casaron en Cartagena. Vi las fotos publicadas en El Tiempo y se fue de Colombia. Desapareció. De vez en cuando, por alguna prima suya, tenía noticias de ella: que estaba en Oslo o en El Cairo, donde su marido era embajador.

–¿Realmente te hiciste comunista por ella?

–Así fue.

–Es algo completamente ridículo.

–De esos ridículos se alimenta la historia.

–Comunista por culpa de una frívola...

–Quién iba a pensarlo, por culpa de ella y también por influencia de Montoyita, con todo lo bobo que era. Mientras Céspedes tomaba el episodio de la serenata como un chiste, Montoyita, ya sobrio, captó que para mí había sido una catástrofe. A la luz de la dialéctica, se dio a la tarea de explicarme por qué Adriana no se había fijado en mí. Me hablaba del espíritu mercantil de la burguesía, de ese orden de valores suyo basado exclusivamente en el dinero, de cómo Adriana daba más importancia a los signos burgueses de la representación que a los sentimientos de un pobre como yo. Me hacía recordar la injusticia de que mi mamá debiera levantarse al amanecer para ir con una criada a la plaza de mercado en busca de carne y de verduras baratas para ganarse unos miserables pesos en el restaurante escolar, mientras mis tías y tíos vivían ociosos, con la plusvalía obtenida con el trabajo de peones en fincas cafeteras o de obreros en fábricas de cemento. Impugnaba mis lecturas de entonces, diciendo que Nietzsche no había sido sino un individualista exaltado por las típicas frustraciones del pequeño burgués. En vez de todo ese baratillo filosófico que había contribuido, decía, a la ideología fascista del hombre superior, debía situarme en la perspectiva de la lucha de clases. Empezó a prestarme folletos sobre el materialismo dialéctico y el materialismo histórico; los discutía conmigo en sucios cafetines y en loncherías del centro. Como buen bobo, tenía una glotonería feroz: comía cantidades de bizcochos, se embadurnaba la cara de crema sin dejar de hablar, explicándolo todo de una manera obstinada y agotadora. Uno no sabía cómo quitárselo de encima, pues me acompañaba hasta la casa y aun así se quedaba en la puerta largo rato, hablando, sus grandes ojos estupefactos fijos en uno y la punta de las narices untada de crema. Céspedes nunca le prestaba mayor atención. Le gustaba emborracharlo, oírle repetir tonterías y soltar la risa por cualquier cosa. Pero Montoyita era, él sí, un verdadero sabio. Feroz devorador de libros, me llenó de literatura marxista. Nunca me extraña cuando oigo decir que es uno de los mejores abogados del país. Dizque está rico, además.

–Lo está.

–¿Lo conoces?

–Claro, es abogado nuestro, ya te lo dije.

–Por eso mismo resulta divertido recordarlo caminando a mi lado por las calles del centro, en aquellas noches lluviosas y lejanas, mientras me hablaba de San Petersburgo como si hubiese vivido allí; de los zares, de la nobleza, de las revoluciones abortadas y de los revolucionarios deportados a Siberia, y de cómo todo había cambiado en un año. Creo que aquello surtía más efectos conmigo que sus análisis sobre la plusvalía. Porque yo imaginaba un cuadro equivalente en la Bogotá de entonces. Veía llegar días gloriosos como aquellos: los arrogantes tíos que nos miraban con lástima, arruinados; mis primas trabajando en alguna fábrica, el del Mustang convertido en camarero, mamá condecorada con la medalla del trabajo y Adriana viniendo a mi oficina, con ojos llorosos, para pedirme alguna ayuda. No lograba sin embargo ver a Montoyita como a un Lenin, o al menos como a un Molotov, por aquella manera desaforada de tragar milhojas. Pero fue él quien acabó haciéndome ingresar en la célula de las Juventudes Comunistas donde él y Céspedes militaban.

–¿Cuánto tiempo duró ese sarampión?

–Fue algo más grave. Duró años.

–¿Cómo lo explicas?

–Entre nosotros el marxismo es un desaguadero de toda clase de frustraciones personales. Una especie de creencia religiosa.

–Los tipos que nos secuestraron a Tomás y a mí pertenecían a un grupo de esos, pero no tenían nada de místicos. Se llamaban revolucionarios, pero eran hampones.

–No me extraña. Los grupos armados suelen descomponerse como un queso camembert con el calor.

–Repugnantes. No me explico cómo tú...

–¿También a mí hoy me parece inverosímil. Tuve una pobre experiencia con ellos. Los conozco.

–¿Qué pasó?

–Te lo cuento otro día.

–No puede ser una experiencia más grave que la mía. Al fin y al cabo son tipos así los que quieren matarme.

–No has querido contarme por qué, y yo no insisto.

–Haces muy bien. Es algo muy sórdido.

–Vamos al mar. A esta hora ha bajado un poco el sol. El mar lavará nuestros pecados.

–No, prefiero que demos un paseo por la isla. No la conoces. Al otro lado hay un restaurante magnífico, famoso en todo el Caribe. Podríamos comer allí esta noche.

VI

A los lados de la carretera, desde la cual divisan constantemente el mar, estallan vivos los colores de las trinitarias. Mangos, almendros, arrayanes, corpulentos árboles de pan abundan en la vegetación que desciende hacia la línea azul de la costa. En el resplandor y el aire cálido de las cinco de la tarde, se oyen todavía el chillido metálico de las chicharras y bruscas algarabías de loros salvajes. Como en todas las antiguas colonias inglesas, los autos, escasos, circulan por la izquierda. El jeep avanza veloz conducido por Claudia. Lleva el sombrero de paja, unos lentes oscuros y una ligera blusa amarilla.

–Qué maravilla volver a ser un ser humano común y corriente –dice de pronto.

–¿Qué quieres decir?

–Poder ir por una carretera sin andar seguida por camperos llenos de hombres armados... No puedo seguir viviendo así.

–Desde luego que no.

–No entiendo cómo quieres volver a un país como el nuestro. Es tóxico.

–Ya nada tenía que hacer en París. Era un sobreviviente –dice.

–El mundo es grande –comenta ella–. ¿Nunca has vivido en Nueva York?

–Nunca.

–Es fascinante. París, al lado suyo, tiene algo de provinciano.

Ahora están cruzando en el jeep por una calle, a la entrada de la pequeña capital de la isla, bordeada por una hilera de minúsculas casas de madera pintadas en vivos colores azul, verde o salmón, demasiado pequeñas, a primera vista, para albergar a los negros que permanecen en los umbrales, sentados en taburetes y mirando el mar con ojos soñolientos. Luego de pasar al lado de un puerto de azules aguas dormidas en el cual cabecean algunas embarcaciones de pesca, entran en la ciudad: media docena de calles con altas casas de madera (una versión tropical de la arquitectura victoriana), con algunos almacenes, un banco, un gran templo y la pomposa casa de gobierno delante de una plaza sombreada por una ceiba gigantesca. Por todas partes circulan negros en bicicleta.

–Entremos en el templo –dice Claudia–. Es muy curioso.

Se apean del jeep. Contemplan, desde la puerta, la enorme nave de la iglesia con tres hileras de bancos. Bajo el techo, muy alto, están suspendidos, a manera de lámparas, enormes aros de bronce color siena. Cenefas, también de colores encendidos, adornan las columnas simulando capiteles. Parece una iglesia africana no sólo por la vivacidad de tonos en los que ha sido pintada, sino por la gente sentada en los bancos: algunos negros, muy viejos, y un gran número de mujeres de la isla, negras también, y vestidas como para una boda con trajes de satín y grandes sombreros blancos adornados con frutas y flores de seda. Cantan salmos en coro con voces suaves y bien timbradas. Las dirige una negra, desde el altar mayor, vestida de blanco hasta los pies.

–Me gustaría encender una lámpara de aceite –dice Claudia.

–¿Tan devota eres?

–Más de lo que tú piensas.

Se acerca al lugar donde arden docenas de lámparas. Enciende una con ayuda de una larga vara y luego se persigna.

–Pide un deseo –dice.

–Ya está –responde él.

–No me cuentes qué pediste. Soy muy supersticiosa.

Han cesado los cantos y ahora la mujer que está delante del altar recita en inglés una oración. Saliendo de las penumbras del templo, los deslumbra la claridad dorada de la tarde. Enjambres de loros hacen bulla en las ramas de la acacia plantada en medio de la plaza. También allí negros muy viejos descansan en los escaños.

De nuevo en el jeep, dejan atrás las últimas casas de la ciudad para internarse en la estrecha carretera que cruza la isla. El monte está lleno de rumores de grillos y de pájaros. El aire luminoso y cálido del crepúsculo se ha llenado de pronto de una áspera fragancia a caña de azúcar recién cortada. Claudia le explica que todavía quedan en la isla antiguas plantaciones con sus trapiches y grandes caserones del siglo XVIII. Avanzan divisando a su izquierda, a través de la vegetación, amplios trozos de la costa; frente, muy lejos, se alza un pico muy alto coronado de nubes oscuras.

–Es el orgullo de la isla –dice Claudia–. Parece que Colón lo divisó en uno de sus viajes. Creyó ver nieve en su cima.

–También veía sirenas en el mar y confundió la desembocadura del Orinoco con el paraíso terrenal. Veía visiones el pobre –dice él.

Ahora se acercan a una vieja iglesia campestre que se alza al lado del camino, en una plazuela.

–¿Qué es eso? –pregunta Claudia.

En la luz del crepúsculo están viendo una escena que parece extraída de un antiguo grabado de las Antillas coloniales. En la puerta de la iglesia y bajo un árbol amplio y frondoso que se alza al lado de ella, se mueven varias figuras vestidas con trajes de otra época: rubias mujeres de largos vestidos, con sombreros y sombrillas de colores, y hombres con largas casacas y sombreros de copa.

–Parece un baile de disfraces.

–Tal vez es la filmación de una película –comenta Claudia deteniendo el jeep a un lado de la plazuela. Una de las mujeres de traje largo parece reconocerla. Se acerca. Es una inglesa robusta de cabellos colorados y cara salpicada de pecas. Ella y Claudia hablan rápidamente en inglés.

Claudia se vuelve hacia él, explicándole:

–En esta iglesia, según parece, hoy hace doscientos años se casó el almirante Nelson. Lo están celebrando. Por eso están vestidos así. Nos invitan a beber un *rum punch* con ellos. ¿Vamos?

Él baja del jeep y estrecha la mano de la inglesa, que lo mira con curiosidad.

–Es un amigo de la familia –explica Claudia en inglés.

Bajo el árbol hay mesas con vasos y bebidas, atendidas por isleños con el torso desnudo, pantalones ajustados y pañuelos de colores en la cabeza. Las mujeres rodean a Claudia riendo y hablando a un mismo tiempo. Al parecer son amigas suyas. Manuel se encuentra de pronto al lado de un hombre maduro vestido también a la antigua. Con unos diminutos lentes cabalgándole sobre una nariz ganchuda, parece un usurero salido de una novela de Dickens. Mientras beben un ponche de ron con cerezas, le explica a Manuel que no es inglés sino norteamericano, de Carolina del Sur. Vino a la isla como banquero, sólo por dos años, y acabó quedándose allí. Convirtió en hotel la casa de una antigua plantación.

–Tomás era un hombre encantador –le dice en inglés–. ¿Era usted amigo de él?

–En realidad no lo conocí.

–Teníamos el proyecto de hacer un gran club al otro lado de la isla.

Claudia se acerca con una copa en la mano. Saluda con un beso en la mejilla al banquero.

–Bud, te ves muy bien vestido de esa manera. ¿Dónde conseguiste esos lentes?

–Eran de mi padre. Se supone que debo parecerme al suegro de Nelson, el padre de Fanny Nisbet.

Un camarero se acerca trayéndoles otras copas de ponche.

–Es el mejor ron de todas las Antillas –dice Claudia–. Pero peligroso –se vuelve hacia el banquero–. ¿Qué otra cosa tienen prevista?

–Un baile en la plantación. Están invitados. Sería mejor que consiguieran un traje de época.

Ha oscurecido del todo cuando llegan al restaurante. El aire de la noche tiene una intensa fragancia de jazmines. Se oye por todas partes un vasto susurro de insectos. El restaurante es una vieja construcción de piedra en lo alto de la colina, salpicada de palmas y helechos. Para llegar a él deben subir por una empinada escalera iluminada por faroles. Fresco y penumbroso, con gruesas paredes de piedra, estanterías llenas de licores y un largo bar de caoba bien pulida, tiene el ambiente de una cava de vinos. A través de las ventanas, de las palmas y helechos que llegan hasta ellas, se divisan, desde lo alto, las lejanas luces del puerto y la ciudad. Trémulas bujías arden dentro de grandes vasos de vidrio, sobre las mesas cubiertas con manteles rojos.

Beben dos copas de piña colada mientras examinan la carta. El *maître* es un francés joven, algo amanerado. Lleva una fresca camisa de lino llena de arabescos.

–Roger, ¿qué nos recomiendas? –pregunta Claudia.

El *maître* le habla en francés:

–Tenemos nuestras especialidades de siempre: el pargo con ostras, un bacalao con hongos, arenques al diablo, aro de atún con salsa de queso azul y, *bien sûr*, la langosta a la thermidor. Me permito recomendarla.

–Comimos langosta al mediodía –dice Claudia. Se vuelve hacia él, Manuel–. El pargo relleno de ostras es un maravilla de la casa. ¿Te dice algo?

–Es una magnífica idea.

–El vino lo eliges tú.

–¿Alguna entrada fresca? Tengo unos excelentes espárragos –dice el *maître*–. O una mousse de brócoli.

–¿Tienes gazpacho bien frío?

–*Bien sûr.*

–Ya que careces de iniciativa propia, súmate al gazpacho –le dice Claudia con una chispa de risa en sus brillantes ojos verdes–. Muestra tu originalidad con el vino. Para algo debe haberte servido vivir tantos años en Francia.

–Te voy a decepcionar. Sólo se me va a ocurrir, fuera del Pouilly Fumé, un Sancerre muy frío.

–Nada original, es cierto. Pero no está mal.

⤳

Claudia habla de su abuelo, mientras toman el gazpacho helado.

–Nunca soportó Europa. Era un verdadero bárbaro. Odiaba los restaurantes sofisticados como este, los museos y las catedrales. Pobre abuelo, pasó demasiados años en la selva cuando era joven. Y eso lo marcó para siempre.

–Tu padre, según he oído decir, era un hombre muy refinado.

–El polo opuesto, tú. Se educó en Harvard y vivió en París muchos años. Nunca se entendió con el abuelo. Yo era el único puente entre los dos –Claudia sonríe, recordando–. Cuando el abuelo fue a visitarlo a París, le hizo sufrir toda suerte de chascos con sus amigos, que eran gente muy refinada. Imagínate, el abuelo estaba alojado en el Hotel George V con mi abuela, e insistía en que le dieran plátano frito al desayuno.

–¡No puede ser!

–Y al final se salió con la suya. Le buscaron el plátano, gracias a un cocinero o ayudante de cocina de la isla de Guadalupe.

–¿Por qué esa idea suya de ir a buscar fortuna en el sitio más pobre del país, en el Chocó?

–Había oro en los ríos, no olvides. Mi abuelo, en esa región es toda una leyenda. Yo estuve allí con mi segundo marido, y supe muchas cosas que el propio abuelo no quiso contarme.

⁂

Tiembla la luz de la vela en su campana de vidrio; fuera, en la palpitante oscuridad, se escuchan los grillos y toda suerte de murmullos de insectos, y el vino se va agotando en la botella, mientras ella le habla de aquel viaje suyo por el Chocó con Tomás Ribón, su segundo marido, para inspeccionar aserríos heredados del abuelo; el viaje le había permitido vislumbrar muchas cosas que el viejo Simón Aristigueta había dejado en la sombra.

Era como volver cincuenta, cien, quizás quinientos años atrás. Nada había cambiado allí, en el Chocó. El mundo espléndido y elemental de los ríos, flora, fauna que habían encontrado los conquistadores, su soledad y silencio no abolidos sino acentuados por el vasto grito de los pájaros en la profundidad de la floresta tropical, eran seguramente los de entonces. Nombres africanos –Opogodó, Condoto, Tamaná, Tadó, Togodú, Buchandó, Napipi, Muchandó– bautizaban afluentes del Atrato o pueblos ardientes y miserables que ella y Tomás, su marido, a bordo de una lancha, iban encontrando en las riberas envueltos en el tufo húmedo y moribundo de la selva; pueblos calcinados como un hueso por el sol, pero con más frecuencia sepultados bajo el incesante y salvaje fragor de la lluvia, que, fundida con el calor, hacía la atmósfera irrespirable. Alertados a veces por alcaldes o administradores de los aserríos y empresas dejadas por el viejo, bandas de músicos negros con trompetas, clarinetes, flautas y timbales los aguardaban en los fangosos embarcaderos, así como niñas de la escuela agitando banderitas colombianas de papel. Circunspectos personajes color de ébano, con inevitables paraguas colgados del brazo, que habían sido ahijados del viejo o hijos de subalternos suyos, los guiaban en el lodazal de las calles a través de altas y decrépitas casas de madera frecuentemente alzadas sobre zancos, roídas por el comején y con el techo invadido de vegetaciones selváticas, hasta algún salón de fiestas con bancos también a medias devorados por los insectos, donde el estruendo de los instrumentos de viento tocados sin piedad por los músicos resultaba ensordecedor y la humedad y el calor parecían derretir los huesos. Ella y su marido, con las ropas pegadas al cuerpo por el sudor, bebían vaso tras vaso de aguardiente que les traían con bandejas de patacones y de pescado frito, para olvidarse de la miseria, los mosquitos, el olor de los negros, los perros famélicos y el tufo denso de la selva pantanosa que se metía por todas las ventanas. Temblaba ella de noche oyendo el silbido sigiloso de las culebras muy cerca de sus pies y viendo cómo se abrían en un arco huidizo de relámpagos cuando la luz de la linterna caía sobre ellas. Alguna noche su marido mató a tiros una rata, tan grande como una liebre, que subía por la pared muy cerca de las hamacas donde dormían. ¿Cómo había podido vivir el abuelo en ese mundo? Empezó a comprenderlo a medida que descendían por el río Atrato. Después de la lluvia, el aire se llenaba de limpias mariposas; volaban garzas muy cerca de los manglares; tucanes y paraulatas relampagueaban al sol; guacamayos, loros y monos se daban la réplica en la selva que asomaba a las orillas, oscura y espesa, y siempre había en aquellos salvajes caseríos, con sus tristes cementerios invadidos por la maleza, algún negro que recordaba todavía al Panamá, como llamaban al abuelo. A orillas del Truandó, en un fundo próspero, acabarían encontrando a un cuñado del viejo Aristigueta del cual nunca habían tenido noticias. Don Elías Salazar, un antioqueño muy viejo, pero con ojos y mandíbulas aún muy firmes, era viudo de una hermana de la abuela de Claudia. Vivía en el Chocó desde hacía más de cincuenta años.

En los intensos y fastuosos crepúsculos que morían al otro lado del río, viendo desde la baranda de la casa volar garzas y pasar una que otra canoa deslizándose silenciosamente, empujada por un negro con ayuda de una palanca, don Elías les hablaba del viejo Simón como si todavía anduviese por allí, adentrándose por los afluentes navegables del Atrato, en una embarcación grande y fantasmal, cargada hasta el tope de racimos de plátanos verdes, llamada *La Gaviota*. Don Elías no lo conoció entonces, sino mucho después, cuando, convertido ya en un hombre rico, montaba sus primeros aserríos cerca de las bocas del Atrato e iniciaba la exportación de maderas hacia Alemania y otros países. El Panamá, es decir, aquel muchacho que había aparecido en los ríos y caños del Chocó a comienzos del siglo, todavía demacrado por las penurias de la Guerra de los Mil Días, estaba siempre en los recuerdos de Esther, la esposa de Elías fallecida años atrás. Ella era una niña de trece años y su hermana Gertrude tenía quince años cuando lo vieron por primera vez en la cubierta de aquel horrible barco suyo dando órdenes, con la ayuda de una bocina, a los negros que cruzaban la pasarela cargando a la espalda grandes racimos de banano. Parecía increíble que un blanco tan joven, pequeño y flaco, que no podía pesar por entonces más de cincuenta kilos, con una camisa pegada a los omóplatos por el sudor y un sombrero panameño de alas anchas, irradiara sobre aquel enjambre de negros que se atropellaban en el embarcadero tanta energía. Nadie sabía entonces que el grado de capitán con que se presentaba a las autoridades de los puertos –capitán Aristigueta– lo había obtenido peleando en los ejércitos de la revolución liberal. Todo el mundo pensaba que lo debía al simple hecho de manejar a gritos a la tripulación de aquella estufa navegable, oscura y sigilosa como la de un pirata. Muy pronto comprendieron que era un hombre con algo o mucho de militar. Fue el día en que los negros se insubordinaron porque sólo quería pagarles tres centavos por el racimo y no cinco como ellos pedían. Cuatro de esos negros, envalentonados por tragos de aguardiente, arrojaron su carga al suelo y alzaron sus machetes. Esther y su hermana Gertrude, que estaban allí con el padre de ellas, vieron como El Panamá desenfundaba tranquilamente su revólver dispuesto a disparar. Oyeron su voz: "Los machetes al suelo, si no los levanto a plomo." Estaba tranquilo. Se veía que sabía hacer uso de las armas y que estaba habituado a hacerse obedecer. Alguien, sin duda otro negro, dijo: "Blanco, no dispare", y los machetes cayeron al suelo.

~

"Esther y Gertrude eran muy bellas", decía don Elías recordándolas cincuenta años más tarde en aquella baranda de madera mientras en el aire incendiado por los resplandores del crepúsculo volaban las garzas. Tenían el color ceniciento de las indias –y su madre era, en efecto, una india: no una negra, sino una india– pero las facciones muy finas y los ojos verdes como los de ella, Claudia.

–¿Por qué verdes? Si eran hijas de una india...

–Por la mezcla, quizás. Su padre era alemán, ya te lo conté.

–De modo que era mitad india y mitad alemana.

–Así es. Pero india. En todo, india.

«Don Rudolf Rall, su padre, era un aventurero nacido en Hamburgo que después de haber buscado fortuna en diversos sitos del Caribe, había establecido un fundo, nadie sabía por qué, no muy lejos de las bocas del Atrato. Quizás lo atrajo la leyenda del oro que los nativos encontraban en la arena de los ríos. No sé si lo encontró o no; quizás sus sueños se esfumaron, porque se convirtió en cazador de caimanes y en exportador de pieles. Le encantaban las óperas que hacía sonar en un viejo gramófono; también el aguardiente y las indias. Con una de ellas, su favorita, que murió muy joven, tuvo aquellas dos hijas cuya belleza sería recordada muchos años después, en sus crónicas sobre sus viajes por el río San Juan y por el Atrato, por un poeta venido de la capital. Ellas vivieron con el alemán no como hijas bastardas de una de las innumerables indias que compartieron su hamaca, sino como las de un padre viudo, celoso y protector que las hizo, desde muy niñas, vivir su vida de cazador igual que si fueran dos muchachos. Parecían dos gatas bellas y sigilosas, siempre al lado del alemán. A todo lo largo del Atrato se las veía compartiendo sus faenas, aún las más duras e intrépidas como las de cazar caimanes o armar trampas para atrapar armadillos. Sabían cargar el rifle; adivinaban el momento en que había que arrimarle al alemán una botella de aguardiente o ponerle en el gramófono sus óperas de Wagner, y asentían cada vez que, mitad en alemán y mitad en castellano, él empezaba a divagar sobre su regreso a Europa. Muy pronto, como ocurría en aquellas latitudes, se volvieron mujeres. Sus pulcros trajes de algodón, con frecuencia empapados por la lluvia, resultaban demasiado angostos para abarcar sus senos y caderas altaneras. Aquella lánguida provocación de las formas, el resplandor de esmeralda de sus ojos en los rostros color de tierra, la nariz y la boca muy finas, todo ello fue creando en torno a las hijas del alemán, como las llamaban desde las bocas del Atrato hasta los confines del San Juan, una leyenda perturbadora.

«Don Rudolf se arrepentiría el resto de su vida de haber invitado a su casa al joven capitán de *La Gaviota*, llamado por los negros El Panamá, la misma tarde aquella en que puso a raya a cuatro de ellos con su revólver. El Panamá fijó sus grises ojos en los ojos verdes de Gertrude y no pudo olvidarla. Fue el único y constante amor de su vida: no se le conoció otra mujer.»

–¿Nunca?

–Nunca.

–Gertrude lo acompañaría en sus legendarias y encarnizadas expediciones por el sur del Chocó, el Putumayo y el Carare buscando sucesivamente quina, caucho, petróleo, así como en los azarosos trabajos de reapertura de una mina en Antioquia en la cual, según decía, ella misma llegó a acarrear piedras con sus manos, antes de que su esposo se convirtiera en uno de los grandes pioneros del país y luego en uno de los hombres más ricos del continente.

«El alemán jamás quiso tomarlo en serio como pretendiente de su hija aunque volviera una y otra vez de sus viajes por los ríos del Chocó o por Panamá, su tierra natal, cargado de regalos. "Si alguien quisiera llevársela un día, será un hombre lo menos parecido a usted y a mí", le decía riendo. Estaba convencido de que aquel muchacho flaco y de ojos resueltos no era sino uno de los tantos aventureros que entonces pululaban en los ríos de Chocó. Él tenía para sus hijas otros proyectos. Soñaba con llevárselas a vivir a Alemania. Quería para ellas el mundo civilizado, de grandes ciudades, brumas y catedrales góticas, que había dejado atrás, sin sospechar que el verdadero mundo de sus hijas era ese otro, inmediato y fragoroso, que latía más allá de los anjeos de las ventanas: el de la selva, con sus leyes oscuras y elementales que empujan a toda hembra del reino animal a aparearse con un macho de su especie, llegado el momento, guiada por su inexorable instinto. Así lo hizo Gertrude. Se fue con El Panamá una noche, en una piragua, sin decirle nada a nadie, salvo a su hermana Esther, que fue cómplice de su fuga.»

–Tú llegaste a conocerla...

–Claro. Viví con ella en París, cuando estuvo allí por un tiempo. Le aterraba cruzar a pie los Campos Elíseos. Allí estaba la pobre, muy vieja y muy digna, completamente fuera de lugar. Con frecuencia se quedaba ensimismada. "¿En qué piensas, abuela?", le preguntaba yo. "Estoy viendo el Truandó", suspiraba. "Allá está Esther, allá está lo mío."

❧

Sí, allí estaba todo lo suyo: su mundo, sus raíces, pues en el fondo nunca dejó de ser la muchacha salvaje que cazaba caimanes en los ríos del Chocó. Buscó la quina, el caucho o el petróleo con su marido, caminando por tierras pantanosas y selváticas, con la rapidez sigilosa de una pantera, descubriendo certeramente las trochas y subiéndose a veces a los árboles con más agilidad que cualquier peón cada vez que en aquellos océanos vegetales perdían el rumbo. Su instinto, su olfato y su vista eran los de un animal. Todo ello lo puso al servicio de las desaforadas búsquedas del marido, integrada por completo a la selva que era su espacio natural. Quizás en los socavones de la mina que ellos reabrieron y explotaron en Antioquia su resistencia debió sorprender a los ásperos arrieros de aquellas montañas, habituados a una vida dura pero no a ver a una mujer compartiendo este tipo de faenas con un hombre, ni a un empresario las de un minero cualquiera. Dizque acarreaba piedras con sus manos, se ha dicho, aunque Claudia lo supiese siempre por terceros, pues el abuelo nunca quiso hablar de ello, como tampoco del disparo que le perforó la oreja. Amputó de su memoria aquel fragoroso pasado desde el momento en que, convertido ya en un hombre muy rico, fue visto por la sociedad bogotana como un bárbaro sin modales y casado con una mujer impresentable. Ella, Gertrude, lo captó así con su feroz orgullo y se negó a vivir en aquella capital tan triste. Detestaba a los cachacos. Tampoco nada le dijo Europa. Le molestaba el frío, las lenguas extranjeras que nunca se tomó el trabajo de aprender, el lujo de los trasatlánticos y de los hoteles donde se alojaba con su marido. No entendía aquella especie de misa que camareros y *maîtres d'hôtel* oficiaban en torno suyo para algo tan simple como servirle la comida. Hamburgo, la ciudad de su padre, le pareció de una tristeza funeraria; llovía, había neblina en invierno. Sólo le llamó la atención el cocodrilo del zoológico. Debió sentirse secretamente solidaria con él: ambos pertenecían a la selva. Allí quiso volver siempre, pero sólo pudo hacerlo de manera fugaz cuando Simón Aristigueta montó sus aserríos a orillas del Atrato. Aceptó finalmente vivir en Barranquilla, ciudad de pioneros y advenedizos abierta a todo el mundo. En aquella ciudad, levantándose al alba y trabajando hasta bien entrada la noche en una oficina cercana al mercado y al caño, él acabaría convirtiéndose en un hombre de negocios millonario. Allí, en Barranquilla, nacieron sus tres hijos: Ramón, Pedro y Ana Cecilia. Apenas comenzaban a correr por el gran huerto de tamarindos y ciruelos de la casa, Simón Aristigueta los enviaba internos a colegios de los Estados Unidos. "Para que no vayan a ser tan ignorantes como tú y yo", le decía el abuelo a la esposa. De modo que Gertrude quedó privada de lo único que habría podido reemplazar las añoranzas de los ríos del Chocó donde había transcurrido su infancia. Los años la demolieron; quizás también su exilio en aquel caserón lleno de criados que el viejo construyó en Barranquilla. Prados y jardines fueron escenario de fiestas rutilantes, ofrecidas por el abuelo y animadas por grandes orquestas venidas de diversos puntos del Caribe. Simón Aristigueta se había ganado así un puesto entre las grandes familias de la ciudad. Las muchachas con trajes de talle bajo y cabellos cortos y los muchachos tocados con sombreros de tartarita, que entonces aprendían a bailar el frox trot y el charleston y que hoy son abuelos llenos de nietos, recuerdan a Gertrude como una mujer de majestuosos ojos verdes, pero espesa, sin pulimento, como una piedra de esmeralda todavía con la tierra de la mina de donde fue extraída. Ajena a la brillante fosforescencia de las fiestas organizadas por su marido, apenas si contestaba los saludos. No obstante, su mirada lenta y profunda y casi soñolienta, como la de una pantera encerrada en una jaula, parecía saberlo todo. Expresaba la autoridad de una reina. Ella era una reina. Para entonces había perdido su ligereza de cierva salvaje y nadie la habría imaginado subiéndose descalza a los árboles con la increíble agilidad de un mono.

Corría el champaña con la fluidez del agua sobre un lecho de piedras, cantaban los músicos cubanos su maní manicero maní, y ella, la abuela, permanecía como un ídolo de granito viendo con fatigado desdén cómo todo aquel dinero arrancado por ella y su marido a las entrañas de la tierra tras infinitas penurias chisporroteaba en torno suyo. Quizás debió pensar que aquellas fiestas eran sólo fatua vanidad de blancos. Quizás lo veía todo con el mismo aire de distraída incredulidad con que escuchaba los delirios de su padre, el alemán. Su mundo no era aquel de ricos bebiendo champaña sino el otro, el profundo lugar donde las guacamayas y los loros encontraban para sus gritos, en la espesura de las frondas, el eco sonoro de una catedral.

–¿Lo crees, realmente? ¿No le gustaban el dinero y las joyas?

–No le decían nada. Pobre abuela, tan callada siempre. Fuera de lugar.

–Quizás lo del rapto fue cierto. ¿Por qué iba a dejar ese mundo voluntariamente?

–No. Fue ella la que decidió la fuga. Ella y no el abuelo.

Don Elías se lo había contado a ella, a Claudia y a su esposo mientras bebían whisky y las garzas se recogían en los manglares de la otra orilla, al oscurecer. Don Elías lo sabía por su esposa Esther. Esther fue la cómplice de la hermana mayor. Gertrude decidió escaparse sin advertirle nada al interesado, al abuelo, que era entonces aquel joven capitán llamado por los negros El Panamá. Este la encontró una noche esperándolo en su propia piragua, la piragua que amarrada a un palo en la orilla debía llevarlo río abajo hasta el puerto donde estaba fondeada *La Gaviota*. El Panamá no quería portarse como un aventurero habituado a tomar a las negras y a las indias por asalto. Veía a Gertrude como su novia. Por eso pedía su mano. Por eso aparecía con regalos traídos de Colón. Debió asombrarse al encontrar a la muchacha que le fascinaba en el fondo de la piragua, con un bolso de ropa, un paraguas y una lumbre silenciosa y profunda en sus ojos de gata. El Panamá cumplió su propósito: se casó con ella. Lo hizo en Colón y tuvo el gesto de enviarle al alemán la partida de matrimonio. Amargamente, don Rudolf la quemó arrimándola a la llama de una vela. Nunca quiso aceptarlo. Habló de rapto a quien quiso oírlo, incluso a las autoridades. Derrumbado su sueño de volver a Europa con sus dos hijas, dejó el fundo a la deriva y se acostó en una hamaca olvidándose de todo, inclusive de las óperas de Wagner, pero no de la bebida. Del abandono total lo salvó don Elías, que era entonces un joven antioqueño emprendedor. Se casó con Esther y tomó en sus manos el fundo. Cuando el alemán murió de un síncope cardíaco, dio sepultura a sus restos en el cementerio de Opogodó. Incluso hizo fabricar en Medellín una lápida de mármol con el nombre de don Rudolf y la fecha de su muerte, placa que muy pronto fue sepultada por helechos salvajes, por la selva y la lluvia.

–Siempre pensé que era el petróleo lo que había hecho rico a tu abuelo.

–No; sus exploraciones en las selvas del Carare fueron tan desafortunadas como la explotación de guineos o la quina. A la quina llegó tarde. Se lo habían dicho, pero insistió en buscarla y explotarla cuando los precios del mercado internacional se habían venido abajo. Y al petróleo llegó demasiado temprano.

–¿Qué ocurrió?

–El abuelo era capaz de ir allí donde otros no iban por temor a los tigres, al clima, a la malaria o a las flechas de los indios; es decir, a las zonas señaladas en los mapas con calaveras. Encontró manantiales de petróleo en el Carare, a comienzos de siglo, en compañía de otro explorador. Pero fue un tercero, alguien que nunca pisó la selva, o no la pisó hasta entonces, y que ni siquiera conocía el color del petróleo quien se hizo dar la concesión en su propio nombre.

–Hablas de la concesión Mares.

–Hablo de Roberto Mares. El general Reyes, el presidente de entonces, era su padrino de matrimonio y autorizó la concesión. Mares la negoció con los Estados Unidos. Aquella experiencia le sirvió de mucho a mi abuelo. Aprendió que nada, en Colombia, se hace sin palancas y ayuda de buenos tinterillos. La mina de oro que reabrió quedó a su nombre gracias a los picapleitos contratados por él.

–¿El oro lo hizo rico?

–El oro no; fue una base. Lo hizo rico su trabajo. En vez de irse a París a gozar de sus rentas, siguió viviendo como pobre y abriendo toda clase de negocios. Era insaciable. Detestaba el ocio. A las seis de la mañana ya estaba en la oficina, en Barranquilla, al lado del caño. Los domingos también trabajaba. Nunca pudo soportar París. Le enfermaba ver tanta gente sentada en los cafés sin hacer nada distinto a conversar.

–Los tiempos cambian.

–Mucho. En medio de la plebe, el viejo se sentía bien. Tenía centenares de ahijados y compadres. Lo querían. Si nos vieran hoy en día rodeados de guardaespaldas...

–No te pongas lúgubre.

–No, no en este paraíso escondido. ¿Pedimos otra botella de vino?

–Prefiero un café y un coñac.

–Y luego, ¿quieres ir al baile?

–¿Baile?

–El de la plantación, ¿no te acuerdas?

–Soy incapaz de disfrazarme.

–También yo. Pero no es necesario. Simplemente nos tomaremos una copa viendo a esas inglesas y gringas locas bailando cuadrillas o polcas o lo que se bailaba en épocas del almirante Nelson. Algo de eso han organizado.

–Debe ser divertido.

–Seguro. Además debes saber una cosa.

–¿Qué?

–Soy noctámbula. No puedo acostarme antes de que empiecen a cantar los gallos. Me gusta, incluso, nadar a medianoche cuando el mar está como un lago.

–¿Desnuda?

–Naturalmente. De día entro a veces en el mar con sombrero, lentes, blusa y guantes hasta el codo para no ampollarme con el sol. Pero de noche no soporto ningún trapo. ¿Te choca?

–De ninguna manera.

–Eso me gusta de ti. Eres confortable.

–¿Sólo eso?

–Conmigo eso ya es mucho. Más de lo que tú te imaginas. Soy insoportable, ya me conocerás.

VII

En la plantación languidecía el baile. Los ingleses estaban sentados a las mesas, sudorosos dentro de sus trajes de la época de Nelson, tal vez borrachos y en todo caso hablando y riendo ruidosamente, mientras una orquesta de negros, con timbales y con canecas o barriles de petróleo huecos por dentro a manera de instrumentos musicales, tocaban música de las islas. Así que apenas se detuvieron para beber una copa antes de proseguir el viaje de regreso. En cuanto llegaron a casa, Claudia tuvo la idea de ir a dormir en un lugar más fresco cerca de la playa. "Vas a conocer mi casa japonesa", le dijo, después de pedirle a Graham que llevara allí una lámpara de kerosene y de cambiarse de ropa. Vestida con su ligera túnica negra comprada en Hong Kong y alumbrándose con una linterna, lo conduce ahora por el mismo camino de la playa, avanzando delante, rápida y segura, a pesar de las piedras y de no llevar zapatos. "Sólo me asustan los murciélagos", le dice avanzando a través de la oscura vegetación palpitante de grillos tras el móvil aro de luz. En cuanto encuentran la playa, frente al mar negro y al rumor de las olas, él divisa en lo alto de una roca, donde termina la arena, una casa de palma trenzada, frágil e iluminada por dentro por el resplandor de la lámpara como un globo de papel. Parece mágicamente suspendida sobre el mar: avanza, más allá de la roca, igual que la quilla de un barco. Tiene, en efecto, algo de oriental. Dentro no hay nada, sino un piso de pulidos tablones, dos hamacas colgadas del techo, un bar y un baño muy limpio y tras una puerta corrediza, también de palma trenzada, que equivale a toda la pared de un costado, una terraza con un jacuzzi abierta a la vasta oscuridad de la noche y al latido del monte y el mar.

Tras de poner en marcha el jacuzzi, moderar el resplandor de la lámpara y servirles dos vodkas helados, Graham se retira deseándoles, en inglés, buenas noches.

Sin esperar a que se aleje por el camino, Claudia se saca su túnica por la cabeza y la arroja al suelo. No lleva nada debajo. Completamente desnuda, se acerca al jacuzzi.

–Quítate esos trapos que llevas –lo invita, metiéndose dentro de la pileta de agua hirviente y burbujeante–. Y acércame el vodka.

–¿No sería mejor apagar del todo la lámpara? Nos van a ver como Adán y Eva a varios kilómetros a la redonda...

–¿Y eso te parece alarmante, tú? –ríe ella observándolo con sus brillantes ojos verdes mientras sus senos se hunden en el agua espumosa–. Les alegraremos la vida a los morenos que vivan en los alrededores. Pero si prefieres bañarte a la luz de las estrellas, apágala.

❧

De vez en cuando, un relámpago enciende el horizonte. Es una brusca y silenciosa fosforescencia que ilumina por un segundo el espejo del mar y se apaga sin que se escuche trueno alguno, dejando de nuevo, en torno de ellos, la vasta tiniebla de la noche perforada por el pacífico clamor de los grillos y de los sapos y el rumor constante de las olas estrellándose contra la roca sobre la cual ha sido edificada la casa. No hay ni un soplo de brisa. Ninguna hoja se mueve en los árboles. Los envuelve el calor húmedo y quieto, palpitante de insectos y lleno de un olor áspero de monte. Hablan, mientras sienten en el cuerpo la presión de los chorros de agua caliente del jacuzzi.

–Hay algo que no entiendo –dice Claudia–. Te enamoraste, cuando eras todavía un muchacho, de la niña de los patines. La encontraste más tarde en casa de tus primas. Se casó luego con un diplomático español y, por despecho, te hiciste comunista. ¿Así fueron las cosas?

–Más o menos.

–No, fueron así. Tú me lo contaste. Y luego, esa misma tonta aparece en París y te arruina el matrimonio con Serena. ¿Es eso?

–Eso no es sino una suposición tuya. Estás interpretando las cosas a tu manera. No fueron tan simples.

–¿Entonces?

–Déjame traer otro vodka del bar y trataré de explicártelo.

–Trae de una vez la botella y un balde con hielo.

–Vuelvo pues a una época feliz. Así la sentíamos Serena y yo. Después de años muy duros, todo lo nuestro parecía tibio y resguardado por dentro: un apartamento tranquilo y claro con ventanales que miraban hacia el parque Montsouris, su gata dormitando en la alfombra, Serena escribiendo, las niñas regresando con bullicio del liceo a las cinco de la tarde. París me daba al fin un respiro: había empezado a trabajar en las emisiones en español de la Radio France International y había escrito dos guiones para la televisión francesa. Ganaba lo suficiente para vivir.

–¿Fue todo realmente muy duro?

–Realmente sí. Supimos lo que es el hambre. Al hambre no logras engañarla, sobre todo en invierno. Pretendes hacerlo, con un café con leche y pan, o con un plato de spaghetti, pero a la hora o a la hora y media ella está allí, y tú sientes las rodillas flojas y la ropa no te protege del frío; parece de papel. Nunca es fácil saltarse una comida cuando se hace por necesidad.

–Y ¿cómo, por qué llegar a semejante situación? Es absurdo.

–Era nuestro reto. O mejor dicho, el de Serena. Apenas llegamos a París juró no volver nunca a Colombia. Lo dijo cuando entrábamos en la ciudad por primera vez, viniendo del aeropuerto.

En un instante, pasa por su cabeza aquel recuerdo. El autobús de Air France cruzando por la Porte d'Orléans, el cielo diáfano, el aire fresco y claro, los árboles llenos de hojas amarillas a lo largo del bulevar Jourdan, todo aquel mundo nítido y organizado que Serena descubría por primera vez; panaderías, farmacias, semáforos, altas edificaciones de piedra gris todas iguales en la luz dorada del otoño, y la mirada grave y decidida que apareció en sus grandes ojos oscuros cuando se volvió hacia él diciéndole: "Manuel, nunca, óyelo bien, nunca volveré a Barranquilla. Aquí nos quedaremos, pase lo que pase."

–Y durante tres o cuatro años todo fue muy duro porque no es fácil vivir de traducciones, de artículos, notas de lectura para una revista –marañas, dicen en Barranquilla– ni de las lecciones de español que daba Serena en la Escuela Berlitz. Pero ya lo peor había pasado cuando apareció Adriana. Teníamos aquel apartamento frente al parque Montsouris. Tal vez era junio; hacía calor, recuerdo. No reconocí de inmediato, por el teléfono, aquella voz femenina con un leve acento bogotano, ni el nombre de Adriana seguido de una apellido vasco imposible (Gorgongoitia, Gorgotena o Undurraga). De pronto un "sabio, por Dios, ¿no te acuerdas de mí?", me devolvió al rompe la memoria. Adriana estaba viviendo en París hacía un mes, dijo. ¿No queríamos mi esposa y yo ir a tomar un *drink* en su casa? El sábado, por ejemplo.

«Fue toda una faena sacar a Serena de sus libros para llevarla a casa de una bogotana, de una cachaca, como decía ella, y perder presumiblemente el tiempo hablando futilezas. Ve tú solo, me decía una y otra vez recordando que se trataba de una especie de novia de juventud, la muchacha por culpa de la cual me había hecho comunista. Al fin accedió. A su manera, la manera de Serena, es decir, sin más concesiones a los códigos sociales que la de ponerse un poco de maquillaje en la cara y pasarse un cepillo por el pelo. Nada más. De resto se quedó vestida como andaba siempre en casa. Serena parecía más joven de lo que era. Tanto que un vecino pensó alguna vez que era mi hija. Ir vestida de cualquier manera, por elegante que fuera el lugar, no era para ella ninguna provocación sino algo tan natural como el aire que respiraba. Los años vividos en medio de gentes pobres y despreocupadas –artistas, periodistas, estudiantes– habían amansado ese espíritu de constante desafío que exhibía en su propia ciudad, en Barranquilla. No tenía en París a quién oponerse. Todo el mundo que nos rodeaba parecía pensar lo mismo o vivir de la misma manera. Ahora veía a las burguesas latinoamericanas, que venían a París a comprar ropa y a aburrirse con sus maridos ante las plumas y lentejuelas de las coristas del Lido, con la curiosidad científica de un botánico contemplando una flor exótica. Así, en cuanto vio a Adriana moviéndose con segura elegancia por un salón de techos altos y con refinados objetos de plata y cristal sobre las mesas, debió juzgarla como a una de esas tantas mujeres bonitas y superficiales, muy nuestras, formada en los ritos de su clase.»

–Y no se equivocaba, claro.

–Debía parecerle, oyéndola hablar en la clara penumbra del atardecer de junio, que su encanto residía en el hecho de haber conservado a los treinta y cinco o treinta y siete años la coquetería y la vivacidad de su época de soltera. Observaba su manera de vestir, de cruzar las piernas y de batir las pestañas, y su conclusión rápida y certera fue la de que era una seductora por vocación. Debió descubrir en ella todos los trucos (la sutil indiscreción de la blusa que dejaba ver el nacimiento de los senos, las sombras de los párpados, los agudos tacones) que un hombre, vulnerable y simple como lo es, no llega a desmenuzar.

«En mi caso hubo algo más que eso, pero Serena no se dio cuenta entonces. Algo, más profundo y quemante, que sentí apenas Adriana abrió la puerta de su apartamento de Passy y encontré su rostro, bello sin duda, pero veinte años mayor al de mi último recuerdo suyo. La muchacha de dieciocho años, fosforescente de juventud, que yo había dejado de ver con el corazón desgarrado en el salón de fiestas del Hotel Tequendama, en Bogotá, al lado del diplomático español con quien habría de casarse, era ahora una mujer en su radiante plenitud estival, tocada ligeramente por los años, con aura femenina más atrayente y segura. La juventud estaba todavía intacta en el brillo de sus pupilas y en el ímpetu de la risa y del pelo. "Hola, sabio", me saludó como si me hubiese visto la víspera, y en cuanto acercó su cara para que yo la besara en la mejilla y respiré en su cabello una íntima fragancia de flores, supe con un vacío en el pecho que los años habían transcurrido en vano. No había nada que hacerle, aquella conmoción visceral era la misma de cuando la conocí (rodando sobre un par de patines) o de cuando la vi más tarde, sentada detrás de un piano al lado de mi prima Ingrid, o más tarde, cuando iba a casarse. Quizás más fuerte aún, porque entonces aquel sentimiento era dulce y brumosamente sentimental, sólo eso, y ahora contenía una nueva dimensión: la instintiva, oscura, ardiente ansiedad que suscita una mujer deseable. Lo sentí en cuanto nos condujo al salón caminando delante y yo vi contra el claro resplandor de la tarde de junio en la ventana su silueta dibujada al trasluz bajo su ropa estival: la espalda descendiendo al encuentro del talle finísimo, la curva firme de sus caderas, sus largas piernas moviéndose con la estilizada gracia de una modelo. Nos hizo sentar. Puso en manos de Serena una copa de jugo de frutas y en las mías un vaso de whisky; también ella se sirvió uno, pero más claro. Le encendió un cigarrillo a Serena acercando una larga varilla a la llamita azul que oscilaba sobre un reverbero de plata. Hablaba y reía con un aire de fácil mundanidad, respondiendo a las preguntas de Serena (qué hacía en París, cuánto tiempo pensaba quedarse), pero yo no prestaba mayor atención a sus palabras, encandilado por aquella aura de frágil y excitante feminidad, por su espeso cabello oscuro, sus labios tan finos como las manos.»

–Igual que un perrito con una perra en celo...

–No lo digas así. Lo cierto es que seguía aquella conversación suya con Serena (le hablaba ahora de su separación del diplomático, de un juicio de anulación del matrimonio que adelantaba en el Vaticano) con un doloroso vacío, como si fuera una campana golpeada por latidos sin sosiego. De nuevo era el adolescente desamparado ante una gracia femenina que lo hace sentir torpe e inepto, casi miserable. De nada servía que hubiese pasado tanta agua bajo los puentes de la vida, que hubiese madurado y sufrido y cobrado confianza en mí mismo al ganar la apuesta de vivir en París con una mujer y dos hijas, y de haber escrito dos guiones para la televisión francesa. Adriana tenía la prodigiosa capacidad de hacer trizas en segundos aquel equilibrio, de hacer fluir más rápido la sangre agolpándosele en el corazón y en la garganta y dejando témpanos de ansiedad en el estómago. Mariposas, sí. Había dentro de mí ese vértigo de cuando uno palidece y siente que puede desplomarse muerto o desmayado. No encontraba nada que decir. Y todo ello sin razón alguna, me decía, reaccionando contra mí mismo, como lo haría muchas veces, con una cólera fría. Sin razón, sin justificación valedera: se trataba de una mujer muy bonita y frívola, sin nada en la cabeza, pensaba oyéndola hablar con Serena. Nada, salvo conceptos y opiniones triviales de esos que amueblan convencionalmente el cerebro de una latinoamericana de alta clase. Pero aquello que juzgaba con desprecio y lucidez era absurdamente exaltado, convertido en objeto de fascinación, por algo alojado en las raíces más profundas del instinto...

–Como un perrito, tú.

–...O en quién sabe qué fantasmas de la adolescencia. Allí estaba ella, pues, hablando de su separación después de no sé cuántos años de casada y preguntándose cómo había podido soportar tanto tiempo a un marido como el suyo.

«–¿Machista? –quería saber Serena para quien aquel epíteto contenía todo lo vituperable que puede caber en un hombre.

»–Eso y todo lo que quieras ponerle –decía Adriana riendo–. Pero sobre todo un hombre frío (acentuaba aquella palabra con desprecio). Como un pescado en una nevera.

»A Serena aquellas explicaciones no le bastaban. Quería saber más. Siempre ha sido así, tú la conoces, por eso se ganó en Barranquilla fama de loca. Siempre busca la razón de todo con una curiosidad insaciable, de niña, y como las niñas indiscretas, sin ningún tacto. De modo que la pregunta fue inevitable.

»–¿No te hacía el amor?

»–¿Cómo me preguntas eso delante de tu marido? –protestó Adriana con risa echándome una mirada llena de coquetería.

»Pero Serena se mantenía impertérrita.

»–No te preocupes por él –le dijo.

»–Con Serena –dije yo– uno siempre tiene que confesarse.

–Ustedes me hacen poner colorada –dijo Adriana agitando las manos delante de su cara como si quisiera echarse fresco–. Bueno, sí, un pingüino es más ardiente que él –se aventuró al fin–. Pobre hombre. Reza antes de comer, come solo verduras, y de noche... ronca. Sólo por eso se le puede comparar con un tigre –dijo, ahogándose en un borbotón de risa–. Porque no ronca, ruge.

»Todo lo que el diplomático debía haberle impuesto de artificial mundanidad se lo llevaba la risa. La loca de Adriana, la llamaban mis primas. Después de todo seguía siéndolo.

»–A veces –proseguía Adriana– me daba tanta rabia que lo despertaba con un almohadazo en la cara. ¿Qué sucede? –imitaba ella, todavía ahogada en risa, el sobresalto del marido, su español peninsular–. ¡Imagínense! Si no había manera de que se portara como es debido. Y en vacaciones, todavía más rabia me daba oyéndolo roncar después de haber visto toda esa cantidad de hombres divinos, de verdaderos churros, paseándose por la playa, en Cadaqués o en Ibiza. No, estaba casada con un viejo jartísimo.

«Serena se divertía oyendo a Adriana, pero detrás de su risueña actitud, yo adivinaba su esfuerzo para explicarse cómo, por qué servidumbres ancestrales o por qué clase de cálculos, Adriana había soportado a un marido así durante quince o dieciocho años. Seguramente retenía la más obvia de las hipótesis, la del dinero o las conveniencias sociales.»

–¿Y qué otra cosa podía ser? –dice Claudia–. Salta a la vista, tú.

–En todo caso, los pensamientos de Serena desembocaron en una pregunta obvia:

«–Por supuesto, te las arreglabas con amantes.

»Adriana volvió a mirarme escandalizada:

»–¡Qué barbaridades dice esta loca!

»–Pues no se quedará tranquila hasta que no tenga una confesión completa. Firmada y sellada –dije yo.

«–Eres un peligro público –dijo Adriana dirigiéndose a Serena–. Pero ya que lo preguntas, amantes propiamente dichos no tuve. *Flirts*.»

–Mentira –dice Claudia.

–Más tarde, después de salir con ella varias veces, vine a darme cuenta de que retrospectivamente convertía en *flirts* lo que había...

–....pasado por un cama.

–No digas barbaridades. Déjame contártelo sin interferencias procaces.

⟜

–Aquello, en efecto, no era del todo cierto. Lo supe después. O tal vez lo era, pero a la manera de Adriana. Ella no mentía. Simplemente toda relación con un hombre que ella daba por cancelada –y ese era el inexorable fin de todas– quedaba registrado en la memoria como un simple *flirt* sin trascendencia. Ella atraía sin remedio a los hombres. Quienes la conocieron en Oslo, en El Cairo, Damasco o Madrid, casada con aquel embajador español árido y glacial, no entendían cómo podía funcionar semejante pareja. Gorgongoitia, Gargotena o Gorgonozola o como él se llame era un hombre equívoco. Había llegado a los cuarenta años sin haberse interesado por mujer alguna, salvo una campeona de tenis con lentes de aros metálicos (he visto su fotografía) y muñecas de acero, que parecía un hombre. O quizás lo era y nadie lo supo. Fue la única antes de Adriana. Supongo que a los cuarenta años, nombrado ministro consejero de España en Bogotá, debió comprender que para coronar su carrera como embajador necesitaba una esposa representativa. Podía haber encontrado una heredera con un título nobiliario en España. Pero quizás no habría sido fácil manejarla como podía hacerlo con una suramericana bonita, inexperta y fácilmente deslumbrable. Adriana, desde luego, no era culta (si le hablaban de El Greco debía pensar que se trataba de uno de los apóstoles de Cristo o de un torero), pero tenía clase y era muy católica: comulgaba todos los primeros viernes. Podía imponerle sus normas contando con su asentimiento. Pues ella, la verdad sea dicha, se había enamorado de él, de sus sienes grises, de sus títulos, de su distinción, de sus trajes bien cortados. Si era árido, envarado en restrictivos principios y frío como un mármol, ella no se dio cuenta entonces, enceguecida como estaba por esa aura autoritaria y tranquila que había en él. La necesitaba, sin duda, ella que se había sentido siempre desprotegida por culpa de aquel padre suyo, el botánico, dulce y tembloroso y siempre atento a las corolas y raíces que pegaba en un álbum, pero incapaz de tomar decisión alguna. Esa aura tranquila y segura del diplomático franquista se hizo sentir desde un comienzo cuando impidió que ella, Adriana, siendo ya novia suya, aceptara la postulación de algunos periodistas como candidata al título de Señorita Bogotá. Veía aquello como una indecencia: su futura esposa no podía enseñar las piernas en público. Ella se sintió en el fondo defraudada, pero aceptó retirar su nombre del certamen. Se casó con él: en un convento colonial de Cartagena, delante de una nube de fotógrafos.

Tres días después de aquella boda desplegada por los diarios como un acontecimiento social, estaba todavía virgen.

–¿Virgen?

–Virgen. En vez de hacerle el amor, el diplomático la llevaba a rezar. Jamás, creo, mientras estuvo casado le besó un seno y le parecía vicioso hacer el amor más de una vez por mes. Quizás también consideró vicioso, precipitado o de mal gusto llegar al cuarto del hotel, quitarle el vestido de novia y hacerle el amor. Alegó cansancio. Durante tres días, enfundado en su bata de seda, en la penumbra refrigerada del cuarto, leía un libro o revisaba papeles, mientras ella, frustrada, creyéndose sin encantos en su vaporoso deshabillé comprado en Miami, lloraba en el baño. De modo que, todavía intacta, iba al mismo convento en el cual tres días antes se habían casado para rezar y encenderle velas a la Virgen, mientras las páginas de los periódicos con las fotos de la boda sólo servían ya para envolver pescado fresco en el mercado de la ciudad. Quizás Dios la quería así, más pura, pensaba. Pero, sin poderlo evitar, le brotaban las lágrimas en los ojos y tenía un nudo en la garganta todo el tiempo. Y cuando ya nada esperaba de su marido, cuando estaba a punto de cerrar las valijas en el cuarto del hotel y tomaba una ducha, el diplomático la sorprendió entrando en el baño, abrazándola por la espalda, besándola en la nuca y no en los labios e injuriándola con voz ronca.

–¿Cuándo se dio cuenta de que se había casado con un maricón?

–¿Por qué dices eso? No lo era. Ella lo consideraba simplemente como un hombre extremadamente frío.

–¿Así de tonta es tu amiga? ¿Qué prueba necesitaría: encontrarlo en la cama con su chofer? Lo que sí puedo asegurarte como mujer es que aprendió muy rápidamente a ponerle los cuernos.

–No tan pronto como supones. Pasaron dos o tres años, enteramente absorbida por ese horror que se llama vida diplomática, sin interesarse realmente por otro hombre, aunque en todas partes donde se encontraba como esposa del embajador de España los propios amigos de este se apresuraban a hacerle la corte de una manera insistente y a veces hasta indiscreta. Pero ella tenía principios, o si quieres, prejuicios religiosos. Una mujer decente no se acuesta con un hombre distinto a su marido. Eso pensaba. Gobernar criadas y camareros, lustrar cobres, platería y cristales, disponer jarrones, organizar soporíferas comidas y cocteles parecían llenarle la vida. Excepto cuando, llegado el verano, se iban de vacaciones a Cadaqués o a Ibiza donde él tenía casas. Entonces toda la reprimida sensualidad de ella parecía despertarse en las playas llenas de hombres jóvenes y atléticos y en la atmósfera incitante y permisiva de las noches estivales. Muchas veces quedaba insomne en su cama oyendo roncar a su lado a su marido, mientras afuera, en el calor de las calles, hervía la fiesta. Insomne y palpitante, con la sangre zumbándole en los oídos, odiando a aquel marido apático y rabiosa por tener que deslizarse en puntas de pie fuera de su cama para encontrarse a solas con su cuerpo espléndido, ansioso y desaprovechado, por tener que acariciarse y amarse ella misma como una adolescente en un colegio de monjas y sentarse después, todavía ahogada en suspiros, en el borde de la bañera para llorar en silencio. A veces, sin poderse contener, como nos lo contaría aquella primera vez en su apartamento en Passy, despertaba al diplomático lanzándole una almohada con la fuerza de un puñetazo, ya al borde de la histeria, diciéndole "por lo menos consiéntame alguna vez en vez de roncar, qué viejo tan jarto es usted". Con todo y eso, no se atrevía a engañarlo. Sentía en la playa las miradas lentas, casi sombrías de deseo, de los hombres siguiéndola. Muchos intentaban buscarle conversación a espaldas de su marido, absorto siempre en algún libro o revista; y algún audaz se le metió en la cabina donde se cambiaba de ropas y la estrujó y la besó dejándola temblorosa, a punto de desmayarse.

–¿Y eres tan tonto como para creer que no hizo el amor con nadie, estando en esa situación?

–No, faltaba otro audaz más insistente y mejor favorecido por las circunstancias para tomar aquello que le latía desesperadamente en el vientre, en el cuello y en la boca, y le encendía las pupilas con un fuego de fiebre. Apareció al fin: en el barco italiano que la llevaba a ella, a su marido y a su hija (porque ya para entonces tenían una niña) en el tórrido calor de agosto, de Barcelona a Cartagena de Indias; encontró al hombre que extendió la mano y tomó el fruto con suma facilidad, sin los preámbulos cautelosos y galantes de diplomáticos y nobles que hasta entonces le habían hecho la corte. Impecablemente uniformado de blanco, aquel oficial de la tripulación no le quitaba los ojos de encima cuando la encontraba en cubierta con su marido y la niña. Era un acoso hambriento y además mudo, como si las palabras hubiesen sido no sólo superfluas sino también un desvarío. Todo lo decían sus ojos oscuros de italiano meridional. Ella, de nuevo enfebrecida por el ocio, por el calor, el aire salobre y lleno de luz de los trópicos, se la sostenía a veces con descaro. El oficial no necesitaba mucha agudeza –todo se lo daba su experiencia de barco– para saber la frustración que ardía dentro de aquella suramericana bella y sensual, sentada en el comedor al lado de un hombre mayor, parecido a un cura, que bajaba los párpados y enlazaba las manos sobre la mesa rezando antes de comer su plato de legumbres crudas. Debía resultarle al italiano una situación tan obviamente favorable que no anduvo con rodeos. Fue la noche en que cruzaron la línea de los dos hemisferios y hubo un baile a bordo. El oficial vino tranquilamente a la mesa donde ella estaba y le pidió permiso al marido para sacarla a bailar. No le dijo nada. O casi nada. Se limitó a deslizarle un papel en la mano (mientras ella temblaba sintiendo contra el suyo aquel cuerpo joven y viril en su impecable uniforme de lino blanco) diciéndole en un susurro: "Es un plano para indicarle cómo llega a mi camarote. Mañana a los doce en punto." Después le apretó la mano y ella le devolvió el apretón. Eso fue todo. Ella duró el resto de la noche en la cama y luego la mañana al borde de la piscina del barco, temblorosa, agitada, a veces enfurecida con aquel tipo que la había confundido con una cualquiera. Pero a medida que calentaba el sol en la cubierta miraba el reloj a cada paso. A las once, luego a las once y media, una agonía de ansiedad le mordía las entrañas. No prestaba atención ni a la niña ni al marido que le hablaba desde una *chaise longue*. A las doce menos cinco se tranquilizó al fin: no iría, no podía ser tan loca. No era una cualquiera. A las doce escuchó en alguna parte del barco una campana, y no supo a qué horas se había echado encima del traje de baño una túnica y puesto unos lentes oscuros y dejado la niña con el marido diciéndole precipitadamente: "Ya vengo, voy a buscar una crema en el camarote." Mientras cruzaba pasillos y bajaba por escaleras según el plano que había grabado en su mente, no pensaba en nada, pero el corazón parecía salírsele por la boca. Así, hasta que encontró una puerta y un número. Sólo entonces se preguntó aterrorizada qué diría si le abría otra persona; de pronto el propio capitán del barco, en aquel lugar reservado para la tripulación. Dio tres golpes rápidos. La puerta se abrió y unas manos bruscas la precipitaron dentro del camarote en penumbras.

–Y fue feliz –dice Claudia con sorna–. Conoció al fin los delirios del sexo.

–No fue así de simple.

–Esa historia tuya no me interesa. El mundo está lleno de tontas que se casan mal y engañan al marido con el primer camarero italiano que se encuentran.

–No era camarero sino oficial. Ingeniero de máquinas.

–Camarero o fogonero es lo mismo. Sírveme un dedo de vodka.

El vasto bisbiseo de grillos y sapos ha crecido en torno a ellos. Y ahora vuelve a escucharse, en alguna parte del monte, la queja de la torcaza. Lejanos relámpagos continúan encendiéndose en el horizonte. El aire parece inmóvil, húmedo.

–Quizás llueva al amanecer –murmura Claudia–. Cuenta, qué pasó con tu muchacha y el italiano.

–¿Para qué? Eso no te interesa. Y tienes razón...

–No te ofendas. Después de todo quiero saberlo. Mi reacción fue de celos. Es bueno saber por qué dejaste a una mujer como Serena por una tonta.

–Adriana no es tonta.

–Hasta ahora sí parece. Todo lo que saco en claro es que duró dieciocho años metiéndose en la misma cama con un viejo maricón sólo por darse el gusto de tener unos manteles de lino y unos candelabros de plata.

–Eres feroz.

Claudia se ríe.

–No te ofendas. Anda, cuenta que pasó con el italiano.

⸙

–Al italiano le ocurrió con Adriana lo mismo que a otros hombres que se enamoraron de ella. Estaba pálido y en apariencia distante, con el capitán y otros oficiales de la tripulación junto a la pasarela de salida, despidiendo a los pasajeros que descendían en el muelle de Cartagena. Las citas en su camarote con Adriana se habían repetido todos los días a las doce. Estaba enamorado. Ella también: o así lo creía cuando bajó del barco. Acompañada por su marido y llevando la niña en brazos, hacía esfuerzos por no llorar. El italiano le escribió a la casa de su padre desde todos los puertos que tocó el barco en su viaje hacia Valparaíso. Un mes después el barco entraba de nuevo en la bahía de Cartagena. Y allí estaba Adriana. Sorprendida por su propia audacia, aguardaba al italiano en un cuarto de hotel, luego de inscribirse con el nombre de soltera. Durante aquel mes en Bogotá no había hecho otra cosa que pensar en él, en sus manos ansiosas y sus ojos de fiebre. Con toda frialdad había mentido e inventado pretextos (resolver problemas pendientes en la aduana) para volver a Cartagena sin su marido. De modo que el italiano entró a las diez de la mañana en el hotel y se quedó con ella todo el día, sin bajar al comedor ni salir a la calle, hasta que partió para embarcarse de nuevo. Desde la ventana del cuarto, ella vio zarpar el barco al atardecer, pero esta vez sin lágrimas ni emoción: pese a la fogosidad de su amante no había sentido nada. No era igual que en el camarote. Estaba como hueca por dentro, observando el barco en el crepúsculo de la bahía: hueca, fría, fatigada, sin más deseo que el de lavarse el cuerpo con mucha agua y jabón, perfumarse y ponerse ropa limpia para quitarse aquel olor a hombre. Era como si su ansiedad se hubiese consumido con rapidez en los primeros minutos sin dejar otra cosa que una ceniza de decepción y de frustración, parecida a la que experimentaba cuando su marido le hacía el amor. Le parecía que el italiano se le había echado encima con demasiada violencia: como un caballo sobre una yegua, decía.

—¿Y qué tiene eso de malo?

–Cada cual vive su sexualidad a su manera, acéptalo. Ella, en aquel momento, tenía ganas de llorar. Experimentaba asco de sí misma. Además, el italiano olía a sudor. Así que las cartas que este siguió escribiéndole desde puertos de las Antillas y más tarde de las Islas Canarias, Cadiz, Barcelona y Génova le resultaban irritantes. Tanto más cuanto que el hombre se había vuelto loco de amor. Quería dejar a su mujer y a sus dos hijos y casarse con ella. Hablaba de abandonar el barco y de conseguirse un empleo donde ella quisiese vivir, Colombia o Italia. La llamaba su bella fiorentina desde que supo que su abuela era de Florencia. Al fin, ella dejó de abrir sus cartas que venían siempre adornadas con corazones. Estaba viviendo en Madrid con su marido, y había olvidado por completo aquella aventura (solo un *flirt*, decía), cuando un día el italiano se presentó en su propio piso, cercano al parque El Retiro, vestido con una chompa de cuero, unos pantalones de bota campana sumamente anticuados y unos horribles zapatos de lona. Tenía los ojos húmedos preguntándole qué pasaba. Según Adriana, aquellos zapatos de lona fueron la gota que desbordó el vaso. Eran lobísimos, decía. Además estaba muerta del susto de que su marido llegara y reconociera al marino. Decidió salir del paso con cualquier excusa, y luego esconderse o negarse y no pasar al teléfono. Llegó a pedirle al conserje del edificio que no lo dejara entrar. Era un marino empeñado en venderle paños de contrabando, decía.

–De modo que sus *flirt*s eran de ese estilo. *Pitoyable, mon cher*.

–No sigas diciendo maldades. Adriana sabía contar estas historias con bastante humor, muerta de risa.

–Y así, de buenas a primeras, ¿les contó a Serena y a ti su historia con el fogonero del barco?

–Ingeniero de máquinas. No, eso me lo dijo a mí tiempo después, en alguno de los sitios donde nos encontrábamos.

–De modo que empezaste a engañar a Serena...

–No, no es cierto. A Serena nunca la engañé, al menos en el sentido que tú das a esa palabra. No cabía engaño con Serena que lo intuía todo aun antes de que ocurriera. De inmediato se dio cuenta de que Adriana me gustaba, sólo que consideró aquello de manera banal; y así ha debido ser, de paso. Así. Serena había visto a Adriana como la verías tú: como una coqueta dueña de todos los trucos de seducción que encandilan a los hombres. No había falda, blusa, medias o zapatos que no estuvieran destinados a valorizar o insinuar su cuerpo, ni onza de maquillaje que no se propusiera resaltar sus rasgos, ni gesto o ademán que no fuera sutilmente provocador. Todo ello lo veía Serena con curiosidad científica, como mira un botánico una planta muy rara, pues en el mundo en que vivíamos mujeres como Adriana, productos de la facilidad, del ocio, del papel decorativo que les asignaban los hombres, no se veían casi nunca. Serena no llegó a imaginarse el grado de fascinación que Adriana producía en mí.

–Nadie puede entenderlo.

–Ni yo, si tú quieres. De modo que Serena no experimentó en un primer momento ninguna inquietud. A la simple atracción que suscita una mujer con bonitas piernas no le asignaba importancia y no le oponía, por consiguiente, reparo alguno. Demasiado había visto entre las mujeres de su ciudad los estragos causados por la represión del instinto, impuesta en este caso por los hombres y sus prejuicios, para ponerle rejas a este. Lo respetaba. Ese instinto que esponja las plumas de un gallo o mueve la cola de un perro ante una hembra de su misma especie en celo, o pone un brillo de codicia o de lujuria en los ojos de un hombre era para ella sagrado; ninguna ley, costumbre o norma moral podía contrariar o sojuzgar lo que está escrito en la sangre o determinado por las hormonas. Así que su reacción, cuando observaba que una mujer me gustaba, era la contraria a la de una esposa convencional.

–¿Quieres decir que se daban ustedes libertades?

–Teóricamente, todas. En la práctica, no ejercíamos esa supuesta libertad, salvo...

–¿Salvo qué?

–Salvo cualquier asunto episódico, que ella, Serena, era la primera en saber por mí.

–¿Lo nuestro pertenece a esa categoría: episódico?

–No, en lo que a mí respecta.

–Me gusta eso. ¿Sexualmente cómo era tu vida con Serena?

–......

–Tienes todo el derecho a no contestar.

–Digamos que no era ese el punto fuerte de nuestra relación.

–Grave cosa. Respeto mucho lo que ocurre en una cama. De modo que fue por eso que esa buena señora, la vampiresa....

–No la llames así. Déjame explicarte sólo cuál fue la reacción de Serena aquella primera tarde en el apartamento de Adriana. Serena, tú lo sabes, es todo un caso. Sorprendía a tu venerable abuelo con sus salidas siempre imprevisibles. Todo lo suyo salía de los libros. Apenas escuchó a Adriana quejándose de que no tenía a nadie con quién ir a bailar en París, pues sólo conocía a los aburridos diplomáticos que habían sido colegas de su marido, le dijo con la mayor naturalidad:

«–Sal con Manuel.

»–¿Con el sabio? –se sorprendió Adriana–. Bueno, podríamos ir los tres una noche de estas.

»–No –se opuso Serena–, yo odio esos antros llenos de ruido y de humo.

»–A mí me fascinan –dijo Adriana.

»–A Manuel también. Vayan juntos una noche... o varias noches. Si eso te tranquiliza, Manuel tiene permiso. Aunque odio esa palabra: permiso. Todos somos libres... Si a mí me gusta hablar con un hombre, salgo con él tranquilamente.

»–Qué pareja tan cómica –dijo Adriana–. ¿Es verdad?

»–Tenía un psicoanalista enamorado de ella –dije yo–. La llamaba por teléfono... y estoy seguro de que su interés no era profesional.

»–Claro que no, quería acostarse conmigo –se rió Serena–. ¡Qué fresco! A mí sólo me interesaban sus teorías sobre Lacan.

»–Qué cómicos son ustedes –decía Adriana mirándonos con aire divertido–. Si es así, secuestro al sabio. Siempre lo vi como un hermanito.

»–Ten cuidado con el incesto –dije yo.

»En el ascensor, mientras bajábamos Serena y yo a la calle, encontré sus ojos oscuros y cómplices mirándome.

»–Acuéstate con ella –dijo.

»–No digas barbaridades.

»–Te gusta, me di cuenta. Acuéstate con ella, tíratela, pero con una condición. Sólo una.

»–¿Cuál?

»–No te dejes echar cuentos tristes.

»–¿Por qué lo dices?

«–Todas las cachacas los echan.»

☙

–Serena tiene toda la razón –dice Claudia–. Yo pienso lo mismo. Las cachacas tienen muchas polillas en la cabeza.

–¿Y tú?

–Yo no. Soy bastante desvergonzada, ya te he dado pruebas. No hago nunca comedias. De ahí que los hombres me tengan miedo.

–No es mi caso.

–Eso es lo que me gusta. Eres confortable. Creo que es hora de salir de esta pileta. Suficiente agua por hoy. Además, ya empezaron a cantar los gallos... y va a llover, lo huelo.

–¿Hay toallas?

–¿Para qué quieres toallas?

–Estamos empapados.

–¿Te molesta saber que estoy llena de sal como una ostra?

–Me excitas.

–Oiremos la lluvia desde la hamaca, mientras...

–Ya lo sé. No lo digas.

SEGUNDA PARTE

VIII

El sol, claro y fuerte, ilumina toda la terraza y resplandece en la azul superficie del mar, más clara en la proximidad de la playa. Claudia duerme aún perdida en el fondo de la hamaca, ahora que ha quedado sola. De una manera confusa, él ha soñado con Adriana. Caminaban juntos por la Place Vendôme hacia el hotel Ritz, todo estaba oscuro y había nieve, nieve constante y profusa cayendo en el sueño y relumbrando en todos los faroles de la plaza, y ella, Adriana, envuelta en un abrigo de visón, le iba explicando por qué debía casarse con aquel viejo noble austríaco, descendiente de un músico famoso, que con frecuencia la llevaba a cenar. Era un hombre tranquilo, decía, estaba dispuesto a todo por ella. Y tú, Manuel, no tienes plata, continuaba diciéndole en el sueño, y él sentía la misma irremediable pesadumbre de cuando era muchacho y los dos volvían de la casa de campo de sus tíos en el mismo automóvil a la ciudad, en el melancólico crepúsculo del domingo, mirando la bruma de los potreros de la sabana. De nuevo era una mujer incalcanzable.

Contemplando el mar desde lo alto, le parece ahora que aquel sueño estaba hecho con retazos de la realidad. Alguna vez, años atrás, Adriana y él habían caminado bajo la nieve por la Place Vendôme. Y el noble austríaco existía. Quería casarse con ella. Y ella vacilaba, sin saber si debía o no debía dar aquel paso. "Sería un matrimonio blanco", le aseguraba. Porque el noble era muy viejo. La veía como una hija. Tenía un apartamento cuyo balcón daba justamente a la columna de Place Vendôme. Era un hombre bueno, pero a ella le daba mucho susto tomar aquella decisión. Eran algo muy típico de Adriana aquellas situaciones, piensa él, de pie en la terraza, mirando cómo las olas mueren suavemente ahí abajo, en la playa de arena. Siempre Adriana se las arreglaba para suscitar en hombres de cierta edad sentimientos que nunca se sabía hasta qué punto eran amorosos o simplemente paternales. Al principio, si no eran tan viejos como el noble austríaco, si sólo tenían sesenta o setenta años, intentaban acostarse con ella tras refinadísimos preámbulos: ramos de orquídeas matinales, aperitivos en el Bois de Boulogne, domingos en el hipódromo de Auteuil o en Longchamps, todo ello salpicado de consejos y de confidencias absolutamente inesperadas en hombres que habían edificado respetables y lujosas carreras. Pues aquellos viejos de Adriana eran siempre hombres ricos, con títulos o altas posiciones, diplomáticos o caballeros de la Orden de Malta. Sus confidencias acababan revelando callados infortunios, esposas frígidas que no los comprendían, amantes interesadas, mujeres que les ponían los cuernos; nada cierto, nada limpio, nada tan espontáneo como tú, le decían, y al cabo de cierto tiempo, cuando la botella de champaña quedaba de cabeza en un cubo de metal, completamente vacía, iban dirigiéndole abiertas o veladas propuestas, yo podría ocuparme de ti, le decían, *tu est tellement fraîche, tellement.... méditerranéenne,* y ahí mismo iban dejando caer su mano, ya nada paternal por cierto, sobre la rodilla de Adriana. Pero ella sabía desalentar de una vez aquellos avances. Quietico, le decía en español al audaz retirándole su pulcra y ajada mano del punto donde terminaba su falda y empezaba su rodilla. Quietico. Como si fuera un niño travieso. Ella lo veía como a un padre, le decía; como a un amigo, como a alguien muy cercano y muy tierno. Además, ella era a la antigua: no podía hacer eso, eso que tú quieres, sin estar enamorada, ¿lo comprendía? Salvo alguno que terminaba ofendido diciéndole "*tu n'est pas tout de même une jeune fille vierge*", ellos comprendían. Quizás en el fondo quedaban agradecidos de no tener que desempeñarse, a esa edad, como ardorosos amantes. Así que, más tranquilos y respetuosos, volvían a los ramos de flores, a las ostras sobre hielo, a las botellas de champaña en su cubo de metal, a los paseos invernales por el Bois de Boulogne, contentándose con exhibirla ante *maîtres* y camareros, y quizás ante algunos amigos suyos, como una nueva conquista, alimentando por dentro la llama taciturna de un amor platónico. Adriana había tenido docenas de estos otoñales enamorados. Necesitaba siempre un padre, ya que el botánico no había sido sino un ser pálido y débil en su vida.

También a él había intentado convertirlo en algo parecido, piensa él mirando una perfecta formación de alcatraces volando sobre el mar; también a él; y tal vez no exactamente en un padre, sino en un hermanito cómplice o en un primo inofensivo. Y nada de aquello había sido cierto; su sentimiento hacia ella nunca había sido fraternal. Estaba, al contrario, impregnado de esa quemante ansiedad que experimenta un hombre cuando desea a una mujer. Lo había comprobado aquella tarde, cuando volvió a encontrársela en París después de veinte años de no verla; y de nuevo, el sábado siguiente, cuando ella vino a visitarlos en el apartamento que para entonces Serena y él ocupaban frente al parque Montsouris. Había sonado el timbre, recuerda; había abierto la puerta y allí estaba ella, Adriana, sonriéndole bajo un par de grandes lentes oscuros, con un ramo de rosas envueltas en papel celofán en los brazos, unos pantalones blancos y una blusa verde que dejaba ver sus hombros, tostados por el sol, al descubierto. Los había invitado a dar un paseo por Saint-Germain-des-Prés en su Mercedes Benz de color blanco, que todavía olía a nuevo. Y él, oyéndola hablar con Serena, escuchando su risa y viendo sus espesos cabellos color miel, su collar y sus pulseras, toda envuelta en el efluvio estival que palpitaba en el aire dorado de junio (era el crepúsculo de un largo día de verano), él sentía arder de nuevo la brasa de aquel sentimiento fosforescente que siempre, desde niña, le había inspirado. Era una conmoción profunda, secreta, inexplicable, que lo dejaba mudo y triste, sintiéndose de nuevo el torpe muchacho encandilado por la niña del lazo blanco y los patines de ruedas en los pies, o el pálido estudiante de derecho, impregnado hasta la médula de lecturas marxistas, y ella, la bella muchacha a punto de casarse con un diplomático español. Él mismo no llegaba a explicárselo. Adriana había exacerbado siempre algo que se alojaba en la raíz más profunda de su instinto de hombre, acelerándole los latidos del corazón, dejándole un vacío en el estómago y arrebatándole toda su seguridad. ¿Lo había captado Serena? No, en ese momento. Más tarde sí, pero no entonces, no aquella tarde dorada de junio cuando salieron juntos en el auto de Adriana. Lo había tomado como una simple atracción banal y momentánea, nada capaz de poner en peligro lo suyo. "Vayan a bailar, a ustedes les gusta eso; yo tengo una delicia de libro en la mesa de noche", les había dicho bajándose del auto frente a la puerta del inmueble donde vivían. Así era Serena. Así es todavía, así será siempre, mientras viva: decidiéndolo todo a la luz de sus lecturas y teorías. Para ella todo lo que fuera una espontánea expresión del instinto no podía ser reprimido. Manejado sí, pero no reprimido. Siempre andaba poniendo como ejemplo de esa lucidez para sortear las llamadas por ella "relaciones contingentes" a Sartre y a Simone de Beauvoir. Y sin saberlo, sin percatarse de nada, andaba jugando con fuego. Serena había vivido siempre en un mundo etéreo, libresco, perfectamente intelectual, tratando de observarlo todo con la curiosidad distante y fría de un científico. Había debido ver el peligro, pues lo cierto es que en cuanto él quedó solo con Adriana, en aquel Mercedes blanco que ella conducía velozmente por la avenidas tibias y florecidas de la noche de verano, él continuaba experimentando aquella turbia ansiedad de adolescente que le enfriaba las vísceras y le agolpaba latidos en el corazón. Seguía sintiéndose igual a un muchacho atolondrado escoltándola luego a través de las mesas de una discoteca de moda, Castel, en una honda penumbra de acuario cruzada por luces fosforescentes en la cual se movían hombres jóvenes y espléndidas muchachas francesas. Había sido ella, lo está viendo en su memoria, quien lo había invitado a bailar extendiéndole los brazos: "Ven, sabio, no te quedes ahí sentado." Se hundía en el estruendo de la música como en un pozo de las delicias, enteramente abandonada al ritmo, los ojos cerrados y la boca entreabierta en un éxtasis que parecía el de una entrega amorosa. La irreal fosforescencia de los relámpagos blancos y azules hacía vibrar el color de su blusa y de sus pantalones. Más tarde, cenando en el restaurante de la discoteca, con una suave música de fondo y la luz de una vela dorándole el pelo y los hombros desnudos, ella le había hablado de su divorcio y de un enredo suyo con aquel muchacho que había puesto fin a su matrimonio. Este último era divino pero loco, le decía; huyéndole, se había refugiado en París y aun así no podía evitar que la llamara por teléfono. Casi siempre borracho, unas veces amenazando con matarla o con matarse, y otras sollozando y pidiéndole que volviera con él. Si el diplomático podía compararse con un pescado frío guardado en el refrigerador, si era austero y vegetariano, franquista y miembro del Opus Dei, el otro resultaba la cara opuesta de la moneda: impetuoso, mujeriego, adicto a la coca y a la marihuana y a todos los vicios nuevos que pudiesen aparecer en el mundo. Si el primero había tardado tres días para hacerle el amor después de casarse con ella, el otro la había violado en un automóvil apenas una hora después de haberla conocido, sin tomar en cuenta que se hallaban en el parqueadero de un hotel bajo el resplandor de un letrero luminoso. Todo aquello, recuerda, se lo refería Adriana con risa y con la misma espontaneidad de los diecisiete años. No parecía guardar nada de su vida para sí misma. Todo lo iba diciendo. Aquella primera noche en que salieron juntos, él pensaba que era el depositario privilegiado de tales confidencias, quizás por el hecho de que ella insistía en verlo como un hermanito o como un primo cercano y tierno. Pero no. Sólo ahora se daba cuenta de que hacía lo mismo con todos sus devotos obedeciendo no a un cálculo (si lo había era perfectamente inconsciente) sino a un ímpetu muy suyo, a una necesidad de confiarse, de hacer de cada hombre un confidente, un cómplice o un protector. Sólo que únicamente un modisto o un peluquero homosexual podían recibir tales confidencias, a veces algo escabrosas (la manera como el marido la había tomado por detrás, la primera vez, injuriándola, o cómo su joven amante le había levantado las faldas en un automóvil bajo el resplandor de una luz de neón), sin experimentar un sordo y desesperado desasosiego. Tanto más cuanto que todo aquello lo iba contando con una traviesa coquetería, mientras la blusa dejaba ver el nacimiento de sus senos, y la apertura de su falda casi toda la pierna, de una manera inevitablemente insinuante y perturbadora. De ahí que siempre tuviese problemas con los hombres, a no ser que estos fueran muy viejos. De ahí también que aquella noche, o mejor aquella madrugada (pues el cielo se estaba aclarando), cuando hicieron un alto para ver despuntar el día sobre el río, desde el parquecillo del Vert Galant, ella le hubiese dicho: "Sabio, tú eres el primer hombre a quien no tengo que quitarle a esta hora las manos de encima; qué delicia encontrar un hermanito en París." Pero no era cierto, y la propia Serena había sido la primera en ponerlo en guardia. Pues, ahora lo recuerda muy bien, apenas llegó a la alcoba donde el sol teñía ya de luz las cortinas, ella, despertándose, le había preguntado si se había acostado con Adriana. "¿Cómo se te ocurre?", le había dicho él. Y ella, Serena, antes de volverse a dormir: "Si te gusta, prefiero que te la tires de una vez. No quiero historias más complicadas." Y tenía razón, Serena. Tenía razón.

Después de comprobar que Claudia continuaba durmiendo, ha subido a la casa principal para afeitarse y tomar una ducha. Luego, le ha aceptado a Graham una taza de café y ha bajado de nuevo a la playa en pantalón de baño. El sol ha subido en el cielo. Le arde en las espaldas y resplandece en el agua del mar, que es azul más allá de la línea de corales y verde en la proximidad de la playa, mientras él desciende por el camino de piedra del embarcadero, a través de la ardiente y enmarañada vegetación, perseguido por el exaltado fragor de las chicharras.

Cuando entra en el mar siente en el cuerpo el agua fría y salobre, y tan clara que se divisa el fondo de arena muy blanca y algunos peces diminutos. Braceando despacio, nada hasta el embarcadero frente al cual cabecea un pequeño yate blanco. En el horizonte, que es claro y con pocas nubes, se dibuja con nitidez el lomo gris de la isla de Antigua. Apoyándose en la llanta de un camión suspendida a un lado del muelle, sube a este y se tiende sobre los calientes tablones de madera. Al lado opuesto de la playa, sobre un promontorio rocoso, se divisa la casa japonesa y su terraza, que avanza como la quilla de un barco sobre el mar. En el muelle, contemplando el horizonte, respirando aquel olor intenso del mar y escuchando el chapoteo del agua bajo las tablas, piensa de pronto: "Dios, me gustaría que esto no terminara nunca." Pero apenas este pensamiento ha aflorado en su cabeza, experimenta una especie de ansiedad, el mismo desasosiego que lo acompaña desde que decidió dejar París y regresar a Colombia. O quizás fue antes, piensa. Quizás aquella ansiedad, o como se llame ese sentimiento oscuro que lo invade de pronto, había empezado antes, aquel mismo año, cuando llegó el verano en París y él, pasando delante de las terrazas de los cafés llenas de luz y de gente, había sentido, de pronto, que su vida en aquella ciudad llegaba a su fin después de tantos años. Nunca París le había parecido tan luminoso y vivo, y no obstante, él sentía que estaba por fuera de aquella fiesta, que su vida allí no tenía sentido ya. "Es el fin, debo irme", se había dicho de pronto bebiendo una cerveza en la terraza del Deux Magots. Serena, Adriana y sus hijas habían arreglado sus vidas sin él, ya delante suyo no quedaba sino el vacío esplendor del verano. A partir de entonces había empezado a experimentar aquella sórdida ansiedad que volvía una y otra vez, inesperadamente, como vuelve un dolor soterrado, dejándolo a veces despierto, insomne, a las tres de la madrugada, preguntándose cómo, a qué horas había tomado conciencia de estar en un punto muerto, con enjambres de inútiles recuerdos detrás suyo abrumándole el corazón. Recordaba gentes, en otro tiempo muy próximas, que nunca volvería a ver. Caminaba por las calles de la ciudad dormida en la madrugada palpitante de verano, sin rumbo. Había terminado por encontrar un café que nunca cerraba sus puertas, en la plaza Saint-Michel. Allí amansaba sus insomnios viendo el trajín de otros noctámbulos, gente joven que venía a beber una última copa antes de dormir, pálidos empleados de algún cabaret, músicos o vendedores de flores. "Debo irme, nada que hacer; debo irme", se decía él bebiendo una tras otra jarras de cerveza alsaciana. "Cuanto antes, mejor." Y la cara que había puesto Serena cuando se lo dijo. De repente, se le habían llenado los ojos de lágrimas. "¿Qué harás tú en Colombia? Se ha vuelto un país tan terrible..." "¿Qué hago yo aquí?", le había contestado él, suavemente, pasándole una mano por el pelo. Y ella, sonriendo a través de las lágrimas: "Tanto tiempo en París, y nunca has aprendido a acariciar la cabeza de una mujer. Eres torpe, nunca lo aprenderás." Saliendo de allí, recuerda, había bajado las escaleras del metro con el corazón hecho un trapo.

Algo, en la playa, atrae su atención: es Claudia, que viene caminando por la arena, muy cerca del agua. Lleva un traje de baño amarillo de una sola pieza y un amplio sombrero de paja. Le sonríe bajo un par de grandes lentes obscuros. Él se incorpora y viene a su encuentro.

–Es el colmo, tú –dice ella acercándose–. Si no es por Graham, que me llamó por teléfono, habría dormido hasta la hora del almuerzo. ¿Hace mucho tiempo que te levantaste?

–Una hora más o menos.

–¿Y no has desayunado?

–No, te esperaba.

–Muero por un jugo de naranja y un café bien cargado. ¿Subimos a la otra casa?

❧

Han terminado de desayunar en la misma terraza, abierta al mar, donde almorzaron la víspera.

–No vuelvo a hacer ejercicios aeróbicos en una hamaca –se ríe ella–. Prefiero dormir en una cama grande. Y hacer las cosas que hacemos de una manera más convencional.

–Como experiencia no estuvo mal –dice él.

Aunque continúa sonriendo, la expresión de ella es de pronto fría y vagamente sarcástica:

–¿Te gusta coleccionar experiencias?

–¿Por qué lo dices?

–No me gusta ser una nueva experiencia de nadie...

–Me refiero sólo a las piruetas en la hamaca.

El recelo de ella se desvanece.

–Linda palabra, piruetas –sonríe. A través de los lentes oscuros, su mirada tiene una lumbre de placidez contemplándolo–. No debería quejarme, en realidad. Todo fue muy excitante. ¿Qué quieres hacer hoy? Aparte de eso, quiero decir.

–Te dejo la decisión.

–No te pareces a Tomás –dice ella, sin dejar de observarlo–. Si fueras como él, me habrías despertado y a esta hora navegaríamos hacia otra isla. Era un hiperactivo. Tenía amigos en todas estas islas y le encantaba visitarlos.

–¿Qué clase de amigos?

–Las gentes que viven en las islas son de un género muy especial. Tienen su pequeño gramo de locura, así hayan sido gerentes o banqueros. Un día llegan, se enamoran del lugar y lo dejan todo; se quedan para siempre.

–¿Lo harías tú?

La cara de ella se ensombrece de pronto. Se queda con los ojos fijos en el fondo de su taza de café como si allí estuviera la respuesta.

–No soy libre –murmura muy despacio–. Nadie que tenga mucho dinero lo es. Siempre hay administradores y abogados que necesitan tu firma para algo. Aquí los tendría con sus problemas y balances desfilando diariamente –alza la vista y la clava en él, aguda, curiosa–. Quizás sería, en cambio, un lugar ideal para ti.

–¿Por qué lo dices?

–Quieres escribir, ¿no es cierto? Para alguien que escribe, una isla perdida, según dicen, es el lugar indicado –lo mira derecho a los ojos como si lo retara a decir la verdad–. ¿Serías capaz de quedarte?

–¿Solo, en este lugar? ¿Con Graham?

Ella se ríe.

–Yo vendría a verte. Nueva York no está lejos....

Él se queda escuchando por un momento la algarabía de las chicharras. De nuevo siente aquel plomo en el corazón ensombreciéndole el ánimo. Es un sentimiento confuso, parecido al de un niño al que dejan solo en una casa vacía.

–¿Vivir aquí? Creo que me sentiría perdido, mi mal se agravaría.

Ella lo observa con asombro.

–¿A qué mal te refieres?

–El mal de no tener ya raíces en ninguna parte. Tal vez es eso lo que me ha hecho regresar a Colombia.

La voz de ella vuelve a sonar vagamente sarcástica:

–¿Y realmente uno necesita raíces?

–Pensaba que no, en mi caso. Pero cuando Serena me dejó...

–¿Entonces fue ella la que te dejó? No fuiste tú, fue ella.

–Ya llegará el momento en que te lo cuente. Pero cuando ella...

o mejor, cuando todo terminó con ella, descubrí de pronto que necesitaba volver sobre mis pasos. No tenía mucho sentido quedarse en París.

–Comprendo. Al ser expulsado del paraíso, preferiste volver al infierno para compartir tu suerte con otros desaventurados.

–¿El infierno?

–Para mí, tu país y el mío lo es. ¿O te parece normal andar siempre con hombres armados de ametralladoras para que no te maten? Y al menor error...

La cara de ella se endurece, sus ojos tienen una lumbre feroz.

–El error de Tomás fue el de no haberse comprado un automóvil blindado. Quedó muerto, en la silla de atrás de su auto, en medio de un reguero de vidrios.

–No hablemos de eso, Claudia.

La expresión de ella continúa siendo dura, glacial.

–Perdona, pero tenemos dos perspectivas distintas. Tú vienes. Yo me voy. Esta isla está en un cruce de caminos.

–No me gustaría que fuese así, Claudia.

–Para ti sería una bonita experiencia. La frase es tuya.

–Hablaba de la hamaca, no de ti.

Ella lo observa. Al cabo de un instante habla con voz más suave:

–Admitido. Quedan prohibidas las alusiones al futuro. *Nous allons tout gâcher*. Nos quedamos con el presente, con la isla y el sol. Ahora sí vamos a decidir el destino del día.

–¿Qué propones?

–Podemos ir a Antigua en el yate. Allí está el hotel más bello del Caribe. Hay lindos campos de golf.

–¡Qué horror!

–Bueno ahí nos acercamos tú y yo. A Tomás le gustaba el golf.

Pero yo prefería los lugares salvajes en la isla que está al sur de esta. ¿Vamos allí? Llevaríamos un picnic.

–Totalmente de acuerdo.

❧

Avanzando hacia la otra isla, mientras la proa del yate rasga suavemente el agua como si fuera seda, la brisa cargada de un áspero olor salobre les golpea la cara y el agua de intenso color verde botella relumbra bajo el claro sol del mediodía en torno de ellos, él experimenta dentro de sí una sensación de ligereza y alegría. Están sentados en la popa, detrás del piloto, un negro muy alto que sólo lleva unos pantalones bermudas y una gorra de marinero. A veces la quilla de la embarcación quiebra una ola que viene a su encuentro y el agua les salpica la cara y los hombros. La brisa azota los cabellos de Claudia. El mar, hacia la línea del horizonte, se ve liso y azul como una lámina bajo un cielo despejado, con pocas nubes.

Ella le habla a gritos para dominar el ruido de los dos motores fuera de borda.

–Tomás era mejor marino que este negro. Le fascinaba navegar. Sorteando los corales, encontró playas secretas que vas a ver dentro de poco.

A él le resulta difícil imaginar a aquel banquero, marido de Claudia, frente al timón del yate. Las fotos suyas publicadas en la prensa a raíz del asesinato mostraban a un hombre delgado, pequeño y calvo, con un mínimo bigote gris: parecía más bien el padre de ella.

Claudia parece adivinar sus pensamientos:

–Era a su edad todo un atleta, más peludo que un mono.

Sonríe con los ojos fijos en el mar y en la silueta de la isla cada vez más próxima.

Ahora el yate se mueve suavemente a pocos metros de la costa, atado a un tronco por un cable de nailon azul. La playa es muy pequeña: apenas unos pocos metros de arena en forma de media luna, cercados por una espesa y polvorienta vegetación. Sólo un árbol corpulento, al extremo, proyecta una sombra. Se han sentado bajo sus ramas, que apenas dejan filtrar lunares de sol, al lado de las cajas que contienen hielo, botellas de vino blanco y de ginebra, latas de jugos y de agua tónica y sándwiches de salmón ahumado. Pequeños cangrejos del mismo color de la arena corren al lado de las cajas.

Ella le habla de su marido, mientras beben ginebra con agua tónica y mucho hielo.

–¿No entiendes cómo pude casarme con un hombre treinta años mayor que yo? Nadie, en realidad. Cualquier aficionado al psicoanálisis hablaría de un Edipo crecido. Y a lo mejor tendría razón, pues mi papá era el polo opuesto al abuelo: un ser débil y encantador. Y Tomás era un hombre de carácter. Se parecía al abuelo Simón, en una versión más refinada. Me inspiraba una gran seguridad.

–¿Sólo eso?

–No, mucho más que eso. Era un hombre en todo sentido. Supongo que después de haber estado siete años casada con Barker

Iribarra, que era un mequetrefe, necesitaba un hombre como Tomás. Él se dio cuenta de ello en cuanto me vio.

Y ella le va contando, con el vaso de ginebra en la mano, mientras el agua del mar llega mansamente hasta sus pies, cómo había ido con su padre a ver a Tomás Ribón, en Nueva York, para que se ocupara de su divorcio. Al verlo, en aquella oficina suya cuyas ventanas ofrecían una espléndida vista de los cielos de Manhattan, nunca imaginó que podía enamorarse de él. El humo y el aroma de su cigarro envolvían, con un aura de prosperidad, a aquel hombre pequeño, calvo, colorado como la cresta de un pavo, con un bigote encanecido y una bonita corbata de seda. Sus ojos pequeños y agudos la examinaban de un modo extraño, con una especie de fascinado y melancólico asombro, como se mira a una niña que se ha vuelto mujer de repente. "Cuando eras niña ya parabas el tráfico con esos ojos que tienes", le dijo sin dejar de observarla a través del humo del cigarro y sin prestarle mayor atención a su padre, Ramón Aristigueta, que había sido no sólo su amigo de siempre sino también su socio y que en aquel momento sólo estaba aterrado por las astronómicas demandas de Barker Iribarra en torno al divorcio.

Sí, en aquel momento acababa ella de separarse del portorriqueño. Ya para entonces vivían ambos en mundos perfectamente aparte. Él vivía sumergido en el mundo de los millonarios del *jet set*. Ella andaba con periodistas, fotógrafos, artistas del Village que veía o visitaba en talleres o estudios salpicados de yeso y con cartones reemplazando los vidrios rotos de alguna ventana, sin renunciar a sus pieles de marta cibelina y a sus broches de Tyffany's. De modo que el enredo del portorriqueño con una reina de belleza venezolana, ganadora de un concurso internacional, no fue sino el pretexto para hacer saltar un matrimonio ya condenado. Odió encontrar una foto suya, de ella, Claudia Aristigueta, en una revista de chismes dedicada a espiar al llamado "*jet set* internacional", bajo el título: "Bella, pero abandonada." Hervía de rabia cuando ese mismo día, en el bolsillo de una camisa de su marido, encontró una carta perfumada escrita con una letra grande e infantil sobre un papel de pálidas flores impresas y con otras, estas sí de verdad pero marchitas (un ramo de mimosas), pegadas con cinta adhesiva en un ángulo. Lo que estaba escrito en aquel papel era ridículo y sentimental y con unos errores de ortografía que injuriaban la vista. Barker Iribarra era llamado por la venezolana "bello gato" y allí se hacían nostálgicas alusiones a noches fabulosas pasadas con él en Cortina d'Ampezzo. Tardó sólo algunos segundos en comprender que aquella carta no era de una adolescente con granitos en el mentón y medias tobilleras sino de aquella reina consagrada en un certamen mundial como la más bella del mundo, cuya fotografía inundaba la portada de las revistas. Fue entonces cuando puso sobre ese matrimonio una cruz y una lápida.

–¿Lo dejaste?

Lo dejó. Le bastó media hora para vestir a sus dos hijas, poner algunos trajes en dos maletas y llevárselas con su nodriza, una muchacha canadiense, a casa de Ramón Aristigueta, su padre, dejando como única explicación aquella carta perfumada en una mesa del vestíbulo, sujeta por un pisapapeles de bronce, después de sacarle una fotocopia. No le dio tiempo a su padre, que estaba en bata y con una bufanda de seda en su apartamento de Park Avenue, de oponer reparos. Lo besó en la mejilla y se fue recomendándole que por ningún motivo dejara entrar en el apartamento a Barker Iribarra. Sólo eso. Y desapareció sin explicarle a nadie a dónde iba. Se hizo conducir por un taxi al Hotel Pierre. Se alojó allí inscribiéndose con el apellido de su madre. Pasó tres días en el más jubiloso anonimato, respirando una sensación de libertad completamente nueva. Después de hacerse cortar el pelo en un salón de belleza, se dedicó a recorrer librerías y galerías en Madison Avenue, vio una exposición de Hopper, entró en un cine, estuvo en el taller de un escultor amigo que vivía en el Village y fumó con él un cacho de marihuana.

En el bar del hotel entabló conversación con un joven ejecutivo del Brasil que venía a Nueva York por primera vez. Aceptó cenar con él al día siguiente en un restaurante cubano de Broadway. Bailaron en otro lugar. El brasileño estaba fascinado con sus ojos. Mientras cruzaba la puerta del hotel, ya muy tarde, ella se preguntaba si se acostaría con él, cuando de uno de los sillones del vestíbulo se levantó un hombre alto y demacrado que no reconoció en el primer instante. Era su marido. Sus ojos estaban rojos y le temblaba el mentón. La aferró por las muñecas. "Puta", le dijo. El brasileño trató de intervenir, pero ella, sonriendo mientras el otro le sujetaba aún las muñecas, le dijo que no se inquietara, se trataba de algo personal. "Hablemos arriba con calma", le dijo a Barker Iribarra sin perder su sangre fría.

Sólo tiempo después supo que su marido había estado buscándola por todas partes durante aquellos tres días. Parecía aterrado ante la idea de que ella lo fuese a dejar. Preguntó por ella en casa de muchos amigos comunes. De pronto, cuando bajaba en su automóvil por la Quinta Avenida, la había visto saliendo del hotel Pierre. Dejando el auto donde pudo, la buscó desesperadamente en medio de la multitud vespertina. Al no encontrarla, se sentó en el vestíbulo del hotel a aguardarla. Permaneció horas en el vestíbulo. A medida que el reloj avanzaba hacia la madrugada, todo el susto y la congoja que llevaba por dentro y que eran seguramente los mismos que experimentaba cuando su madre se perdía en aquellos hoteles de San Juan dejándolo con porteros y camareras, se transformaba en duda y sospecha. Apenas la vio entrar, acompañada por un hombre, la duda se transformó en certeza brutal: lo engañaba. Tenía un amante. Como le ocurría de niño con su madre, la brasa de aquellos celos desgarradores lo quemó de repente, pero ahora se expresó en furor ciego, en deseo de abofetearla, de poseerla, de hacerle pagar de algún modo la humillación de aquella espera agónica en el vestíbulo del hotel.

Apenas entraron en el cuarto del hotel, él la arrojó sobre la cama llamándola una y otra vez puta. Ella se dio cuenta de que era capaz de matarla, pues le mordió los labios con ferocidad y le tomó el cuello con las manos. Ella se dejó violar. Más aún, le facilitó la tarea tocándole el sexo desfallecido, a fin de que toda la violencia que llevaba él por dentro, exacerbada por una nueva frustración, no se convirtiera en impulso asesino. Podía romperle los huesos del cuello con aquellas manos habituadas a manipular caballos de polo. Pero lo que más temía es que le deformara la cara. Así que lo dejó hacer. Se agitaba sobre ella injuriándola y sollozando hasta que terminó. Entonces sólo quedaron aquellos sollozos de niño y el terror de ser abandonado. Oyó después su voz quejumbrosa, avergonzada e infantil, la misma que debía escuchar a veces su madre en los hoteles de San Juan, pidiéndole perdón. "*Sorry*", decía en inglés.

Incorporándose de la cama con el labio inferior relampagueándole de dolor y ya hinchado, ella dejó caer sobre sus rodillas la falda que él había levantado de prisa y abrió la puerta del cuarto.

–Vete ahora –le dijo–. Nuestros abogados se encargarán de arreglar lo que haya que arreglar.

–No, no –imploraba Barker Iribarra.

Había resbalado del lecho hacia la alfombra. Jamás lo había despreciado tanto como en aquel momento. Viendo cómo alzaba hacia ella sus hermosos ojos llenos de lágrimas mientras se abotonaba la bragueta, dijo:

–Ya conseguirás otra, no llores. Otra, pero no la reina. Esa no tiene sino lo que le pagan por anunciar jabones.

El labio seguía relampagueándole de dolor y algo dulce y húmedo le impregnaba la boca. Sin duda le había florecido allí una perla de sangre que él miraba asustado.

–Perdóname.

–Vete ahora –repitió ella.

⤼

Así había desaparecido de su vida. En cuanto Barker Iribarra comprendió que ella realmente había decidido dejarlo y se había instalado en el apartamento de su padre, intentó obtener sumas considerables por el divorcio, solicitando además la custodia de las dos niñas. Era su chantaje. Fue Tomás Ribón, que además de banquero era un habilísimo abogado, quien negoció todo, primero con Barker Iribarra y luego con el abogado que este decidió enviarle. El portorriqueño no sólo vio cómo Ribón pulverizaba todas sus aspiraciones de recibir una enorme indemnización, sino que tuvo después la sorpresa de saber que se casaba con Claudia, pese a ser treinta años mayor que ella.

Tomás Ribón era rico y habría podido hacer fortuna de muchas maneras, inclusive sólo jugando al póker. Era un excelente jugador. Aún con las cartas más desastrosas en la mano permanecía risueño e inalterable, muy bien vestido siempre, observando sus cartas con una lumbre de satisfacción como si estuviese contemplando un poker de ases. De igual manera actuaba en la vida. Esperar: quizás en ese verbo estaba la divisa de su vida. Todo proceso de eclosión o maduración, como el de las flores o las frutas, no debía violentarse por impaciencia o por nervios, esos frágiles alambres electrificados que temores e impaciencias hacían vibrar de modo inoportuno. Esperar era respetar la dinámica propia de una acción bien calculada, sin hacerla abortar por desasosiego o incertidumbre. "Hay que darle tiempo al tiempo", decía siempre.

Y Barker era exactamente el polo opuesto: vanidoso, impulsivo, frágil. Así lo vio Tomás Ribón cuando le dio cita en un restaurante neoyorquino para arreglar el asunto del divorcio. Fue una partida de póker que Barker inició con altanería, y tan fatuo como el pañuelo de color rosa florecido en el bolsillo de su saco, anunciando desde el primer Martini toda suerte de amenazas. Y salió, al terminar el almuerzo, pálido, temblando de rabia y quizás también de susto. Por lo que ella supo fue algo así como una partida de póker entre un tahur profesional y un jugador novato. Tomás Ribón dejó hablar a Barker Iribarra escuchándolo con aire de alentadora y amistosa aprobación. El portorriqueño mencionaba abandono del hogar conyugal y secuestro ilegal de las hijas; hablaba de la custodia de estas y de millones de dólares como indemnización y reparto de bienes. Habló todo cuanto quiso sin ser interrumpido (o siendo interrumpido apenas por la llama de un briquet de oro que le acercaba de vez en cuando Tomás Ribón). Cuando calló, al fin, en vez de un contrincante encontró en Ribón, inesperadamente, una especie de cómplice y consejero, que lo tuteaba y lo llamaba viejo querido.

–En el asunto de las niñas vas a encontrar problemitas –le dijo como si fuera su propio abogado y no el de la contraparte.

El otro no supo a qué horas había sacado un fajo de hojas de revista que puso sobre la mesa y que fue hojeando distraídamente, en las cuales aparecía Barker Iribarra en piscinas y en night clubs, con los pies en el agua o bailando el twist siempre al lado de mujeres distintas y esplendorosas. Tomás Ribón se demoró contemplando con ojos soñadores a la beldad venezolana y los titulares que aludían a un romance suyo con un *playboy* portorriqueño.

–Es todo un churro –le dijo–. Qué envidia nos produces a todos, viejo.

Barker miraba aquellos recortes con fastidio, como si se tratara de una digresión que no venía a cuento.

–Eso no es sino basura –dijo.

–Física basura de reporteros, viejo querido –aprobó Ribón, antes de asumir una expresión vagamente preocupada–. Lo malo es que un juez americano, a la hora de fallar quién debe quedarse con las niñas, va a tomar esa basura en cuenta. Sin contar con la carta del churrito. Es prueba de adulterio.

Barker Iribarra empezó a moverse inquieto en su silla.

–Esa carta no existe.

–La rompiste, viejo. La echaste en un excusado con el ramito de mimosas. Yo, en tu caso, habría hecho lo mismo. Pero Claudia es terrible. Sacó fotocopia. Noches fabulosas en Cortina d'Ampezo... Qué envidia, viejo, qué envidia. ¿Bello gato, así te llamaba el churro?

La cara de Barker Iribarra empezó a tomar un tinte patibulario.

–Eso es asunto de mi vida privada.

–Sin duda. Mientras no entables demanda. Si lo haces, vas a poner caca en el ventilador. ¡Y para nada! A un Casanova, viejo, todos lo envidiamos secretamente, pero nadie le confiaría la custodia de dos criaturas que necesitan una buena mamá, la suya, y no docenas de madrastras de pelo platinado que andan mostrando en público sus "pepetes". Ahí pierdes, viejo.

Del dinero habló después, cuando estaban sentados a la mesa.

–Eso no tiene problemas, viejo, pues Claudia carece de bienes.

A Barker Iribarra el langostino gratinado o lo que estuviese comiendo en aquel momento se le atragantó en la garganta.

–No me va a decir ahora que se arruinó.

Alcanzó a articular aquel sarcasmo pero no pudo evitar que una palidez de desconcierto le asomara a la cara cuando Tomás Ribón, como si estuviese contando una anécdota traviesa, hablara de las pintorescas disposiciones testamentarias del viejo Aristigueta, reveladas después de su muerte, según las cuales dejaba a su nieta preferida el disfrute de una suma mensual en un banco suizo, pero ningún patrimonio, salvo el que ella, ahorrando o invirtiendo el dinero recibido pudiese constituir.

Así que Ribón se limitó a comentar con aire condolido:

–Nunca le caíste bien al viejo, qué mala pata. De modo que el patrimonio de ustedes se reduce esencialmente a medios de locomoción: algunos caballos, dos autos y el yate. No sé cómo van a hacer para repartirse esa cáscara flotante.

Barker Iribarra no lo dejó continuar. Con mano temblorosa arrojó la servilleta sobre el mantel y se levantó.

–Ese cuento se lo echa a mi abogado –dijo antes de irse.

La voz le temblaba, y a Ribón le pareció que era más de susto que de cólera.

El abogado de Barker Iribarra, un cubano naturalizado, gordo y tranquilo, resultó lo suficientemente inteligente como para renunciar a un pleito de antemano perdido. Se dio por bien servido aceptando que los medios de locomoción, sin reparo alguno, quedaran como propiedad de su cliente.

–¿Y era cierto lo de tu abuelo?

–Sólo en parte –dice ella–. El abuelo dispuso el traspaso de bienes a nombre mío sólo después de que cumpliera los 30 años. Estaba seguro de que yo no aguantaría más de cinco años al zoquete, como decía. Se equivocó sólo en dos años.

–¿Y entre tanto...?

–Los bienes los administraba mi padre. El abuelo comprendió desde el primer momento que me iba a casar con un vividor. ¿Quieres más hielo?

–Si, pero pásame la botella de ginebra.

–¿No tienes hambre? Graham nos preparó unos deliciosos sándwiches de salmón ahumado. Hay algo de pollo frío, también.

–Después de la ginebra y de una zambullida en el mar.

–Vamos ahora mismo. Estoy asándome. Deja la ginebra para después.

❧

Regresan a la playa chorreando agua y se tienden al sol. En vez de la ginebra, ella le pasa la botella de vino blanco que saca de una caja llena de hielo. Él la destapa y lo sirve en dos copas.

–Pasa muy bien este vino –dice él después de probarlo.

–Cómete un sándwich. Está realmente delicioso. El almuerzo es muy frugal.

–Me encanta el salmón ahumado –dice después de beber otro sorbo de vino–. Era mi vicio de verano en París.

–También a Tomás le gustaba el salmón de Noruega. Lo cortaba con una delicadeza de costurero, en tajadas muy finas y cada una de ellas la rociaba con limón.

–¿Fue durante todo aquel proceso de tu separación cuando se enamoraron?

–Resultó más repentino.

Al lado de Tomás Ribón, ella había experimentado por primera vez desde la muerte del abuelo la sensación viril y protectora que debe dar un padre: la que nunca le dio el suyo, Ramón Aristigueta, pero sí su abuelo Simón. Algo así como un aura de determinación, firmeza, seguridad y afecto que se hace rápidamente indispensable, como el aire para respirar o la ropa para cubrirse. Tomás Ribón le inspiró todo eso, sin que por ello la mirara como un padre o un abuelo, sino como un hombre a una mujer que desea y empieza a amar. Ella lo sintió desde el momento en que entró en su oficina y él la observó con fascinado asombro; volvió a sentirlo aquella noche cuando lo encontró en un coctel de la Flota Mercante Grancolombiana en el hotel Plaza; lo comprobó al día siguiente cuando al abrir la puerta de su apartamento de Park Avenue donde vivía con su padre y las dos niñas, se encontró a un mensajero de una floristería con una enorme canasta de flores y una tarjeta; y de manera aún más fuerte lo sintió a la una de la tarde de aquel día cuando entró en el restaurante donde él le había dado cita. En el abogado calvo y de bigote encanecido que le doblaba la edad, descubrió a un pretendiente pulcro y galante y con esa controlada pero firme energía que sólo un hombre verdadero puede irradiar, y que ella percibió de inmediato cuando sintió la tenaza de sus manos tomándola por los brazos y acercándola a él para besarle una mejilla, y respiró su agradable fragancia de agua de colonia. Luego, observando unas manos viriles y bien cuidadas sobre el mantel, con un leve vello oscuro sombreándole el dorso y las muñecas, había pensado por un momento que debía tener un cuerpo recio de hombre. La sorprendió aquel deseo que brotó en ella de repente. Se sentía vulnerable y más femenina, con latidos de ansiedad en el vientre y las rodillas temblorosas. No era el mismo deseo que le inspirara Barker Iribarra: no surgía de circunstancias tales como las de dar volantines en un avión, alardes deportivos y trucos cinematográficos, sino de algo más recóndito y profundo. Él lo captó, sin duda. Aunque sus palabras eran rememorativas (le hablaba de otros tiempos, cuando ella era niña), sus ojos seguían mirándola como un hombre a una mujer a la que desea intensamente. "Dios mío, estoy loca", pensaba ella mientras aquella ansiedad seguía latiéndole en la parte más profunda de sí misma y los senos se le endurecían bajo la blusa.

Sí, él era un hombre que sabía esperar; pero con ella debió comprender que la espera en cuestión de horas había llegado a su término; la eclosión de la flor había cumplido su ciclo con la primera lluvia. Así que en vez de perderse en un largo asedio, la invitó aquella noche al Club 54. En cuanto la tomó en sus brazos para bailar, la premonición que había tenido en el almuerzo se cumplió: sintió un cuerpo delgado y vigoroso, como revestido de metal, y un deseo tan vehemente como el de un muchacho: ella, por su parte, se sentía más frágil y femenina que nunca. Estaba asustada. Asustada y ansiosa. En el automóvil, al salir, él le dijo: "No te voy a pedir que vengas a mi casa, aunque vivo solo. Estoy separado. Quiero algo más: que te cases conmigo."

Así, apenas tres o cuatro días o máximo una semana después de haber dejado a Barker Iribarra y veinticuatro horas después de haber conocido a Tomás Ribón, tenía ella una propuesta matrimonial que le producía una enorme confusión. Quería ser libre, sin hombre alguno al levantarse por la mañana y sin que nadie le impidiese ir aquí o allá por el mundo viendo a los amigos que quisiese: bohemios, artistas, muertos de hambre, lunáticos o viudos, lo que fuera, con tal de que resultaran auténticos y con una chispa de genialidad. En eso por lo menos había soñado mientras estuvo alojada en el Hotel Pierre. Ahora temblaba incrédula, estupefacta y hasta rabiosa por haber sido depositada en el apartamento de su padre en Park Avenue, sin que Tomás Ribón hubiese intentado nada; nada, salvo casarse con ella. Hubiese querido que su abuelo estuviese vivo aún. Con su certero instinto la habría orientado. Su padre, en cambio, apenas le contó aquello empezó a temblar.

–No es una simple manera de decírtelo –dice Claudia–. Temblaba, le castañeteaban los dientes.

Estaba en bata de levantarse y era la hora del desayuno. No pudo seguir bebiendo su té y comiendo las tostadas. "No puede ser", decía, como si la inconveniencia de la propuesta matrimonial no residiera sólo en la enorme diferencia de edad, sino en algo más grave, algún lazo de consanguinidad que hiciera su unión moral y legalmente imposible. "Muñeca, no puede ser", repetía de nuevo dando vueltas por el salón del apartamento, lleno de cuadros costosos.

"¿Dime por qué no?", preguntaba ella, empezando a enfurecerse ante tanta confusión y pusilanimidad que no encontraba siquiera palabras convincentes. Nunca como en aquel momento había sentido el vacío que deja un padre débil y encantador como el suyo, apto para seducir a todo el mundo por el refinamiento de sus modales, pero esquivo y a veces francamente aterrado cuando encontraba un problema imprevisto.

–No quiero saber nada –decía él.

Ella estaba furiosa y a pesar suyo, indecisa. Quizás después de todo aquello era una locura. Algo imposible. Lo pensó en el taxi dirigiéndose a la oficina de Tomás Ribón en el corazón de Manhattan.

Se lo dijo al entrar:

–No podemos, mi papá se opone.

Le sorprendió la explosión de risa de Tomás Ribón: la misma franca y espontánea explosión de risa que produce un buen chiste.

–¿Monchito? No puede ser.

No supo a qué horas tenía un teléfono en la mano y estaba haciéndole bromas a su padre:

–Al fin vas a casar a tu hija como es debido. ¿O prefieres al marica ese del pañuelo rosado que sale fotografiado en las revistas? Moncho, mi viejo querido, pon a enfriar una botella de champaña, que allá vamos con Claudia.

El padre temblaba todavía cuando les abrió la puerta. Pero al poco rato, confundido y desbordado por la vitalidad de quien había sido su amigo y socio de toda la vida, había ordenado al criado que trajera una botella de champaña y unas copas.

–A Martine, mi mujer, le habría agradado tenerte de yerno –dijo, cuando saltó el corcho.

Un año después estaban casados.

↫

Ella calla; en el hueco que deja aquel silencio se escucha un vasto concierto de chicharras.

Le dirige a él una rápida mirada.

–¿En qué piensas?

–Algo no casa en todo lo que me has contado. No creo que tu Edipo lo explique todo.

Está tendido sobre la arena, a su lado, con los ojos fijos en el agua. La voz de ella suena muy cerca, en un tono más bajo que el habitual:

–Eso es lo que me inquieta de ti.

–¿A qué te refieres?

–No hay manera de cubrirse contigo.

Deja correr un silencio que es habitado sólo por el rumor sosegado y constante de las olas rompiéndose cerca de la playa.

–Hubo algo más que no te dije –concede al fin.

–¿Sexo?

–A su edad todo marchaba perfectamente bien. Pero no fue eso. Hubo algo más; algo que me dijo en el coctel del Hotel Plaza.

Allí estaba ella en un rincón, no recuerda ahora haciendo qué: hojeando un libro de arte que había sobre una mesa o mirando un grabado antiguo en la pared. Permanecía, en todo caso, al margen de aquellos hombres y mujeres que conversaban bajo las brillantes luces del salón, cuando de pronto él se acercó y le hizo una pregunta que parecía simple amable y banal, pero que, en realidad, era terrible; nunca nadie se la había hecho; nunca nadie. La estremeció como un latigazo. Lágrimas incontenibles le inundaron los ojos. Temblaban las luces del salón. No podía evitarlo, ni le importaba siquiera que aquellas lágrimas le corrieran el rímel de las pestañas y la gente del coctel la viera llorando. Él sabía que sus palabras no podrían tener otro efecto, pero continuaba hablándole, no risueño como siempre, sino con el mismo fascinado y nostálgico asombro de cuando estaba en su oficina. Ella lloraba, zumbaban las voces en el salón como abejas en un panal y él dejaba caer palabras que nunca nadie le había dicho.

–¿Qué te decía?

Claudia vuelve la vista hacia él, y en el resplandor intolerable que viene del mar y se filtra a través de las hojas del árbol, sumergiéndolos en la reverberante vibración del aire, sus pupilas parecen contraerse y adquirir el brillo fijo, metálico y feroz que tienen los ojos de un criminal cuando se dispone a disparar su arma.

–Eso no puedo contártelo.

IX

Ahora, de regreso de la otra isla, suben por el camino del muelle hacia la casa de Claudia bajo el sol de plomo de las tres de la tarde. No hay, a esta hora inclemente, el alivio de una sombra. El aire, sin brisa, arde como una brasa. Desaparecen, en el ciego resplandor, todos los colores; el cielo, el mar, la polvorienta vegetación, todo hierve en la misma claridad metálica, sin matices; lo único vivo, en esta hora inmóvil, son las chicharras. Claudia camina a su lado, alta y ligera, un pareo con colores de guacamaya sobre el traje de baño, el sombrero de paja y sus grandes lentes oscuros protegiéndola del sol. Sobre los labios le brillan perlas de sudor; rastros de arena le quedan en la barbilla y en la punta de la nariz. Contemplando en el sopor de la hora el rápido vaivén de sus caderas, él siente la brasa de un deseo encendiéndole la sangre. Ella parece advertirlo por la manera como cruza con él una mirada rápida y cómplice a tiempo que lo roza con el dorso de la mano o con el arco de la cadera; y este roce mínimo y provocador, casi casual, le abre a él grietas de ansiedad en el corazón cuando entran en la sombra fresca de la casa dejando atrás la ciega claridad palpitante de rumores. Luego de cruzar la galería de las máscaras, entran en la habitación, un pozo de sombra donde flota una fragancia leve de perfumes y cosméticos femeninos. Apenas cierran la puerta, ella se deja tomar en los brazos quebrada por el mismo vértigo. "Cuidado, el piso y la cama se van a llenar de arena." Y luego, en un susurro: "No importa, no importa, ven..."

Ahora escuchan, como la víspera a la misma hora, el arrullo de la torcaza al otro lado de la ventana, tras la persiana cerrada. Y más lejos, el mar. Como la víspera, después del amor, él experimenta en la honda y fresca penumbra del cuarto la sensación de hallarse fuera del tiempo, tranquilo y feliz, con la sangre fluyéndole ligera y apaciguada por las arterias mientras él evoca recuerdos y ella, desnuda, apenas con una sábana cubriéndole las caderas, el vivo esmeralda de los ojos animados por una chispa de burlona incredulidad, lo escucha.

–...yo no podría explicártelo. Simplemente así ocurrió, no sé por qué. Así ocurrió. Debió ser algo fatal; quiero decir, algo inevitable y completamente ajeno a principios y códigos de conducta, a normas y reflexiones, que por lo demás la propia Serena, siempre llena de un impecable rigor intelectual, no habría aceptado. Detestaba la moral utilizada como instrumento de represión. Pretendía explicárselo todo con la fría objetividad de un científico que estudiara el comportamiento de una especial categoría de insectos o la de un antropólogo observando los ritos de alguna tribu amazónica. Para esta época, sus lecturas eran cada vez más vastas y eclécticas. Le ocupaban muchas horas al día. Cuando no estaba leyendo algún nuevo libro que una amiga suya, mitad francesa, mitad peruana, dueña de una librería en la Avenue de Versailles, le enviaba por correo en calidad de préstamo, la encontraba escribiendo. Llenaba, uno tras otro, cuadernos escolares con una letra pequeña y minuciosa sin dejar medio centímetro de margen. Había empezado trabajando en la sala, pero con el tiempo se fue quedando en la alcoba, con las cortinas corridas y la lámpara de la mesita de noche encendida, aunque en la calle vibrara un sol deslumbrante. El cuarto olía siempre a humo de cigarrillo, lo cual producía las protestas de madame Athar, una señora argelina que venía a casa tres veces por semana para hacer la limpieza. Apenas entraba, procedía a abrir de par en par las ventanas mientras iba diciendo que aquello no podía ser sano para nadie, y menos para dos niñas como las nuestras. Claro que la pobre señora tenía razón, pues Serena nos había condenado a vivir un poco como gitanos sin preocuparse demasiado por el arreglo de la casa o por la comida, cosas que debía considerar una gran futilidad. Rara vez se maquillaba y a la ropa no le daba ninguna importancia; cumplía para ella sólo el primordial papel de cubrirla o abrigarla. Sí, a los treinta años de edad se había refugiado en una especie de ascetismo intelectual que dejaba por fuera de la vida gustos y placeres, la nieve, el sol o el mar de las vacaciones, y aun cosas tan esenciales como la comida (le bastaba poner cualquier cosa, a veces fría, en un plato) o el sexo.

–¿Inclusive el sexo?

–Inclusive, sí. A propósito del sexo, Serena tenía toda suerte de teorías y especulaciones intelectuales. Podría decirte que nada, en este campo, parecía sorprenderla, así fueran fetichismos, fantasmas, aberraciones sádicas o masoquistas, pero no por haber experimentado nada de ello, sino por haber estudiado estos comportamientos en los libros, por haberlos analizado o interpretado a la luz de teorías elaboradas por discípulos o contradictores de Freud. En realidad, era más bien ajena al juego amoroso, que en el mejor de los casos asumía con una suerte de tierna pasividad desprovista de emoción.

–Tal vez así era contigo. Los hombres nunca aceptan que en esto llevan mucha responsabilidad. Era así contigo, estoy segura. No con otros.

–Quizás. Si quieres, me declaro culpable. Pero, en realidad, tú lo sabes muy bien, en estos asuntos nadie es culpable como tampoco nadie es inocente, pues al fin de cuentas toda atracción, toda frialdad o rechazo están tejidos con hilos muy secretos, eso que unos llaman química, otros fantasmas y otros, en fin, simples caprichos del instinto. Es posible que Serena haya logrado tener un mejor entendimiento sexual con otros hombres, puesto que, obedeciendo a la lógica de las propias elucubraciones, nos concedíamos mutuas libertades, aunque ella, según todas las evidencias, no hiciese mayor uso de la suya. Si lo hizo, fue de manera muy esporádica (contingente, diría ella), es decir, efímera y tal vez sólo movida por una curiosidad experimental, porque dentro del diseño que hizo de su propia vida avanzó por un camino de sucesivas renuncias hasta quedar enclaustrada en un universo libresco y afectivo, feliz de estar con sus libros, con su marido, sus hijas y su gata. Y yo lo había aceptado así. O creía aceptarlo. Para entonces yo me sentía como el padre de tres hijas y no sólo de dos. Al regresar del trabajo, contemplaba con el mismo sentimiento protector a las dos niñas haciendo sus tareas y a su madre sentada en la cama y con la espalda apoyada en un par de almohadones, escribiendo o leyendo.

–Y fumando.

–Sí, fumando.

–Y eso, ¿no te irritaba?

–A veces....

–No me cuentes mentiras ni te las cuentes a ti mismo. Estás haciendo trampa con tus propios recuerdos. Aquella no podía ser una situación tan idílica como la pintas. Debía ser más bien una situación insoportable. Nadie puede ser feliz con una mujer que pasa su vida encerrada, leyendo o escribiendo y fumando; una mujer tan inerte en la cama como una lechuga, con una vida tan parca y monótona como una monja de clausura. No es esta la Serena que yo conocí, tan insolente y vital. Di la verdad: acabaste dejándola por otra, por la frívola que confundía a El Greco con un torero andaluz, porque no tenías ya nada, o casi nada que compartir con ella, con Serena. Es algo tan simple de comprender que no necesita todo el misterio que tú le pones.

–¡Qué manera la tuya de pronunciar veredictos irrevocables! Las cosas no pueden pintarse en blanco y negro. No siempre tienen explicaciones tan fáciles y tú mejor que nadie deberías saberlo. ¿Acaso no te casaste la primera vez con un tonto, con un vividor barato, y duraste siete años con él? ¿Por qué elegiste como segundo marido a un hombre de la misma edad de tu padre? Siempre es más fácil arreglar la vida de los otros que la de uno mismo. Pero a lo mejor tienes razón, no te ofendas. Yo debía vivir inconscientemente insatisfecho con esta situación. Debía alimentar, sin saberlo, toda una secreta sublevación contra esa vida. Serena se había convertido en una hija. Era muy lúcida para observarlo todo, pero era sumamente frágil para afrontar esa realidad que todas las mañanas empuja fuera de su casa, hacia metros, oficinas, bancos, fábricas y comercios, a millares de hombres y mujeres. Estaba inerme. Había perdido esa fuerza que entre nosotros, en ese mundo desamparado y violento donde nacemos y crecemos, nos permite convivir con el riesgo y sobrevivir luchando. Era, pues, frágil y dulce, y a una mujer así, si ha compartido contigo sueños y desafíos muy duros, no se la puede abandonar.

–¿Por qué no? ¡Líbreme Dios de los débiles! Te crean siempre chantajes afectivos. Te culpabilizan. Eso lo sé por experiencia. Y de todas maneras tú acabas lastimándolos. Fue tu caso. No pudiste evitar que la frívola...

–Sí, Adriana puso al descubierto todo lo que tenía de vulnerable mi vida con Serena. Era su opuesto, y no por eso puedo llamarla, como tú, frívola o ligera. Daba importancia a todo lo que Serena consideraba fútil, superficial o vano; cosas que forman parte también, ¿por qué no?, del tejido de la vida: trajes, objetos, viajes, playas, restaurantes, hoteles, romances a la luz de la luna o travesuras del sexo. No veo hoy por qué, en nombre de qué ideas o de qué vocaciones, se deba poner una lápida sobre todo eso, a menos que uno sea un iluminado, un santo o un fanático que haya decidido sublimar frustraciones. Claro que esto era lo que me ocurría a mí cuando joven. Fue una de las razones que unieron a Serena conmigo. Recuerda: yo era un muchacho tímido y pobre de quince o dieciséis años, expuesto a continuas humillaciones pues era visto con una especie de compasivo desdén por tías y primas ricas; un muchacho lleno de dolorosos complejos, que pasaba las tardes del sábado en la Biblioteca Nacional de Bogotá leyendo a Nietzsche o a Schopenhauer, antes de volverse marxista y de acabar vinculado a grupos guerrilleros o a sus soportes políticos. Y Serena, de su lado, muchacha pobre pero ligada por la familia de su abuela a la sociedad de Barranquilla, debía sentir la misma mirada compasiva cuando sus amigas del Country Club observaban la irrisoria pretensión de la salita de su casa atiborrada de porcelanas baratas y de calurosos muebles de terciopelo. En ambos casos, el suyo y el mío, los libros, leídos con igual fervor, daban una respuesta a todas esas frustraciones tal vez surgidas del hecho mismo de vivir en la frontera de dos clases –una alta y otra media y modesta– sin pertenecer realmente a ninguna de las dos. Los libros o la literatura debieron ser una opción reivindicatoria que París vendría a santificar de algún modo, pues allí, al menos para nosotros, latinoamericanos, la pobreza –una pobreza representada por continuas escaleras y cuartos de sexto o séptimo piso con ventanas abiertas a los tejados–

tiene un aura romántica. Serena lo asumió todo con el mismo estoicismo de una monja que entrega su vida a Cristo Nuestro Señor, acentuando su desprecio por todo lo material a medida que se internaba en su mundo libresco, mientras yo asumía la realidad: es decir, conseguir el dinero para pagar un alquiler, el mercado, la luz y el teléfono y los trajes de las hijas. Pero parecía una situación que ambos habíamos asumido como un destino común. Y esa situación nos unía, con toda su carga de recuerdos, de desafíos, de pobrezas y zozobras que quedaron para siempre adheridas a la piel de aquella ciudad, París.

–Todo eso suena muy bonito. Pero apareció la otra...

–Sí, apareció. Y fue como agua en un desierto. No sonrías. Así la vi. Y no hizo nada deliberado para quebrar mi matrimonio con Serena. Durante mucho tiempo me tomó como un hermano o un primo, alguien cercano, cómplice que no le hacía la corte ni le deslizaba propuestas de ningún género; alguien a quien podía llamar a su oficina de Radio France International proponiéndole que comiera con ella una ensalada en el Bar des Théâtres o la acompañara a ir de compras por las boutiques del Faubourg Saint Honoré.

–Ibas dócil, como un perrito. Batiendo la cola.

–Dilo así, está bien. Y aquí avanzo solo por un camino donde no espero de tu parte ninguna comprensión. Aunque si lo quisieras, podrías explicártelo. Bastaría volver la mirada a aquel muchacho pobre y tímido condenado siempre a ser el pasivo observador de lindas y elegantes mujeres, tías, primas, amigas de estas: el universo bogotano de la familia de mi padre, finas como flores e inaccesibles como sueños cinematográficos; mujeres que vivían en casas refinadas del norte de Bogotá, siempre rodeadas de jardines y objetos de buen gusto y con esa elegancia que no está sólo en sus ropas y adornos, sino también en sus ademanes, en la manera de sentarse con las piernas muy juntas o de alzar hasta los labios una taza de té. Recuerda que ese muchacho se enamora de una muchacha muy joven, la amiga de sus primas, sin atreverse nunca a decírselo, debiendo contentarse con verla hablar y reír a su lado en agónicas tardes de sábado o de domingo desgarrado por la zozobra de guardar dentro de sí aquel amor sin esperanza, antes de perderla para siempre de vista o de volverla a ver fugazmente años después, al lado de un diplomático español, su futuro marido, bella, fulgurante y siempre, siempre inalcanzable. Con esa última imagen ardiéndole en el fondo del corazón y la memoria, ese muchacho llega a la universidad, se hace comunista, se deja embrujar por delirios revolucionarios y un día descubre la realidad brutal que ellos ocultan. Y, ya sin norte, encuentra a una muchacha en Barranquilla que comparte sus valores y rechazos y hasta cierto punto su marginalidad, se casa con ella, se va a París, desprendiéndose o ignorando todo aquello que tanto cuenta o contaba para las gentes de su medio (manteles, jarrones o tapetes), poniendo cojines donde faltaría una silla o fabricando una biblioteca con simples tablas o ladrillos, muy seguro él y su joven esposa de haberse instalado en el género de vida apropiado a una vocación común. Escaleras desvencijadas, olores a sopa y a coliflor en la lúgubre luz de los corredores, lavamanos y repisas no muy limpios, pobreza y apuros de fin de mes, todo eso se asume como el resultado de una elección definitiva, una forma de vivir que comparten en París miles de artistas o simples pobres diablos. Y de repente, toda esa vida edificada a lo largo de años durísimos tambalea peligrosamente cuando llega la misma mujer que ha deslumbrado tu adolescencia y te envuelve en su mundo. Sí, fue así, califícalo como quieras, pero de repente con un simple "sabio, acompáñame, no seas necio", la tenía a mi lado viendo cómo se probaba sin misericordia, en todas las boutiques del Faubourg Saint Honoré o de la Avenue Montaigne, docenas de trajes, de zapatos o pulseras. A todas partes iba con su Mercedes color blanco que dejaba estacionado en el paso de peatones, los *passages cloutés* de París, coleccionando multas con la mayor impavidez. Y aunque a mí me irritaba perder el tiempo de aquella manera, no podía evitarlo: experimentaba una inquieta fascinación de tenerla al lado, en el auto, elástica y palpitante, vestida como una modelo de Vogue, con trajes de buenos modistos que parecían diseñados sólo para ella, para exaltar su silueta, el largo cuello, la suave curva del busto, el arco firme de las caderas o sus largas piernas. Y como toque final de todas esas astucias de seducción con que elegía ropas y collares, la envolvía siempre un perfume muy suyo, una fragancia sutil que no era sólo el producto de un frasco costoso comprado en una perfumería, sino una esencia floral absorbida, filtrada, trasmutada por la ardiente feminidad de su piel en algo tan recóndito e íntimo como los latidos de su propio corazón. Esa fragancia subrepticia la respiraba uno cuando abría la puerta de su apartamento, o en el auto, o en el confín del bar donde nos sentábamos a beber una copa y hasta en la espesa dulzura de su abrigo de visón, aquellas tardes frías y luminosas del invierno cuando paseábamos a orillas del lago, en el Bois de Boulogne.

–Todo eso podría decirse de un modo más simple: volviste a enamorarte de ella. O quizás siempre lo estuviste, sin reparar siquiera en que estabas dejando a una intelectual algo chiflada por una *allumeuse* de lujo. Uno se pregunta cómo no te diste cuenta de ello desde el primer momento. Yo, es cierto, me casé la primera vez con un *gigolo* del género más obvio. Pero era joven. Salía de una cárcel dorada: la casa de mi abuelo. No era tu caso. Has debido encender una luz roja de peligro en alguna parte. Dime: ¿cuándo te acostaste con ella? Sé, por experiencia propia, que no pierdes mucho tiempo...

–Pues este fue un caso muy extraño, es verdad. Quizás por el hecho mismo de ser Adriana algo así como un símbolo de esas mujeres inalcanzables que lastimaron mi adolescencia; por esa misma timidez atribulada que me dejaba a su lado, mudo, con un hielo en las entrañas, cuando la encontraba, veinticinco años atrás, en casa de mis primas, al hallarme de nuevo con ella en París no me atrevía a ser nada distinto del amigo, del hermano o primo confiable y cómplice. Y ella asumió así nuestra relación sin pensar seguramente que pudiese tener un carácter distinto. Así que me seguía viendo como el amigo de infancia, el sabio inofensivo que la acompañaba a todas partes, inclusive a las discotecas, sin verse obligada a detener, como le ocurría con otros hombres, insinuaciones o avances descarados. Tú eres distinto, me decía. Yo era distinto, según ella, a esos hombres siempre impregnados de whisky que al primer descuido intentaban besarla. Y realmente, tenía tanta confianza en mí que a veces, cuando venía a buscarla a su apartamento, terminaba tranquilamente de vestirse, de maquillarse o de cepillarse el pelo, cubierta sólo con una levantadora, como si estuviese delante de una amiga y no de un hombre que la contemplaba agonizando de ansiedad. Apenas si me decía de pronto: "Sabio, vuelve la cara unos segundos hacia la pared mientras me pongo las medias."

–Una calentadora, claro. Se debía dar cuenta de todo. Las mujeres siempre nos damos cuenta de lo que le pasa a un hombre por dentro. No es tan difícil adivinarlo, a menos que sean homosexuales. Y aun así, también nos damos cuenta si lo son. Así que tú, muriéndote de ganas de acostarte con ella, no hacías nada para poner las cosas en claro. Nada. Eras como el insecto fascinado por la llama de la vela....

–Ni más ni menos. Pero había algo que lo hacía todo aún más peturbador: sus confidencias. Al principio estas se referían exclusivamente a su marido, el diplomático español miembro del Opus Dei, como si quisiera pasar revista de manera agotadora a todas las frustraciones vividas a su lado. Eran recuerdos que pintaban siempre el mismo personaje: un hombre árido y frío, casi un eclesiástico, que estaba siempre censurando sus ímpetus y sus trajes, mientras ella ardía de deseos insatisfechos.

–Así, hasta que le plantó unos soberbios cuernos en un barco con un fogonero italiano. ¡Y quién sabe con cuántos más! ¿Te lo dijo, al menos?

–Como ya te conté, hablaba de *flirt*s sin que yo pudiese saber el alcance real de esta palabra. En todo caso, en esos recuerdos, que iba desgranando con mucha gracia mientras conducía el auto o se cepillaba el pelo, había siempre colegas diplomáticos de su marido que trataban de atraparla en un ropero o detrás de una puerta o que buscaban sus rodillas bajo la mesa mientras proseguían conversaciones llenas de circunspección. Había también médicos o dentistas alborotados que le enviaban flores y cartas, y poetas que le hacían versos con atrevidísimas metáforas. Al parecer, todos estos desvaríos no le decían mayor cosa, los veía con risa; eran simples juegos de artificio que no tardaban en apagarse consumidos por su propia combustión, dejando sólo en esos diplomáticos, médicos, dentistas o poetas un rescoldo de rencoroso despecho. Quizás hubo con alguno algo más; algo que ella vestía con la inocente palabra *flirt* para significar sólo su carácter insustancial o efímero. No lo sé. En aquel momento aquello me dejaba una espina por dentro. ¿Era una mujer ligera? Ella parecía adivinar mis propios pensamientos porque de golpe se volvía hacia mí muy seria diciéndome: "No vayas a pensar cosas feas de mí, sabio. Mi único enredo fue con Ramiro. Con Ramiro y nadie más."

❧

–... sí, el muchacho que hizo estallar su matrimonio. Se llamaba Ramiro Gutiérrez o Ramiro Gutiérrez Céspedes, apellidos que había ennoblecido llamándose Gutiérrez y Céspedes como si esa *y* griega atravesada entre dos apellidos más bien corrientes jugara el papel de un título virreinal. No sé qué negocio tiene: corredor de bolsa o corredor de seguros. Es un emergente algo parecido a tu Barker Iribarra, tu primer marido, pero desde luego una versión más local y modesta. Nuestro emergente, tú lo sabes, es un ser caricaturesco que rinde culto desmedido a las apariencias como si ellas pudiesen conferirle los apellidos, los blasones o escudos de armas que no tiene y que anhelaría tener. Buscando identificarse con eso que nuestras revistas llaman el alto mundo social, ese emergente logra, tras hábiles esfuerzos, hacerse socio del Country Club o de cualquier club de igual categoría, y desde esta posición es el primero en echarle balotas negras a cualquier aspirante a socio, judío o de medio pelo, que juzgue como un advenedizo. Aprende a jugar al golf y al tenis, asiste a campeonatos de polo, se compra un auto deportivo y ropa costosa en Miami, pero todo lo que lleva, demasiado nuevo y reluciente, expresa un vanidoso alarde. Es como uno de esos actores de nuestra televisión, de origen más bien modesto, que por capricho de un libretista resulta representando el papel de aristócrata. Algo lo delata; algo traiciona sus esmerados esfuerzos de simulación aunque sea un anillo, un broche de corbata o la manera como se anuda al cuello un pañuelo de seda para ir a un almuerzo campestre, o la manera como levanta la copa para hacer un brindis. Hay siempre algo excesivo, caricaturesco en este emergente, inclusive la arrogancia con que trata a *maîtres d'hôtel* y camareros o la forma como les devuelve una botella de vino con el pretexto de que está avinagrado. Y lo que pone en su casa revela el mismo rastacuerismo (un sofá de raso, un espejo, un teléfono dorado colocado sobre una columna de mármol de Carrara). Y tales mansiones llenas de presunción corresponden a las fiestas de corbata negra que organiza en ellas, con motivo de un cumpleaños o la presentación en sociedad de alguna hermanita.

–Me parece que tu amiga, la frívola, pertenece a la misma categoría.

–No. Aunque, si vamos lejos, en realidad, la nuestra ha sido siempre una sociedad de emergentes. No hay dinastía familiar que no tenga ese origen. Inclusive la tuya, Claudia, y no te ofendas. Tu propio abuelo, el patriarca, fue inicialmente mal recibido en Bogotá cuando apareció por allí con una oreja perforada por un balazo y el polvo de las minas de Antioquia en el traje. A lo mejor, entre quienes lo rechazaron estaba mi propio abuelo, el padre de mi padre, que dilapidó una fortuna en París, según dicen, y sólo le quedaron sus apellidos y un puesto en el club. Ese abuelo, por cierto, nunca aceptó a mi madre que era de origen modesto. Emergentes.... Sí, todos lo hemos sido en estas tierras. Sólo que el tal Gutiérrez y Céspedes era de una cosecha reciente. Adriana, que al lado del diplomático español había llevado cierta vida mundana por muchos años, se dio cuenta apenas lo vio. Me lo dijo. Según ella, lucía en el saco un pañuelo de seda sobresaliéndole de un modo demasiado vistoso, un pañuelo escarlata con tréboles dorados, lobísimo, realmente lobísimo, decía utilizando esa palabra que en Bogotá cae como una lápida funeral sobre las aspiraciones de cualquier emergente. Y no obstante el pañuelo, los zapatos de gamuza o cualquier otro signo que lo delatara como un muchacho lleno de ínfulas irrisorias propias del pequeño arribista social que era, tan despreciado por el marido de ella, el tal Gutiérrez o Gutiérrez y Céspedes la sedujo desde el primer momento. No fue sólo su rostro de galán cinematográfico, sino sobre todo, me dijo, la manera de mirarla: "Como si me estuviera quitando la ropa con los ojos." Debía estar bajo los efectos de la cocaína o de la marihuana –a las dos cosas era adicto–, pues su mirada era fija, brillante, lenta y alucinada como la de un fanático al tiempo que le iba proponiendo, con el mismo desvarío que había en sus pupilas, que abandonaran aquel salón para ir a otra parte. Otros hombres en otras ocasiones le habían hecho propuestas análogas, pero lo nuevo, en este caso, era la apremiante e insolente intensidad con que este muchacho, menor que ella y con el físico de un seductor profesional, le hacía esta invitación sin dejar de envolverla en aquella mirada abiertamente procaz. "Estoy con una amiga", le había dicho ella, sin darse cuenta de que al bajar el tono de voz entraba en una zona de tácita complicidad con él. "Dile cualquier cosa", había replicado él con impaciencia. "Te espero en el parqueadero. Está en el sótano y mi auto es un Jaguar rojo." "Está completamente loco", le había dicho ella llena de susto y ansiedad por dentro. "Cómo se le ocurre..."

–Pero fue.

–Fue, sí.

–Y él la llevó de inmediato a un motel. O quizás no. Quizás ni siquiera se tomó ese trabajo. La violó en el auto.

–¿Eres bruja?

–Fue así, ¿verdad? La violó en el automóvil. Y debió decirte también de qué manera lo hizo. Con todos los detalles. Para ponerte al rojo vivo sin dejar por ello de considerarte como un tierno hermanito. Confiésalo.

–Podrías hacer una fortuna leyendo las cartas.

–Y tú, dócil como un perrito, continuaste siguiéndola a todas partes y escuchándole sus cuentos.

–No, ahí te equivocas. Volvía a casa con la espina de un desasosiego diciéndome por enésima vez que estaba haciendo el papel de un soberano imbécil. Serena debía darse cuenta de todo. Me veía inquieto, sombrío. ¿Ya te acostaste con ella?, me preguntaba sin la sombra de un reproche, atenta y casi maternal, como una madre pregunta a su hijo si ha hecho las tareas escolares. Serena parecía leer dentro de mí aquellas ansiedades como si fuesen un libro abierto ante sus ojos. "Toma lo que quieras, pero sin historias", decía. Y ahí mismo me estaba recomendando la lectura de un libro sobre la perversidad de las seductoras; un libro muy revelador, decía, para entender a todas las Mesalinas de este mundo. Sin haberla visto más de dos veces, y sin que yo le contara nada de las confidencias de Adriana, daba la impresión de haber captado todas las claves de su manera de ser. Me explicaba de dónde salía aquella necesidad de enardecer los deseos masculinos y cuál era su manera particular de utilizar a los hombres. "Utilizan sus atractivos como la zanahoria que los campesinos españoles cuelgan delante de sus asnos para hacerlos avanzar", decía. Exponía todas estas teorías suyas con la misma aplicación de una buena alumna resolviendo en un tablero intricadas ecuaciones de álgebra. Y yo, viéndola en aquel cuarto tan modesto que nos servía de dormitorio, con sus ojos grandes, oscuros y atónitos de niña, tan diáfana y tan pobre (siempre cubriéndose con alguna camisa o con un pullover mío), me sentía estrujado por sentimientos de culpabilidad. Mi vida está aquí, con ella, me repetía cada noche. Y me proponía no ver más a Adriana. Dejaba de llamarla. Y era ella la que acababa buscándome. "Sabio, ¿qué te pasa?", me decía por teléfono. "Estoy arrepentida de haberte contado lo que te conté. Me estás juzgando mal. Como todos..." Y yo me sentía obligado a desmentir semejante interpretación: nunca he sido censor moral de nadie. De modo que volvía a verla. Volvíamos a almorzar juntos. Volvía a experimentar aquella fascinación de siempre.

–Loco por su perfume, su busto, caderas y piernas. Igual que antes.

–No, para ese entonces había empezado a considerar que Serena tenía toda la razón. Debía acabar con aquella farsa del amigo, el hermanito o el primo y acostarme con ella, con Adriana. Pero no era fácil lograrlo. No se me ocurría nada, y ahí estaba de nuevo la agonía de siempre como un hielo en las vísceras. No me veía enviándole flores, cartas o poemas eróticos o estrujándola repentinamente detrás de una puerta. Tal vez, óyelo bien, porque no sentía en ella nada que me alentara a ello. Sabía muy bien lo que podría decirme. "Ay, sabio, no lo eches todo a perder; tú eres como un hermano para mí." Y si yo le hubiese contestado: "Pues no te veo como te vería un hermano, sino como te ve un hombre", ella habría puesto las cosas en claro, definitivamente en claro diciéndome: "No estoy enamorada de ti, nunca lo he estado y probablemente nunca lo estaré; perdóname, pero las cosas son como son..." Y esto era algo que no deseaba oír. Quizás esperaba que con el tiempo todo cambiara. En las películas que uno veía cuando muchacho, había siempre cerca de la bella protagonista, un hombre que la amaba en silencio hasta cuando ella...

–No me irás a decir que te habías preparado para vivir, al lado de tu famosa *allumeuse* o calentadora, para decirlo en buen castellano, un amor platónico. Ahora comprendo: eres todavía un adolescente. ¿Y puede saberse cuánto duró ese martirio?

–No, no mucho tiempo. Algo cambió la situación. Algo relacionado con Federico Aristigueta, tu primo. Nada menos.

–¿Federico? ¿Qué tiene que ver con esta historia?

–Mucho.

❧

–...Nunca he cruzado con él dos palabras. Serena lo conoce muy bien: yo no. Tu primo tiene la desdeñosa arrogancia de un señorito andaluz. Sólo que es más rico y soberbio que cualquiera de ellos, y con una dosis aún mayor de narcisismo, si ello es posible, por saberse muy atractivo para las mujeres. Siempre me sorprendió la manera como hace su entrada a un coctel o una recepción, esbelto y glacial, sin concentrar su atención en nadie: tiene la misma mirada de una *vedette* cinematográfica, una mirada ciega que rueda sobre las caras como si fueran sombras o árboles de un camino, sin fijarse en ninguna, pues el centro de atención es él mismo. Es el sol en torno del cual no hay sino satélites.

–Eso lo sé de sobra. Me he pasado la vida entera peleando con él.

–Desde luego, tú lo sabes mejor que nadie. Y debes saber también, por haber estado casada con uno de ellos, que estos narcisos suelen ser coleccionistas de beldades. Ellas son como los trofeos de plata para un deportista: abanican su ego siempre en ascuas. Sólo que nunca se quedan mucho tiempo con ninguna, y menos con aquellas que a la primera o segunda oportunidad obtienen sin más esfuerzo que el que supone tomar una aceituna o una cereza de un plato puesto en la mesa.

–Fue el caso de la frívola, claro.

–No, claro que no. Adriana no es una mujer fácil. Puede ser coqueta e inclusive un poco *allumeuse*, como tú dices, pero fácil, ligera no lo es, aunque en dos o tres ocasiones haya sucumbido, como muchísimas mujeres, a eso que los franceses llaman *coup de foudre*, atracción a primera vista. Otra cosa es que se sienta halagada si un hombre como tu primo Federico la llama por teléfono invitándola a salir.

–Le atraen los hombres ricos.

–Ricos o prominentes desde cualquier punto de vista. Inclusive puede salir con un tonto de esos que sólo están en este mundo para ser fotografiados en las revistas. Todos, sin duda, esperan que la invitación termine en la cama. Pero no sucede así, y acaban enfurecidos con ella. Pudo ocurrirle a tu primo. Encontró a Adriana en el *relais* del hotel Plaza Athenée, la invitó un par de veces y ella debió retirarle la mano del plato cuando se disponía a tomar la dulce cereza. Y él no está acostumbrado a rechazos.

–¿Qué hizo, la abofeteó?

–¿Por qué lo dices, es capaz de hacerlo?

–Eso y cosas peores. Suele ser vengativo. No acepta nunca un no.

–Si se vengó, lo hizo de manera muy especial. El rechazo, al parecer, debió despertar su instinto de cazador, instinto adormecido por tantas y tan fáciles conquistas. Tal vez para él la mejor reparación a su ego contrariado era conseguir a cualquier precio lo que buscaba. De modo que siguió invitándola, enviándole flores y regalos y llamándola a las horas más insensatas no sólo desde el propio París sino desde otros lugares de Europa proponiéndole encuentros en Roma o en Londres o en Suiza. "Yo sé lo que quiere, pero eso ni muerta", decía Adriana riéndose. Desde luego, yo no quería escucharle más confidencias y menos relacionadas con tu primo.

–¿Celos?

–Llama eso como quieras. Yo no quería saber nada. Se lo dije a Adriana. Pero aún así, me daba cuenta que tu primo continuaba en su expedición de caza, con su escopeta al hombro. Adriana no podía privarse de hacer alguna alusión a este asedio. "Estuvimos hasta muy tarde en un club rarísimo de rue d'Artois", decía. "Había una mujer muy linda, amiga de Federico, que no me quitaba los ojos de encima. Y ambos, Federico y ella, estaban empeñados en hacerme ver películas indecentes..." Yo debía fruncirme escuchándole aquello, porque ella, de inmediato, se apresuraba a decir: "Tranquilo, sabio, no pienses cosas feas de mí. No pasó nada."

–Pero pasó, claro. Cuenta la verdad. Federico nunca pierde su tiempo.

–Pasó, pero no entonces sino tiempo después. Adriana me lo confesó. Fue una mañana de otoño mientras cruzábamos en su automóvil el puente Alejandro III. Estaba rarísima, como nunca la había visto: seria, casi sombría, la nariz perfilada, los labios tensos, las manos al volante, mirando fijamente delante de ella las grises avenidas de París. La conversación se apagaba a cada instante como fósforos bajo la lluvia. "¿Qué te pasa?", le pregunté al fin. Entonces vi que las aletas de la nariz le temblaban: estaba a punto de llorar. "Me siento inmunda" dijo al fin, mientras yo veía surgir en el aire de agua y ceniza los alados caballos dorados del puente Alejandro III. Hizo una pausa y luego, bajando la voz y sin mirarme, me hizo la confidencia que tanto temía. "Me acosté con él", dijo. Yo sentí algo así como un plomo frío por dentro, una bruma glacial, mezcla de cólera, de asombro y de amarga tristeza. "Qué puta", pensé. Y ella, como si me hubiese oído, empezó a llorar en silencio. Le rodaban las lágrimas por la cara mientras el auto rodaba veloz entre el Grand Palais y el Petit Palais. Tenía la voz quebrada. "Prácticamente me violó", dijo. "Se me echó encima como un caballo. Ahí mismo, en el vestíbulo del apartamento. Y yo lo dejé hacer, no sé por qué. Por eso me siento sucia. Qué asco, me decía unas plebedades horribles al oído."

–¿Y cuáles eran esas plebedades? –pregunta Claudia.

–No me las dijo entonces, sino tiempo después.

–¿Y cuáles eran?

–Nada especial. Las cosas que en el Caribe deben decírsele a las putas.

–Dímelas al oído.

–¿Al oído?

–....

–¿Eso?

–Sí.

–Me excita oírlas.

–La verdad es que a mí también.

–Ya me estoy dando cuenta. Me encantan las plebedades. Dímelas otra vez al oído....

➛

Cuando salen de la casa, los envuelve la luz dorada y fulgurante del crepúsculo. Bajan hacia la playa enceguecidos por el resplandor de incendio que tiene el sol en el horizonte. Está hundiéndose en el horizonte más allá del lomo lejano y oscuro de la isla de Antigua, dejando largos reflejos cobrizos en la superficie del mar, que está quieta y plácida como la de un lago. En los árboles cercanos, hay un gran alboroto de pájaros.

–A esta hora el agua es deliciosa –dice Claudia–. Lo malo es que no hay brisa y el jején nos puede devorar.

–Será una zambullida muy rápida.

Ella lo mira con risa.

–¿Para reponer fuerzas?

–Eres una mujer procaz, está visto.

–Como un carretero.

–Y además de costumbres muy curiosas. Vas al mar como si fuera una fiesta. ¿A quién se le ocurre ponerse sobre el vestido de baño una blusa y unos guantes?

–Es para protegerme del jején, ya te lo dije. Si fuera la medianoche o si soplara la brisa, me echaría al agua desnuda, sin un solo trapo.

–¿Ante la impávida mirada de Graham?

–Más emoción debe producirle a él una escultura de mármol. Las mujeres no le ocasionan ni un mal pensamiento. Por eso lo tengo.

–¿Te abanica cuando hace calor?

–Y me unta aceite en el cuerpo. Como un esclavo. Caray, ya me picó un bicho. Échate rápido al agua. Sé por qué te lo digo.

–Tenías razón, el agua estaba deliciosa. Tibia y tranquila. Ahora dejáme envolverme en esta toalla porque los insectos estos se están dando un banquete.

–Olvídate. No podemos quedarnos ni un segundo aquí. Dentro de nada será noche. Mira, ya se ven estrellas sobre la casa.

–Con esa blusa pegada al cuerpo y esos guantes blancos y el

sombrero, tienes todo el aspecto de una aparición. Si te ve un negro de la isla, se echa a temblar.

–¿De emoción?

–También de emoción. No tienes nada debajo de la blusa transparente.

–No te alborotes. Mejor cuéntame qué pasó con la mujer de tus tormentos después de que Federico le diera su merecido. Por cierto, es lo que tú has debido hacer antes que él.

–Conviertes en polvo mis más conmovedores recuerdos.

–En un polvo terminan siempre, por lo que tú me cuentas. ¿Qué pasó con ella? No, mejor dejémoslo para después. Ahora lo que necesitamos es un buen baño caliente, mucho jabón, espuma, champú, ropa seca y luego, en el jardín, algo fuerte y seco, un dry martini, para quitarnos de la boca este sabor a sal. Sólo entonces quiero oír el final de esta historia de amor y pasión.

↬

–Supongo que lo sucedido con Adriana y tu glorioso primo fue en cierto modo liberador. Tal vez una revelación sacrílega. Rompió un tabú. Adriana siempre había sido (ya te diste cuenta) una especie de mito tejido con el hilo de innumerables sueños y frustraciones, el emblema de esas inaccesibles mujeres que yo veía en el cine o en casa de mis tíos cuando era joven, figuras femeninas bellas y evanescentes que reían y hablaban frente al resplandor de una chimenea, tan lejos siempre de ese mundo mío carcomido por penurias y tristezas constantes, mundo que el recuerdo reduce siempre a patios sucios de hollín, palomas, frío, lluvia en la ventana, remotos y largos pitazos de trenes entrando en la noche a la estación del ferrocarril. Y de pronto, toda esa fábula febril y poética que yo había fabricado en torno a Adriana se hace trizas con tres simples palabras pronunciadas mientras cruzábamos el puente Alejandro III: "Me acosté con él." Sí, aquel infinito sueño tejido a lo largo de tantos años se había esfumado dejando en su lugar a una mujer que dos o tres horas antes había sido empujada, doblada y poseída sobre una alfombra como una campesina en un granero; una mujer de ojos y narices enrojecidas por el llanto, con el rímel resbalándole por las mejillas en el surco húmedo dejado por las lágrimas, y con el mentón temblándole como si tuviera escalofríos. Estaba a mi lado conduciendo su Mercedes que ahora subía por los Campos Elíseos. "No te quedes callado. Dime algo, sabio, no me hagas sentir aún más mal..." Y yo, ¿qué podía decirle? No lograba sacar de mí una sola palabra. Luego del asombro inicial, sentía una brasa de rencor y de cólera ardiéndome por dentro. Qué pendejo he sido, pensaba. Qué pendejo. Era algo así como un hueso que no podía digerir. "Me estás odiando", dijo ella de pronto, después de pedirme un pañuelo y de secarse con él las lágrimas. "No, no es así", replicaba yo, sin poder agregar nada más, pues yo mismo no llegaba a definir lo que me ocurría. Sólo había aquella brasa de rencor ardiéndome por dentro, y la idea de que ella había perdido aquella aura luminosa e invulnerable. Era sólo una mujer humillada, tendida sobre una alfombra, mientras tu primo, el amo del serrallo, se levantaba los pantalones. Aquella brasa continuó ardiéndome el resto del día, y aun en la noche, convertida en fiebre, rabia, desasosiego e insomnio. Bajo este efecto, mi cerebro parecía buscar desesperadamente una salida como si estuviese encerrado en un cuarto en tinieblas, ahogándome. No debo verla más, me decía de pronto. Y al instante, dentro de mí otra voz daba una orden contraria. Ya no tienes nada que perder. Haz con ella lo que siempre has querido hacer, cuanto antes y como sea, óyelo bien, y luego sí, piérdela de vista, déjala, olvídala, vuelve a lo tuyo; vuelve a Serena que es la única y verdadera mujer de tu vida. Pero no te quedes con esa espina adentro. En todo caso, proseguía aquel monólogo febril y obsesivo mientras me afeitaba. Las cosas ahora son distintas. Todo puede suceder. Nada importa, seguía repitiéndome mientras tomaba el teléfono con un temblor en las manos y en el corazón para invitarla a almorzar. Era como si estuviese bajo el efecto de una droga alucinógena que gobernara mis decisiones y palabras.

«No recuerdo qué le dije. Ni qué dijo ella. Estaba aún deprimida. Se sentía sola, sólo eso recuerdo. Pero a mí sus congojas me importaban un bledo. Seguía viva aquella brasa de rencor y de cólera empujándome fuera de cualquier escrúpulo o temor. Con la misma decisión desesperada y fría de un jugador arruinado que coloca sus últimas fichas en un solo número de la ruleta, quería jugarme el todo por el todo, sin temor a catástrofe alguna, o más bien con la certeza de que la única catástrofe era dejar las cosas como estaban. Era otro. Actuaba como si fuese otro. Y ella también parecía distinta. No reía. Permanecía seria, inquieta, con silencios súbitos y largos suspiros que le cortaban de pronto sus palabras. "Estoy deprimida, necesito beber algo más fuerte", decidió al fin cuando nos sentamos en el bar del Hôtel du Port Royal. Allí almorzábamos a veces, pero esta vez no probamos nada, salvo algunas tajadas de salmón ahumado con tostadas. En cambio bebimos. Bebíamos vodka con agua tónica, cosa extrañísima en Adriana que sólo bebía vino blanco, sin importarnos que se hiciera tarde y que el lugar quedase desierto, sólo con un camarero detrás de la barra. Pero el alcohol no apagaba aquel rescoldo de rabia sorda, que se avivaba oyéndola hablar de tu primo ("Tengo que decírtelo a ti, si no a quién", decía), sus subterfugios y engaños para presentarse en su apartamento a la primera hora del día (venía a invitarla a desayunar en el hotel Plaza) y su repentina embestida que ella finalmente no rechazó sino con débiles protestas. Yo la oía sin hacerle ningún comentario, alzando de vez en cuando la mano para pedirle al camarero dos nuevos vasos de vodka con hielo, pero en mi cabeza iba y venía como un péndulo un no más, no más, no más, ahora o nunca. Y de golpe brotaron al fin las palabras, las que nunca me había atrevido a decirle. No muchas. Pocas, ásperas, hervidas en aquel rencor que llevaba dentro. "No quiero saber de historias tuyas con otros tipos. Y tú sabes por qué, Adriana. Tú sabes lo que me ocurre contigo." No era una pregunta sino algo tan rotundo y sombrío como una sentencia.

»Ella asintió con una expresión grave. No mostró ninguna sorpresa. Lo sabía. Quizás lo había sabido siempre. Se quedó contemplando fijo el vaso (yo veía su perfil en la penumbra del bar). Luego la oí murmurar:

»–Me asustas, sabio.

»–¿Por qué? –le dije.

»–Por muchas cosas. Estás casado...

»–Eso lo sé.

»–Tienes una mujer muy linda.

»–A quien quiero. Se puede querer a dos mujeres de distinta manera.

»–A mí no me gustaría que un hombre con el que estuviese casada tuviese otra.

»–Ella sabe lo que me sucede contigo. No puedo ocultarle nada. Lo sabe. Lo entiende. Ni ella ni yo somos carceleros el uno del otro.

»–Es cierto que ustedes tienen una relación muy especial...

»–Yo no quiero seguir jugando el papel de primo o de hermanito protector. Es una farsa. No lo soy. Y si lo fuera, estaría al borde del incesto.

»Los ojos de ella tuvieron una expresión de risueña sorpresa.

»–¿De veras, sabio?

»–No pienso en otra cosa.

»–Pues lo has ocultado muy bien.

»–Durante más de veinte años.

»–¡Veinte años!

»–Es una espera demasiado larga e injusta –le dije tomándole la mano y rozándole la cara con los labios. Traté de besarla, pero ella me esquivó.

»–El camarero nos está mirando.

»–Entonces, ven –le dije levantándome.

»–¿A dónde?

»–A otro lugar más tranquilo. Tenemos cosas que aclarar.

»–Sabio, creo que estás algo rascado. Y yo también, no sé cuántas vodkas nos hemos bebido.

«–Ven, por favor.»

–Y ¿a dónde te la llevaste?

–No muy lejos. Estábamos en el bar del Hôtel du Port Royal, ya te lo dije. Es un bar célebre donde suelen encontrarse los escritores editados por Gallimard; un lugar penumbroso y tranquilo, con grabados antiguos en las paredes y viejos sillones de cuero, situado en un nivel más bajo que el de la calle, con una escalera alfombrada que conduce a la rue Montalambert y un ascensor que lleva a los pisos superiores del hotel. Tenía la llave de un cuarto en el bolsillo. Sí, todo lo había planeado aquella misma mañana, fríamente, como quien se dispone a perpetrar un asesinato. Adriana entró en el ascensor todavía con asombro, pero sin recelo. Empezó a inquietarse cuando el ascensor dejó el piso de la recepción ascendiendo hacia los pisos superiores con una desesperante lentitud.

«–Qué es esto, adónde me llevas? –preguntaba.

»–Tranquila –le decía yo sintiendo que había cruzado una frontera sin posible regreso.

»–Espera, espera –repetía ella.

Una vez que estuvimos fuera de aquella jaula, caminando por un pasillo alfombrado llegamos ante una puerta que abrí con la llave.

»–Ven –le dije.

»–Estás loco, sabio –murmuró ella entrando en el cuarto.

«Y sí, debía pensar que estaba loco por algo irrevocable que debía leerme en la cara y en la voz. Y en realidad, yo mismo me sentía como si estuviese actuando bajo la influencia fosforescente de algún alucinógeno, en un lindero turbio entre la realidad y el sueño. El propio cuarto, con una ventana invadida por un crepúsculo azul y una lámpara encendida sobre la mesa de noche, me parecía irreal. Latidos sordos de ansiedad se me agolpaban en el pecho y en los tímpanos. De golpe, no sé cómo, ella estaba allí, pálida y con ojos intensos, temblando contra la puerta, y yo, estremecido, la besaba despacio en el cuello y respiraba en el sedoso bosque del pelo el sedicioso vapor de su perfume, aquella esencia íntima y muy suya que la envolvía como una capa de tentaciones, mientras mi mano buscaba sus caderas, todavía ariscas, atrayéndolas hacia mí, hacia la hoguera desesperada de mi deseo, para quebrar su última resistencia como quien corta el tallo de una flor muy fina con más ternura que violencia. Yo la sentía a la vez tensa y abrumada de caricias, en ese punto en que una mujer vacila entre el rechazo y la entrega. Pero no podía volver atrás, y allí estaba, besándola, ebrio de su olor, ardiendo en las brasas de una ansiedad que me encendía de fiebre las manos mientras la tocaba, explorándola, reconociendo con un tacto ciego, enardecido, flancos y pliegues secretos de su cuerpo hasta encontrar, bajo la seda de la blusa, la estremecida dureza de un seno, demorándome en él con la trémula febrilidad de un escultor. Y al fin, cedió. Ahogada en suspiros, cedió. Lo sentí cuando su cadera se arqueó buscándome, cuando adelantó con un roce de sedas su pierna para refugiarla entre las mías y sus labios, que hasta ese momento sólo se dejaban rozar, fríos como la hoja de una navaja, se abrieron al fin en un beso lento y profundo dejando que su lengua, rápida, húmeda y ardiente como una víbora de fuego, se enredara en un juego de caricias con la mía. "Espera, espera", la oí decir de golpe con una voz no más alta que un susurro. "Apaga esa lámpara y cierra la cortina. Es una locura que no deberíamos hacer...."»

–Pero la hicieron.

–Sí, claro.

–Y ella encontró que el incesto con su tierno hermanito tenía delicias ignoradas.

–No fue así, por desgracia. No en aquel momento.

–¿Alguna emergencia tuya?

–Mía no. Suya. Pero aquí entramos en zonas prohibidas. También yo las tengo, como tú.

–Me dejas intrigada.

–Bebe tu dry martini. Es como fuego helado.

–¿Era frígida? No me extrañaría.

–Preferiría hablar de códigos secretos, de claves. Toda mujer los tiene, pero los de ella sólo más tarde vine a descubrirlos. No aquella vez. Conténtate con eso, Claudia. Tus preguntas se están volviendo perversas.

–Está bien.

En torno a ellos, en el aire tibio y perfumado del jardín, hierven los grillos. Están sentados en una banqueta mecedora frente a la vasta oscuridad donde se funden la noche y el mar, una oscuridad rota sólo por la luz de un quinqué que Graham ha puesto delante de ellos, con las dos copas de martini y un plato de aceitunas, en una mesita de hierro. La lumbre del quinqué arroja sobre el rostro de Claudia un pálido esplendor. Ella se ha quedado de repente absorta.

–Las mujeres somos a veces muy complicadas –dice ella enigmáticamente.

–Así es.

Y de pronto, mientras se enciende un relámpago sobre el mar, él vuelve en su memoria a aquel cuarto del Hôtel du Port Royal, a la cortina filtrando la luz de la calle, a Adriana desnuda en la oscuridad, bella como en un sueño, con los párpados cerrados, mientras él continuaba haciéndole el amor con una desesperada aplicación buscando encontrar en las tinieblas húmedas de su cuerpo una respuesta a su propio ardor. No quería quedarse con un placer huérfano. De repente, había oído su voz, un cuchicheo íntimo: "No, no puedo, sabio. Estoy muerta de ganas, pero algo ocurre." "¿Qué puede ser?" "No sé. Tal vez este cuarto. O el hecho de que lo hayas preparado todo. A mí el menor cálculo me convierte en un témpano. Soy necia, sabio."

Más tarde, en el automóvil de ella, él se sentía extrañamente triste y vacío, todavía impregnado de su olor. Al detenerse delante de un semáforo, ella le había dado un beso en la mejilla. "Tranquilo, no te hagas mala sangre, como decía mi marido. Yo soy necia, ya te lo dije. Y de pronto, lo que ocurre, es que sigo viéndote como un hermanito, sabio."

Y con esta frase, lo había hecho trizas por dentro.

–Sí –dice él en voz alta ante la mirada sorprendida de Claudia–. Me faltaban por descubrir muchas cosas. Qué extrañas son ustedes las mujeres, de verdad.

X

Se han quedado algunos instantes en silencio, con el débil resplandor de la lámpara delante de ellos, perforando la oscuridad, y los grillos y las ranas tejiendo en torno su íntima tela de rumores nocturnos. De vez en cuando un súbito relámpago ilumina el horizonte. Entonces, por un instante ven el mar: refulge como una lámina de plata antes de ser devorado de nuevo por la oscuridad, al tiempo que llega hasta ellos el sordo eco de un trueno. Va a llover, dice ella. Como todas las noches en esta época. Y es una lástima, dice, porque nada es igual a las noches de las islas en diciembre y enero, cuando el cielo, despejado, es una fiesta de estrellas. A veces, a la luz de la luna, alcanza a divisarse, muy nítida y como surgiendo del mar, la isla de Montserrat. Otra isla que deberían explorar, dice ella. Y de pronto está hablándole de aquellas islas, llamadas de Sotavento, al sur de Puerto Rico, descubiertas casualmente por ella y por Tomás, su marido: Antigua, la más británica de todas, pese a su nombre español; Montserrat, colonizada por católicos irlandeses perseguidos por Cromwell; y aquella donde ahora están, llamada por los aborígenes Ouatié, antes de ser descubierta por Colón. No había sido el paraíso que pintaban las guías turísticas. Su historia estaba salpicada de sangre. Primero los caribes habían masacrado a los colonos, luego los colonos habían masacrado a los caribes. Más tarde, se habían producido degollinas entre ingleses, franceses y españoles, incursiones de piratas, un terremoto, un maremoto y una epidemia de viruelas. Todo un rosario de catástrofes. ¿Cómo lo sabía? Por Tomás, su marido. Tomás se había dedicado a estudiar la historia de la isla. Después del secuestro, que fue para ellos dramático, habían pensado quedarse allí para siempre, lejos de los riesgos y de las amenazas de Colombia. Tomás se había propuesto construir en la isla un hotel de lujo, tan exclusivo como un club privado; un hotel por el estilo del Jumby Bay de Antigua, canchas de tenis y yates de recreo. Incluso había mandado hacer los planos y una maqueta y tenía banqueros interesados en el proyecto. Si realmente hubiese perseverado en aquella empresa, hoy estaría vivo, dice Claudia. Pero no fue así. Tomás era un hombre obsesivo y además un guerrero. Tal vez una isla resultaba un ámbito demasiado pequeño para él. Y luego, ella no sabía cómo, había encontrado en la isla a un inglés jubilado que había sido en otro tiempo un famoso sabueso de Scotland Yard. Le había referido a él la historia del secuestro a manos de un grupo de hampones vinculados a la guerrilla. Y el inglés, que tenía todavía viva su alma de policía y que debía aburrirse prodigiosamente bebiendo whisky con otros jubilados o mirando volar pajaritos y abejas sobre las flores de su jardín, había elaborado todo un plan para cazar a aquella banda de secuestradores. Todo, según él, era asunto de colocar estratégicas antenas en el mundo del hampa y en la propia guerrilla hasta dar con la red. Si se hacía un trabajo más fino y subterráneo que el suyo, si se hacía circular dinero para obtener informaciones, había muchas probabilidades de saber dónde estaban aquellos secuestradores, de espiarlos y si era el caso, liquidarlos sin ruido. Sí, se podía, repetía una y otra vez el inglés. Se podía, aprobaba Tomás, mientras se agotaba sobre la mesa una botella de whisky. Y así, poco a poco, Tomás se había encontrado delante de una empresa mucho más excitante que la de construir un hotel en la isla para millonarios norteamericanos. No era sólo un capricho de su espíritu aventurero (y aventurero ciertamente lo era aunque todo el mundo lo viese sólo como un banquero y un abogado de éxito); era su obsesión. El secuestro, que durante varias semanas dejó su vida colgada de un hilo, había dejado en él secuelas secretas, muy graves. Había quedado casi impotente. Tenía pesadillas. Veía en sueños a sus secuestradores, en especial al jefe de la banda, un individuo repugnante con un colmillo de perro y una uña larguísima en el dedo meñique. No era, pues, un episodio fácil de olvidar, ni siquiera en aquella isla a donde no llegaban periódicos. De modo que ella, conociendo en su marido aquel secreto de traumas, no pudo impedirle que decidiera regresar un día a Colombia con el inglés y con ella misma para organizar aquella peligrosa y estrambótica expedición de caza. Tenía que hacerlo, decía Tomás; tenía que limpiarse de telarañas la cabeza y poder dedicarse tranquilamente a sus negocios turísticos. Lo extraordinario –y ahí estaba pintado Tomás de cuerpo entero– es que logró lo que se proponía.

–¡Cazó a los secuestradores!

A ella se le ensombrece la cara iluminada por el frágil resplandor del quinqué. Sí, los había cazado a todos; uno por uno, a todos, con la ayuda de aquel inglés que resultó realmente un mago; sabía su oficio. Pero, fatalmente, liquidándolos a todos, Tomás había firmado su sentencia de muerte.

Él no preguntaba cómo ocurrió aquello. Le bastaba mirarla, observar aquella lumbre de ferocidad felina que aparece en sus pupilas cuando recuerda la muerte de su marido, para eludir cualquier indiscreción. ¿Está a punto de llorar? ¿Ha llorado alguna vez? Se lo estaba preguntando cuando la voz de ella, con el croar de las ranas palpitando en la oscuridad caliente del jardín, vuelve ahora lenta, apagada, brotando de las aguas profundas de la memoria, hablándole de Tomás, su marido. Siempre había conseguido lo que se proponía poniendo en juego toda su firmeza, una mezcla de tenacidad y paciencia tras de un objetivo preciso. Su vida había sido una suma de golpes certeros largamente preparados. Partiendo de cero, se había abierto paso en los negocios. Todo lo que había heredado de su padre, aparte de unas cuantas deudas –su padre era un verdadero calavera, mujeriego y jugador, célebre en la Bogotá de los años veinte–, era una acción del Jockey Club, un estilógrafo de oro y dos docenas de zapatos ingleses sin estrenar. Con ello y con un diploma en Derecho de la Universidad del Rosario, había iniciado su carrera. Conocía bien su país. Sabía dónde ubicarse. Así, aunque muchas veces para llegar al Jockey Club sólo tuviese los cinco centavos del tranvía, allí estaba él, a la hora del almuerzo, eufórico y elegante, con un buen traje de paño inglés que seguramente aún no había podido pagar a su sastre y los magníficos zapatos ingleses heredados de su progenitor, bebiendo whisky y diciendo travesuras. Esperaba. Sabía esperar. Sabía que tarde o temprano pleitos y sucesiones de los hombres que bebían whisky con él caerían en sus manos. Su madre, Adela Umaña, vivía lamentándose de su suerte. Siempre estaba recordando los buenos tiempos de la familia, las haciendas en la sabana de Bogotá en mala hora vendidas por su marido, fiestas y bailes de otro tiempo y los caballos con la divisa paterna que corrían en el Hipódromo de la Magdalena. Tomás pasaba todo su tiempo tranquilizándola. "Espera, espera, mamá", le decía, con la misma risueña e inalterable expresión que tenía cuando jugaba al póker.

Los buenos pleitos llegaron, en efecto. Pero lo que realmente cambió su vida fue su encuentro con Ramón Aristigueta, el padre de Claudia. A él debió su fortuna. Ramón, o Monchito como lo llamaban, era en aquel momento un muchacho soltero, joven, muy rico, con un extraordinario parecido a Rodolfo Valentino. Vestía muy bien. Hablaba un inglés perfecto y un español salpicado de expresiones inglesas, pues había hecho sus estudios en Boston. Cuando Estados Unidos, luego del ataque a la base de Pearl Harbor, declaró la guerra a las potencias del eje, él tuvo que regresar a Colombia. Fue duro para él encontrarse de nuevo con su padre. Eran como el agua y el aceite. Bello, frágil, refinado e indeciso, Ramón no tenía nada en común con el viejo Simón Aristigueta. En sus recuerdos no había, como en los de su padre, selvas fragorosas, minas de oro y duelos a machete con arrieros antioqueños, menos aún la pólvora y la sangre de la Guerra de los Mil Días, sino algo totalmente distinto: Boston, el olor nostálgico de las hojas de otoño quemadas en las calles, luego la nieve, el olor a pinos, las excursiones primaverales a los grandes lagos del norte y las bonitas muchachas de las grandes familias de Massachusetts que se enamoraban de él con extraordinaria facilidad. Volver de aquel mundo refinado del norte a una ciudad tropical como Barranquilla, húmeda, hirviente y llena de polvo; encontrar al viejo, que continuaba manejando sus negocios en una oficina por cuyas ventanas se metía la algarabía del mercado y los olores del pescado podrido de un caño del río Magdalena; alternar con hombres vulgares, con mucho de negro o de indio, sudorosos y barrigones, que hablaban a gritos, bebían litros de cerveza y lo saludaban con recias palmadas en la espalda (ajá, Monchito), todo ello debió ser para él una verdadera catástrofe. Atrapó un virus. Le dieron fiebres y diarreas. “Estás igual que los gringos”, decía el viejo; “no pueden comerse una arepa de huevo sin que les dé cagadera.”

El médico de la familia le recomendó una temporada en clima frío, en Bogotá. Y Bogotá fue para él una revelación. En aquel entonces era una ciudad tranquila y brumosa llena de iglesias y cafés. Había vivos y breves crepúsculos dorando el flanco de los cerros y las cúpulas y tejados coloniales. Había hombres vestidos como los ingleses y barrios de casas de ladrillos, también inglesas, con mansardas y chimeneas. Había parques con sauces y eucaliptos y estanques dormidos, y un gran hotel francés, el Hotel Granada, con espesas alfombras y un cabaret a media luz donde se bailaban las mismas cosas que estaban de moda en los Estados Unidos. Tal vez Bogotá fue lo más parecido que él pudo encontrar en el trópico al mundo que le había arrebatado la guerra. Las gentes de la sociedad, que veinte o más años atrás le habían cerrado las puertas a Simón Aristigueta, debido a su brutal rusticidad, le abrieron a su hijo casas y clubes. Todo lo que en él despreciaba el viejo, llamándolo patiquín, era allí bien calificado: sus ropas, sus modales, su inglés perfecto, su parecido a Valentino y desde luego, la manera elegante y generosa como sabía gastar el dinero. Fue el joven de moda, el partido más codiciado de los bailes en el Gun Club y en el Jockey Club. En el Hotel Granada, donde vivía, le llevaban en la bandeja del desayuno una rosa recién cortada. Los domingos, al llegar al Country Club, con un impecable saco de tweed y una bufanda de seda, sentía las miradas de lindas mujeres, casadas o solteras, fijas en él. Alguna vez le buscaban atrevidamente los ojos. Él las esquivaba con una timidez que a veces pasaba por arrogancia. Tal vez ninguna de ellas llegó a adivinar que tras la máscara de elegante tranquilidad de su cara había un terror secreto: el de que su padre lo mandara llamar a Barranquilla. Monchito temía que aquel encanto de meseta andina y todo lo que se movía en torno suyo fuera de golpe sustituido por el calor, el olor a pescado podrido, los improperios de su padre y la arrasadora vulgaridad de sus capataces y subalternos. De ese terror lo libró Tomás

Ribón organizándole empresas que a los ojos del viejo podían justificar su permanencia en la capital.

Fue una amistad sumamente provechosa entre dos individuos opuestos: alto, hermoso, suave y pálido el uno; feo, pequeño, enérgico y colorado el otro. Rico, Aristigueta. Pobre, Tomás Ribón. Tomás hervía en proyectos. Moncho tenía los medios financieros a su alcance, pero no se le ocurría nada capaz de multiplicar un peso por otro. De modo que sobre esta curiosa base organizaron su sociedad. Tomás lo hacía todo; Moncho ponía su firma y el dinero. Lo cierto es que aquellas inversiones en papeles bursátiles y en negocios de finca raíz resultaban muy rentables. El propio viejo Simón Aristigueta quedó sorprendido. Dejó que su hijo se quedara viviendo entre cachacos. Además, cosa curiosa, le gustó Tomás Ribón. Aquel abogadito bogotano, que ablandaba las erres al hablar, era rápido, directo, eficaz; no lo adulaba; no ocultaba su deseo de ganar dinero. Y como ya habían pasado los tiempos en que para ello había que descuajar monte, buscar oro en los ríos de la selva o en el vientre de las montañas, le pareció muy bien que realizara en nombre de su hijo audaces operaciones en la Bolsa de Bogotá. No vio nada oscuro en sus manejos. El cachaquito, como empezó a llamar a Tomás Ribón, estaba en todo su derecho de quedarse con el cincuenta por ciento de las utilidades a título de socio industrial, pues al fin y al cabo era el cerebro de aquellos negocios. Tenía visión. Además se levantaba temprano, cosa que para el viejo Simón era esencial en la apreciación de un individuo. Sabía, en cambio, que su hijo era incapaz de realizar nada por su propia cuenta. Podía ser desplumado por cualquier vivo o pasarse la vida como un ocioso gastando el dinero que nunca había ganado con su propio esfuerzo. Así que Tomás le pareció un socio providencial, a condición de que no decidiera, con el dinero de sus primeras utilidades, organizarse por su propia cuenta. Desconfiado, el viejo decidió introducirse él mismo en la sociedad, como dueño del capital, y vigilarla de cerca. Con este motivo, hacía venir con mucha frecuencia a Tomás y a su hijo a Barranquilla. Sin quitarse el cigarro de la boca, examinaba balances, luego hacía preguntas certeras, aprobaba o hacía reparos o sugerencias. De esta manera suplía el opaco papel de Ramón.

Tomás Ribón, de su lado, hizo todo lo necesario para ganarse la confianza del viejo. Estaba fascinado con él, con su astucia, con su buen olfato para los negocios y su manera ruda y penetrante de manejar a los hombres. Acabó haciéndose amigo suyo. Llegó a suprimir el "don Simón" por Simón y a tutearlo, cosa que nadie se atrevía a hacer, salvo viejos compadres suyos que lo habían conocido en los tiempos oscuros y remotos anteriores a su fortuna. Jugando con el viejo al tresillo o al dominó, en una galería de aquella enorme mansión de Barranquilla, le hacía hablar de su juventud en los ríos del Chocó y en las minas de Antioquia, y aun de antes, de la época en que era capitán en la Guerra de los Mil Días a órdenes del general Santo Domingo. El viejo se alegraba cada vez al ver llegar a Tomás, pequeño y colorado, siempre muy activo y vestido con impecables trajes tropicales. "Ajá, cachaquito", le decía observándolo a través del humo de su eterno cigarro con un brillo ameno en los ojos.

A su hijo, en cambio, lo trataba con aspereza. Le parecía blando, sin ambiciones. No entendía por qué se hacía servir el desayuno en la cama como una señorita. Y también le parecía cosa de señoritas el que durara tanto tiempo en el baño arreglándose y tuviera tanta ropa en alacenas y armarios. A propósito de Ramón, estaba lleno de dudas. Parecía masticarlas al tiempo con su cigarro, mientras jugaba con Tomás al dominó o al tresillo. Fijos los ojos en las fichas o en las cartas y sin quitarse el cigarro de la boca, dejó alguna vez caer sobre la mesa del juego una pregunta inesperada que era sólo un retazo de todo lo que debía rumiar en la cabeza.

–¿Al menos tiene mujeres?

–¿De quién me hablas? –preguntó Tomás, sorprendido.

–De Moncho.

–Hombre, ya me gustaría a mí tener todo el éxito que tiene con ellas.

Ahora encontraba el brillo metálico y penetrante de las pupilas del viejo a través del humo que le subía del cigarro enredándosele en la pelambre áspera de las cejas.

–¿Se acuesta con ellas?

–Simón, las cosas en Bogotá son complicadas –le dijo Tomás–. Si llega a hacerlo, le echan el lazo. A lo mejor, eso es lo que esperan.

El viejo apartó el cigarro de la boca con una expresión de disgusto.

–No hablo de esas. Hablo de las otras. Las hay en todas partes.

Tomás quedó desconcertado.

–No sé qué contestarte... –dijo–. Moncho es demasiado fino para esa clase de ciudadanas.

–Demasiado fino... –murmuró el viejo con sarcasmo volviendo a morder su tabaco y clavando de nuevo la mirada en las cartas o en las fichas que tenía en las manos.

Tal vez sólo entonces Tomás Ribón cayó en la cuenta de que no le había conocido a Ramón una sola amante. Tenía éxito, mucho éxito con las mujeres, él se daba cuenta de sobra, pero no parecía interesarse por ninguna en particular. Con todas era fino, sonriente, suave; un encanto, decían. Había bellas mujeres casadas, esposas de amigos de Tomás, que llegaban a insinuársele con descaro en las penumbras de La Reina, un cabaret que estaba de moda entonces. Pero él aparentemente no sabía qué hacer con esas miradas, esas alusiones, esos papelitos con un teléfono que le deslizaban subrepticiamente en la mano o en las rodillas que buscaban la suya bajo la mesa. De pronto Tomás entendió las inquietudes del viejo. También él empezaba a tenerlas.

–Voy a ocuparme de ese asunto –dijo, pensando en voz alta.

–Así lo espero –gruñó el viejo como si le hubiese leído su pensamiento.

Ha empezado a llover. Salpicado de truenos distantes, que vienen del mar, el rumor vasto y fragoroso de la lluvia sirve de fondo al disco que Claudia ha puesto en el estéreo. "Cuando llueve no hay nada más bello que oír los preludios de Chopin", dice ella. Se han refugiado en la terraza cubierta de la casa apenas han recibido en la cara las primeras gotas de lluvia. Sobre la mesa, dispuesta con refinado esmero, Graham ha colocado una bandeja de arenques marinados y una botella de vino blanco muy fría. Sirviéndose un arenque, Claudia le pregunta de improviso si alguna vez oyó hablar de El Edén. Y aquel nombre, con la lluvia crepitando en el jardín y la música de Chopin llenando el ámbito de la terraza, vibra de pronto en su memoria. Está en un autobús; el autobús que lo lleva muy temprano, desde el otro extremo de la ciudad, al liceo. Por la ventanilla ve calles y casas envueltas en un halo frío. Luces del alumbrado público, que no se han apagado aún, tiemblan en el aire húmedo y gris, entre jirones de neblina. Como vistas en sueños, surgen en las esquinas borrosas figuras escolares y modestos madrugadores que esperan los primeros buses del día. Y de repente, al pasar frente a una esquina, único destello de color en la atmósfera glacial de la avenida, pequeño, casi clandestino, dibujado en pequeñas y temblorosas letras de neón rosado, divisa aquel letrero, El Edén. Parece una pupila pecaminosa de la noche sorprendida por el amanecer. Está aún encendido sobre la puerta de una vasta casa de esquina, de ventanas ciegas y con un largo muro lateral de ladrillo que desciende a lo largo de la calle quizás protegiendo un traspatio. Aquella casa, vista siempre desde el autobús y en una hora incierta que guarda el hielo y los olores húmedos del alba, tiene para él y para sus condiscípulos del liceo un prestigio pecaminoso, pues todos han oído decir, o mejor, susurrar, que aquel es un lugar de mujeres de la vida, un cabaret exclusivo. Una vez, sólo una, él ha visto, al pasar, a una mujer saliendo de la casa. Alta, esbelta, envuelta en un abrigo de pieles, ha cruzado el andén caminando sobre altos tacones, la cara sepultada en las solapas levantadas del abrigo, y en el aire ceniciento de la mañana ha fulgurado por un instante el relámpago de sus cabellos claros antes de tomar el taxi que la espera en la calle. Aquella mujer envuelta en pieles, la casa sigilosa, el náufrago letrero de neón, las palabras El Edén escritas en una caligrafía íntima y elegante, todo ello alborota los duendes de su imaginación en las soñolientas clases de física o trigonometría mientras revolotean moscas al sol de la ventana y rechina una tiza en el tablero. Penumbras, perfumes, almohadones, mujeres, todo eso le sugiere aquella palabra. El Edén.

No sólo a él, también a toda la Bogotá de entonces, dice Claudia, recordando lo que Tomás, su marido, le contaba de aquella época tan remota de la ciudad y de la cual ella no tiene recuerdo alguno porque es anterior a su propio nacimiento. Según decía Tomás, era una ciudad muy distinta a la de hoy: austera, pequeña, con lentos tranvías, crepúsculos melancólicos y campanas profundas llamando a rosario. En este escenario, los muchachos de buenas familias llevaban dos vidas opuestas. La primera se ajustaba a las normas estrictas propias de la sociedad católica e hispánica. Era una vida elegante y caballeresca de la cual daban cuenta las páginas sociales de los diarios. Discurría en los clubes y en las vastas mansiones de ladrillos, rodeadas de jardines, que parecían transportadas de Inglaterra, y giraba en torno a bailes de sociedad, concursos hípicos, partidos de tenis o de golf, bodas y solemnes funerales. Envueltas en el aura de sus buenos apellidos, las muchachas del llamado alto mundo social debían llegar al altar todavía vírgenes, luego de unos largos noviazgos debidamente vigilados que se vivían en una atmósfera de boleros románticos, de serenatas, castas películas de Hollywood y bailes de traje largo a beneficio de obras de caridad. Escoltadas por padres y hermanos de frac, bellas dentro de sus rumorosos trajes de muselina, vivían una efímera juventud de sueños y etéreas expectativas, sin más aventura que un beso fugaz, una mano tomada en la oscuridad del cine a descuido de la chaperona o unas palabras dichas al oído mientras bailaban. Impecables, con sus inmaculadas pecheras blancas, sus zapatos de charol y sus mancornas de oro, aquellos novios parecían pingüinos parados sobre témpanos de galantería y respeto. En los reinados estudiantiles de carnaval, actuaban como edecanes o ministros de míticas reinas, que eran coronadas en el Teatro Colón con un derroche abrumador de discursos, flores y poemas. Convertidas en objeto de sueños, puras e inalcanzables mientras no se las llevara ante un altar tapizado de flores, bajo el relámpago de cámaras fotográficas y con todo el establecimiento social tosiendo y murmurando detrás suyo, de la nave de una iglesia a la cama nupcial llegaban asustadas y llenas de pudor para entregarse al novio convertido en esposo, un virtual desconocido que, actuando con cautelosa ternura ante quienes desde ese momento empezaban a ver como la madre de sus hijos, debían poner de lado ardores, fantasmas y demonios del sexo. De modo que estos quedaban vivos. Y por este motivo, desde los tiempos coloniales, había prosperado en la ciudad, como reverso de esa medalla de pulcritud ceremonial, un mundo secreto y libertino regido por bellas mujeres de la vida, como se les llamaba, alrededor de las cuales se tejieron siempre ardientes leyendas. Eran amantes espléndidas y caprichosas que por ese solo hecho adquirían un poder insospechado sobre los hombres de la ciudad. Así fuesen políticos prominentes, poetas o periodistas noctámbulos, los manejaban como a niños, adulando primero, lastimando luego sin piedad sus vanidosos egos masculinos. Tarde o temprano todos ellos acababan extraviándose en el bosque sin fin de sus veleidades de cortesanas, quemados por los celos y ahogando a veces en el alcohol la rabia sorda de ser sustituidos por otros hombres de igual notoriedad que la suya.

La ciudad, según Tomás, guardaba en su memoria algunos nombres célebres de estas divas del amor que iban sucediéndose, década por década, como reinas de una misma dinastía. En los años veinte el cetro había quedado en manos de Delia Sánchez, una bellísima caleña de ojos verdes y pelo oscuro que hacía poner de pie a media plaza de toros cuando avanzaba, vestida de blanco, con un traje muy ceñido, hacia una contrabarrera de sombra, paseando la mirada fosforescente y provocadora sobre hombres de lujosos apellidos, jóvenes o maduros que habían compartido su lecho y que allí estaban, sentados en las graderías, al lado de sus esposas o novias, con una bota de manzanilla en las manos y un cigarro entre los dientes. Delia Sánchez había acabado de arruinar al propio padre de Tomás Ribón y convertido en una piltrafa de nervios y sollozos a un joven y pálido periodista, devoto de la poesía, que con el correr de los años sería un respetadísimo presidente de la república. Otra belleza, Rosa Molina, llamada la Nena Molina, había provocado en la década siguiente, con graves consecuencias para la tranquilidad de la república, un odio sin cuartel entre un connotado jefe del partido liberal y un jefe del partido conservador, al engañar al segundo con el primero apenas le daba la espalda para asistir a las sesiones del Congreso. Según los chismes que circulaban en los clubes donde se reunían los hombres para almorzar, el jefe conservador, a instancias de la Nena Molina, debía cantar bajo su ventana, a manera de santo y seña, una canción llamada *O-titin-e O-titin-e*, sin sospechar que tras una cortina ella y el jefe liberal lo contemplaban muertos de la risa.

Ninguna de ellas, sin embargo, había mostrado una personalidad comparable a la de Hortensia Reyes, la dueña de El Edén. Nadie supo cómo apareció en la ciudad ni cuál era su origen, aunque siempre circuló el rumor de que era hija natural de un hombre rico y elegante cuyo apellido guardó. Tal vez uno de los primeros en conocerla fue Tomás Ribón, pero no como amigo o amante (pudo haberlo sido, pero más tarde) sino como abogado suyo, cuando él no tenía aún un solo negocio en sus manos. Tomás la encontró un día delante de su escritorio envuelta en un abrigo ribeteado en piel. No solo era bella sino que actuaba con el absoluto convencimiento de serlo; algo que se percibía de inmediato en la manera como se sentaba, cruzaba las piernas o movía una cabellera espesa y sedosa, color miel, o en el modo de sacar un cigarrillo de una cigarrillera de oro y de esperar a que se lo encendieran. Tenía unos párpados anchos que se alzaban con lentitud bajo una sombra de largas pestañas y unos ojos grandes, oscuros, morunos, que se clavaban en los del interlocutor con una insolente firmeza.

Aunque sus labios y el mentón estaban finamente diseñados así como el arco, idéntico, de las cejas (era bella, no había duda, pensaban los hombres observándola), aquellos ojos mostraban tal fuerza de carácter que no solo la hacían más atractiva sino de alguna manera, temible. Quería que Tomás le corriera las escrituras de una nueva sociedad y le gestionara permisos y licencias para abrir un cabaret en el norte de la ciudad. Tomás pensó en un primer momento que se trataba de un cabaret similar a La Reina o al Grill del Hotel Granada, que entonces estaban de moda. Quiso saberlo. Entonces ella, alzando con lentitud las pestañas, lo miró con aquellos ojos oscuros, en los cuales parecía titilar una chispita de ironía, a tiempo que sacaba un cigarrillo de su cigarrillera de oro y se lo ponía en los labios. "¿Me da fuego, doctor?", le dijo. Tomás le encendió el cigarrillo haciéndole hueco a la llama con el cuenco de la mano. Ella aspiró el cigarrillo con lentitud, lanzó a un lado una leve voluta de humo y luego sí, mirándolo derecho a los ojos con su tranquila insolencia, puso las cosas en claro. "No, doctor, no es un lugar como La Reina. No es para llevar esposas o novias", dijo. Él tuvo un rápido parpadeo mientras su cerebro acogía con azoro aquella información. "Comprendo, comprendo", dijo al fin.

Y así surgió El Edén. Semanas después de haber obtenido las licencias solicitadas por ella, Tomás Ribón recibió una pequeña esquela perfumada y escrita con una impecable y fina caligrafía invitándolo a la inauguración. En realidad, aquel fue un acontecimiento memorable en la ciudad, una especie de secreto a voces que circuló en las mesas de los clubes donde los hombres jugaban al poker y bebían whisky. El lugar sorprendió a Tomás. Nunca se había visto en Bogotá nada parecido. Era lujoso. Parecía un cabaret parisino con paredes tapizadas en brocado de seda color vino y con flores de un rosa viejo realzadas sobre el fondo con hilos dorados. Había capiteles jónicos, espejos y estatuas de Afrodita; había rincones íntimos y mesas con pequeñas lámparas de caperuzas en canutillo transparente en torno a una pista de baile. Al fondo, estaba el estrado para los músicos: un pianista casi tan oscuro como el piano y con dientes tan blancos como las teclas, un saxofonista y un baterista con sus instrumentos. Y desde luego, había muchachas. Parecían elegidas con secreta perversidad: cabellos largos, lamés esculpidos al cuerpo, cejas finamente diseñadas y escotes insinuantes, eran la exacta réplica de las vampiresas del cine que habían exacerbado la imaginación de los hombres a lo largo de aquellos años treinta. Eran como sueños materializados. Se movían ligeras y frívolas, en aquella tibia penumbra de luces tamizadas en la que se respiraba el mismo aroma intensamente femenino que se percibe en una perfumería de lujo, mientras camareros de chaqueta azul y botones dorados colocaban al lado de las mesas baldes de hielo con una botella de champaña. Los invitados resultaron ser todos hombres conocidos en la ciudad que habían recibido la misma esquela perfumada y que iban reconociéndose con divertido estupor a la luz de las mínimas lámparas de mesa, sin entender todavía muy bien dónde se hallaban, como si hubiesen sido transportados bruscamente, de la modesta carrera Séptima por donde circulaban todos los días, a un lugar cosmopolita propio de una gran ciudad. Más tarde, el champaña, las muchachas y la música tocada por la orquesta (boleros de Agustín Lara y de Elvira Ríos, canciones sentimentales de moda en los Estados Unidos), habían roto el hielo. Voces y risas llenaban el ámbito del salón. Las muchachas bailaban muy cerca de su pareja como novias enamoradas, con los breves pasos que les permitían unas faldas muy estrechas pero no más altas de lo que en ese momento estaba de moda. Vistas de cerca no sólo resultaban muy atractivas sino también muy finas, sin un solo rasgo de vulgaridad, como si hubiesen sido elegidas para trabajar en un hotel de lujo. Ninguna aceptó aquella noche propuestas, aunque todas sabían llevar las conversaciones a través de picantes insinuaciones y bromas de doble sentido. Daban la impresión de haber sido entrenadas intensamente para alternar con personajes de la sociedad; es decir, para ser una copia saturnal, libre y disponible, de las mujeres que ellos encontraban en su propio mundo.

Hortensia Reyes hizo su aparición cuando la fiesta empezaba a animarse. Lo hizo de manera sumamente discreta. Vestida con un sobrio y elegante traje de coctel negro cerrado hasta el cuello, y sin más joyas que un broche de oro en forma de hoja debajo del hombro, iba de mesa en mesa saludando a sus invitados y a veces bebiendo con ellos dos sorbos de champaña. Sus modales eran los de una gran dama. "Senador, cómo está usted..." "Doctor, me encanta que usted haya venido". Comentaba con ellos dos o tres cosas relacionadas con algún tema político del momento. Llevaba el pelo recogido en un moño que parecía alargarle el cuello y hacer más fino y nítido el óvalo de la cara. Bella y tan segura de sí misma que casi parecía arrogante, su aparición apagaba risas y conversaciones. Provocaba la misma reacción que suscita una celebridad. Sí, Hortensia Reyes tenía algo de reina, no sólo por su carácter sino también por su magnificencia. Aquella noche, por ejemplo, nadie pudo pagar ni siquiera un paquete de cigarrillos. "Invitación de la casa", decían los camareros sonriendo cuando les pedían la cuenta. Al salir los últimos invitados al frío de la calle, con el canto remoto de los gallos alborotando la madrugada, ya El Edén comenzaba a ser una leyenda.

⁂

Lo fue por muchos años. Hoy, cuarenta años después, los hilos de la realidad y del mito se confunden con el mismo tejido. Lo que de este lugar empezó a contarse en la ciudad era enriquecido por la imaginación colectiva. La propia Hortensia Reyes se convirtió en una leyenda. Rara vez aparecía en el salón de baile, pero todo el mundo sabía que tras las paredes tapizadas de brocado, en su apartamento personal, estaba ella disponiéndolo todo con majestuosa autoridad. Si un personaje prominente aparecía alguna noche en El Edén, Hortensia Reyes le hacía llegar a su mesa, a título de atención de la casa, aquella botella de champaña que era a la vez su emblema personal y un rito de iniciación. El recién llegado quedaba desconcertado. Creía o temía encontrar la atmósfera ruidosa y libertina de un burdel, y descubría algo distinto: una especie de club, con un camarero de guantes blancos sirviéndole champaña en una copa de cristal y una orquesta excelente tocando la nostálgica música de la época. La dueña de casa aparecía siempre de improviso, tranquila y resplandeciente como una dama que avanzara por el vestíbulo de su mansión para recibir al primero de sus invitados. No se demoraba mucho tiempo en una mesa. Su presencia era siempre fugaz, como si adivinara que no era del todo compatible con las muchachas de cabellos sueltos y trajes de lamé que circulaban en el salón. Hortensia Reyes sólo bebía una copa intercambiando sorprendentes y agudos comentarios sobre hechos de la política local. Con el tiempo, la respetuosa distancia establecida el primer día iba transformándose en una curiosa amistad. Los personajes más connotados del mundo político acabaron dándose cita allí al terminar las sesiones del Congreso. De este modo El Edén se convirtió también en un club donde se debatían gabinetes ministeriales y candidaturas. Y como Hortensia, discretamente, participaba en aquellas conversaciones de medianoche, era, de manera inevitable, depositaria de confidencias y secretos políticos. Podría decirse que en aquellos años, que fueron también los de la guerra mundial, resultó ser la mujer más influyente de la ciudad.

Muchos hombres se enamoraron de ella, pero se contaron con los dedos de la mano los que se convirtieron en amantes suyos. Los hubo, claro está; nunca dos a la vez; nunca; y nunca elegidos por interés, sino, cosa sorprendente, por amor; rara vez por capricho. Aquellos amantes resultaban impredecibles. Enamorada, la imagen fría y tranquila que todos le conocían resultaba ser sólo una máscara. Ante el amante de turno –que podía ser un político o un joven estudiante todavía imberbe–, aparecía otra mujer: frágil, pasional, profundamente celosa. Tomás aprendió a conocerla. Era su amigo y su abogado. Sabía leer en el lento movimiento de sus párpados, en el casi imperceptible temblor de su voz y de sus pestañas, en la lumbre hipnótica que le aparecía de pronto en la profundidad de sus pupilas, el interés que un hombre despertaba en ella. La decisión de seducirlos era enteramente suya. Todos ellos quedaban atrapados en la envolvente telaraña de sus encuentros pasionales, que no tenían hora señalada de antemano; telaraña de besos, reproches, regalos, celos y desesperadas llamadas telefónicas. Asustados por aquel ímpetu posesivo, acababan dejándola cuando recordaban que tenían una esposa o una novia o una carrera respetable. Cada vez que un amor se le iba a pique, Hortensia quedaba destrozada. Llamaba a Tomás. Era su confidente. "Necesito verlo, doctorcito", le decía. Ella se lo contaba todo, bebía, lloraba escuchando boleros de Agustín Lara y tal vez, ebria de alcohol y de despecho, se acostaba con él para no sentir sobre su vida, en aquel instante, la dura lápida de la soledad. Pasada aquella crisis, volvía a El Edén, fría y pálida como un mármol, sin dejar traslucir lo ocurrido.

De este extraño desdoblamiento de su dueña, participaba también el cabaret. No era un burdel. Nunca lo fue. Nadie se acostaba allí con una muchacha. Para ello, debía pagar por su rescate o esperar a las tres de la madrugada para llevársela a un hotel cercano a la Plaza de las Nieves, llamado Le Petit Paris. El Edén se reservaba el derecho de admisión. Dos fornidos porteros, antiguos campeones de lucha libre, establecían en la puerta un filtro riguroso impidiendo la entrada de borrachos, juerguistas ruidosos y buscapleitos. Cliente que se pasara de tragos era invitado a salir del local. Las muchachas nunca se acercaban a las mesas sin ser invitadas. El propio alcalde de la ciudad, amigo de Hortensia, le aseguraba al establecimiento una discreta protección policial. De esta manera El Edén mantuvo durante muchos años una jerarquía exclusiva.

Era su fachada pública. Detrás de ella había otra realidad, sólo conocida por algunos políticos, poetas, periodistas o muchachos de sociedad que habían llegado a ser amigos de Hortensia Reyes. Para ellos, había a veces fiestas privadas organizadas con motivo de un cumpleaños, una despedida de soltero y, más frecuentemente, de un nombramiento o una elección. Aquellas noches, El Edén permanecía cerrado al público. Pero los vecinos del lugar oían la música. Veían llegar automóviles. Lo sucedido en estas fiestas sería la parte penumbrosa y excitante de la leyenda de El Edén, aquella que todo hombre de la generación de Tomás llevaría consigo hasta su vejez, mucho después de que el cabaret hubiese desaparecido tan bruscamente como surgió. Probablemente eran infundios de la imaginación ciudadana. El caso es que se hablaba de noches libertinas, de bailes de máscaras, de extraños concursos. Se aseguraba, por ejemplo, que en una de estas fiestas un aspirante a la presidencia, excelente tribuno, se había disfrazado de emperador romano envolviéndose en una sábana y que dos bellezas de El Edén, desnudas, sólo con un racimo de uvas cubriéndoles el sexo, le habían puesto en la frente una corona de laurel. Fábula o realidad, nadie lo supo a ciencia cierta, pero al día siguiente aquel cuento corría con la fulgurante rapidez de un reguero de pólvora por las redacciones de los diarios, los pasillos del Congreso y el propio palacio presidencial. Mordaces alusiones a las fiestas de El Edén se escuchaban en los debates del Congreso, provocando risas en el recinto y en las tribunas. Algún obispo habló en un célebre sermón de "fiestas demoníacas". Señoras de la sociedad abandonaron la iglesia de la Porciúncula, un Jueves Santo, al saber que allí, en una banca de la primera fila, con grandes lentes oscuros y un velo negro en la cabeza, estaba Hortensia Reyes. Los hombres la vieron salir, acompañada de una criada de pañolón, caminando tranquilamente por la mitad de la nave con un libro de misa en las manos. Nunca la habían visto a la luz del día. Quizás así, sin maquillaje, resultaba aún más bella. Pálida y bella, tenía la misma aura saturnal que había adquirido su establecimiento en la imaginación de todos cuantos se encontraban aquel Jueves Santo en las iglesias de la ciudad. Sólo Tomás la conocía tal como era: enamoradiza, vulnerable, con un corazón leal. De ahí que a ella acudiera cuando le asaltaron las primeras dudas sobre su amigo y socio, Ramón Aristigueta.

❧

–No sé cómo, de qué manera ocurrieron las cosas –dice Claudia–, pero me lo puedo figurar. Siempre he creído que la amistad se apoya en analogías; el amor no; en el amor, o en el sexo, los contrastes constituyen francamente un polo de atracción. Fue lo que ocurrió entre papá y Hortensia Reyes. Tomás, desde luego, no podía siquiera sospecharlo cuando lo llevó a El Edén por primera vez. En aquel momento, movido por una oscura inquietud, actuaba como el hombre curtido en el trato de las mujeres que ha decidido facilitarle a un hermano o a un primito recién salido de la adolescencia su primera experiencia femenina. No es que este fuera el caso de papá. Era ya un hombre de veinticinco años; tenía éxito; lo asediaban, como te he dicho, las mujeres. Pero después de aquella conversación con el abuelo, Tomás seguía preguntándose por qué en aquella ciudad salpicada de oportunidades mantenía papá la castidad de un cartujo, durmiendo y despertándose solo en su *suite* del Hotel Granada. Era sumamente extraño. Así que pensó en El Edén. Buscaba a una bonita muchacha que lo sacara de dudas. Sólo se trataba de saber cuál era la más indicada para proponérsela como compañera de una noche. Debió pedirle consejo a Hortensia Reyes. Ella, muy probablemente, debió interesarse en el caso. Por instinto y por experiencia conocía a los hombres mejor que cualquier otra mujer.

«En cuanto supo que Tomás y su amigo habían llegado, bajó al cabaret. No sé, te repito, cómo ocurrieron las cosas. Puedo figurármelo. Ella debía hallarse en la plenitud estival de su belleza, con algo menos que treinta años, con bastante dinero y con esa engañosa frialdad de mármol con la cual se revestía luego de algún fracaso sentimental. En aquel momento, según me decía Tomás, el último de sus amantes había sido un diputado de porte atlético, cínico y locuaz, con unos claros ojos de gato tras sus lentes oscuros, que siempre había vivido envuelto en estrepitosos enredos con jóvenes prostitutas a las que, al parecer, les sacaba dinero. Alguna de ellas, en un salvaje brote de celos, lo había herido con una navaja dejándole una cicatriz en el mentón. Hortensia había puesto fin a esta relación luego de descubrir que la engañaba con dos muchachas de su propio cabaret. Supongo que todas estas circunstancias jugaron de algún modo para que se enamorara de papá. Papá, lo más opuesto a un vividor, no era un hombre que sacara provecho de su relación con las mujeres o un juerguista que terminara sus farras con un ojo negro o una mano vendada. Probablemente papá nunca había estado en un lugar como aquel, ni había visto de cerca a muchachas que se iban a la cama con un hombre a cambio de unos cuantos billetes deslizados en su cartera. De modo que debió ser para Hortensia como un ángel caído del cielo. Allí estaba –puedo imaginármelo–, buen mozo y elegante y sumamente cortés como si estuviese tomando té en una casa de la alta sociedad. Sus modales eran los de un aristócrata. Y en sus ojos grises y diáfanos Hortensia sólo encontró algo de candor.

»Él, a su turno, vio en ella a una mujer distinta a todas las que hasta entonces había conocido. No era trivial, como las muchachas norteamericanas, hermanas o primas de sus condiscípulos de Boston, que venían a las fiestas de fin de curso. Tampoco se parecía a las muchachas bogotanas, siempre escoltadas por madres al acecho de un buen partido, que no hacían sino repetir banalidades. Nada tenía que ver Hortensia con aquel universo femenino conocido por él. Aquella mujer de ojos profundos y párpados lentos, tenía la seguridad misteriosa de su madre pero con el pulimento de una mujer de mundo y la belleza de una estrella de cine. Así la vio, con un secreto estremecimiento que ella alcanzó a percibir. Creo que Hortensia lo vio y lo juzgó tal como era desde el primer momento, con una sabiduría que podía ser la de una madre pero doblada de un sentimiento turbio y pasional que la trastornó por completo.

«Tomás debió darse cuenta de esta doble conmoción. A ella se le debió notar en aquel temblor suyo de las pestañas y de la voz, y también, según decía, de la nariz. Siempre decía que Hortensia tenía una nariz tan perfecta como la de Cleopatra, con unas aletas tan sensitivas que lograban expresar todas sus emociones desde la furia hasta algo tan recóndito como el amor. Así que Tomás, mientras la veía conversar con papá, captaba en ella esa sediciosa tensión que puede convertirse fácilmente en disturbio sentimental. Debió lamentar que ella, arrancándose a su propio ensueño, se levantara de la mesa después de beber una copa para cumplir lo que había convenido con él, con Tomás. "Bueno, caballeros, les dijo, ustedes han venido a divertirse. Los dejo." Poco después –tal era el compromiso– se había acercado a ellos una muchacha enviada por Hortensia. Se llamaba Lucero. Era muy atractiva, con una ligera pincelada indígena en su cara color de cobre y en sus ojos rasgados que se le iluminaban al reír. Debía haber recibido instrucciones, las mismas que daba Hortensia a las muchachas cuando tenían que vérselas con un hombre muy tímido o un adolescente sin experiencia, porque se apoderó de papá con una desenvoltura enteramente profesional. Bebía whisky y no simplemente agua azucarada como las otras, y en cuanto pudo se llevó a papá a la penumbra azul de la pista de baile. Papá, me contaba Tomás, estaba lleno de pánico. La muchacha bailaba muy pegada a él, restregándose como un gatito y diciéndole al oído picantes obscenidades. En vez de rescatarlo, Tomás desapareció del cabaret con el sigilo de un ladrón. Y cuando papá intentó deshacerse de la muchacha, esta se lo impidió con ferocidad. "No, papito", le dijo, "esta noche la terminamos juntos."»

–¿Y realmente terminaron juntos?

–Claro que no. Pero Tomás no lo supo por él, por papá, que se limitó a cambiar con él, al día siguiente, unas cuantas bromas esquivas. Lo supo por la propia Hortensia. "Ese amigo tuyo, que es un encanto, sigue tan virgen como una niña de primera comunión", le dijo. "Pero no pienses mal de él. Es muy hombre. Yo sé lo que le ocurre: simplemente está muerto de miedo; no sé de qué, pero está muerto de miedo." Y le había contado lo que a ella le contó la muchacha: que papá la había llevado a su casa en un taxi luego de regalarle una suma que probablemente no había ganado en seis meses. El dinero acalló sus protestas.

«–Y yo me alegro de ello –le había dicho Hortensia.

»–Te gusta, ya me di cuenta –le dijo Tomás sonriendo.

»–Mucho más que eso –dijo ella.

»–¿Más que eso? –preguntó él con asombro.

»–Más que eso –confirmó ella.

»–¿Y qué vas a hacer con el miedo que él lleva por dentro? –preguntó Tomás.

»–De eso me encargo yo. Tráemelo, por favor. Dile que el sábado es mi cumpleaños. No es verdad, claro que no, pero tráemelo a casa.

«Y así ocurrió. Tomás intentó dejarlo a solas con ella desde el primer momento. Pero papá, lleno de pavor, se opuso. Parecía un muchacho que llevaban por primera vez a una escuela. Así que Tomás encargó una cena al Temel, el más famoso restaurante del momento, llevó una torta y unas velas, y apareció con todo ello, entrando por una puerta lateral del cabaret, en el apartamento de ella. Hortensia estaba bellísima, contaba Tomás. Bellísima como nunca la había visto. Pálida, con sus grandes párpados sombreados de oscuro y con el más elegante y ceñido de sus trajes negros (siempre se vestía de ese color). Fue una cena estrambótica, contaba Tomás. La atmósfera estaba cargada de electricidad. El aire resultaba espeso. La conversación se apagaba a cada instante, pese al esfuerzo que hacía Tomás para animarla. En la penumbra de las velas encendidas y con los boleros de Agustín Lara oyéndose en el tocadiscos, sólo se sentía la ardiente ansiedad que había en ellos, una ansiedad que papá intentaba apaciguar bebiendo uno tras otro vasos de whisky muy cargados. De pronto ella, de una manera casi maternal, le había dicho en voz baja: "Bebe despacio." Y él, ya borracho, le había acariciado el pelo con la torpeza de un adolescente. Tomás comprendió que había llegado el momento de irse. "Voy a dar una vuelta por el cabaret", dijo levantándose. Cambió con ella una mirada cómplice.»

❧

–A partir de aquella noche, Tomás comprendió que algo serio y profundo había ocurrido entre papá y Hortensia Reyes. A ella, por mucho tiempo, no volvió a verla. Y papá esquivaba cualquier alusión a sus relaciones con Hortensia con sonrientes evasivas. Estaban encerrados celosamente en su propio secreto de amantes sin importarles lo que pensaran los demás. Ahora los porteros del Hotel Granada veían llegar a papá a las siete de la mañana con el mismo traje de la víspera. Muy pronto debieron saber que el mismo taxi que lo depositaba en El Edén poco antes de la medianoche, volvía a recogerlo cuando salía el sol. A Hortensia se le veía rara vez en el cabaret. Había suspendido las fiestas privadas. Todas las muchachas sabían que su nuevo amor era aquel joven millonario que aparecía con frecuencia fotografiado en las revistas y en la página social de los periódicos. La ciudad empezó a llenarse de chismes por cuenta suya. Miradas risueñas lo seguían cuando entraba al Jockey Club. Algún editorialista de El Tiempo, que tenía una finca en el departamento de Boyacá, aseguraba haberlos visto a los dos, a papá y a Hortensia Reyes, un domingo al atardecer, en traje de montar a caballo, paseando a orillas de la laguna de Tota como dos novios en luna de miel. Papá se limitaba a sonreír cuando sus amigos le hacían bromas en el club. Mi abuelo Simón, que había oído algo de aquella aventura, parecía ahora libre de inquietudes respecto a su hijo. "Creo que encontró a la mujer que necesitaba", se limitó a decirle a Tomás enigmáticamente. Ahora era Tomás quien tenía inquietudes. Le parecía que aquello no era para su amigo una simple aventura. Estaba metido en un enredo innecesario. Había adelgazado. Tenía ojeras muy profundas. Llegaba a la oficina muy tarde sin prestarle mayor atención a los negocios que tenía entre manos. Fue entonces cuando decidió hablar con ella, con Hortensia Reyes. La llamó.

«Hortensia vino a su oficina. En cuanto la vio entrar, envuelta en el mismo espeso abrigo de pieles de la primera vez, advirtió en ella un cambio sorprendente. Había perdido su fría arrogancia. Parecía feliz, con un aura resplandeciente y serena en el rostro. Una especie de lumbre interior le hacía brillar las pupilas. Le brillaban también los dientes y el pelo, y la piel no tenía la dura blancura de mármol de otros días sino la textura dorada de un durazno madurado al sol. Él la observó con complacido asombro.

»–Cómo te ha cambiado el amor –le dijo.

»Para entonces, él le había cobrado a ella un real afecto. Era una amiga cercana cuyos sentimientos podía conocer como si estuviesen en una caja transparente. Y ella, a su turno, sabía que no podía ocultarle nada. Así que le respondió:

»–Mucho, doctorcito.

»A él, de pronto, una ráfaga de piedad le llegó al corazón.

»–¿Te has preguntado cuánto puede durar esto? –le dijo, luego de un largo silencio durante el cual contempló su rostro bello, tranquilo y lleno de luz como el de una santa.

»–Conmigo nada dura –respondió ella. Pero su tono no era amargo sino melancólico–. Nada, y no porque yo lo quiera así. Tú lo sabes, doctorcito.

»–Ramón no es hombre para ti –le advirtió él–. Quiero decir: el hombre con quien puedes compartir la vida.

»–Eso lo sé desde el primer día –suspiró ella.

»–Es duro aceptarlo, pero me alegra que lo hayas visto así.

»–Así es, doctorcito –dijo ella.

»–Te ocurrirá con él lo mismo que con los otros –prosiguió él hablándole ahora con la afectuosa dulzura de un hermano.

»Entonces ella recuperó la insolente dureza que había tenido la primera vez que él la vio.

»–No, esto será completamente distinto –dijo clavando en él una mirada intensa y resuelta–. Estoy esperando un hijo suyo.

»Debió advertir en la cara de Tomás una expresión no sólo de estupor sino de profundo recelo, porque se apresuró a añadir:

»–No pienses nada turbio de mi, doctorcito. Nunca le he aceptado un centavo y nunca le pediré nada. Simplemente quise guardar de él el mejor recuerdo posible: un hijo.

»Tomás se dio cuenta de que aquella era una confidencia venida de lo más hondo de su corazón.

»–Es una locura –murmuró.

»–Sin duda –dijo ella sacando un cigarrillo de su cartera.

»–¿Lo sabe él? –pregunto él.

»–Todavía no, dijo ella. Lo sabrá muy pronto. Y se morirá de susto –sonrió a través del humo del cigarrillo que acaba de prender, pero sus ojos eran tristes–. Se morirá de susto y lo perderé.

»–Veo que lo conoces –le dijo Tomás.

»A ella le tembló una lágrima bajo las pestañas.

»–Quedará el niño.

»Tomás debía contemplarla con una especie de fascinación.

»–Nunca me imaginé que lo quisieras tanto –le dijo.

«–Mucho más de lo que tú crees –respondió ella.»

⊸

–Todo ocurrió como ella había temido. Papá la dejó, muerto de pánico, cuando supo que estaba embarazada. Y ella sufrió. Tomás le hizo compañía durante el embarazo. Y cuando ella dio a luz, Tomás se las arregló, no sé cómo, para traer a papá a fin de que conociera a la criatura. No sé si empleó la fuerza o la persuasión, o si a papá lo movió la curiosidad. El caso es que vino. Inclusive, según me contaría Tomás, brindaron todos con champaña.

–Y aquel niño, tu hermano...

–No fue un niño, sino una niña –dice Claudia–. Una niña que les cambiaría a todos ellos la vida.

XI

Claudia no quiere decirle qué ocurrió con aquella niña; su hermana, al fin y al cabo.

–Hay una bruja en el caserío vecino, podemos preguntárselo –le dice–. Por cierto, sería un buen programa para esta noche. ¿Qué dices?

Él advierte la expresión traviesa y piensa que se trata de una broma, pero ella prosigue:

–El caserío está relativamente cerca de aquí, a unos veinte minutos.

–¿Hablas en serio?

–Claro que sí. ¿No te gustaría saber qué te depara el destino?

Él la contempla sorprendido, pensando que se trata no sólo de una mujer inagotable, sino también capaz de todos los caprichos. Han bebido dos botellas de vino blanco, y dentro de él no hay programa distinto que el de irse a dormir.

–Es tarde –protesta débilmente.

–¡Qué va! –replica ella con vivacidad–. Son sólo las nueve de la noche. Recuerda que soy como los búhos.

Él echa una mirada desalentada a la oscuridad llena de rumores que se extiende más allá del jardín. Al parecer ha dejado de llover.

–Nos vamos a llenar de barro.

Ella sonríe; los recelos de él parecen divertirla.

–Llevaremos botas de caucho.

–¿Siempre tienes tantas energías?

–Me sobran. Anda, sacúdete un poco –dice ella poniéndose de pie–. Es mejor sudar el vino que hemos bebido, caminando.

–Seguro que hay culebras.

–Por montones –a ella le brillan de risa los ojos. Se vuelve hacia el camarero que está recogiendo los platos sobre la mesa–. Graham, mientras me cambio llama a Marita; ella conoce bien el camino.

–¿Quién es?

–Una negrita del pueblo, hija de la cocinera. Ve en la oscuridad, como los gatos.

La luna ha salido envolviendo el monte en un resplandor nevado, irreal. Han dejado atrás la casa, y ahora caminan por un camino lleno de barro en medio de un vasto rumor de insectos y de ranas. En el aire se respira un intenso olor a hojarasca húmeda. Delante, en el camino, su traje azul de algodón destacándose en la quieta claridad lunar, va Marita, la muchacha negra llamada por Graham. Brillan sus apretados rizos de alambre mientras avanza a través del follaje con la sigilosa y elástica rapidez de un gato. Cuando se vuelve hacia ellos y les sonríe, sus dientes le relampaguean en medio del rostro negro como la tinta. Aquí y allá se encienden las mínimas chispas de luz de las luciérnagas.

–¡Qué delicia! –dice Claudia agachándose para pasar bajo las ramas desplegadas de un árbol–. Huele a nísperos.

–No tengo tiempo de oler nada –dice él–. Sólo me ocupo de mirar dónde pongo los pies.

–No prestes atención –dice ella–. Camina como si estuvieras en sueños. Es lo que yo hago. Déjate guiar por el instinto, como los animales.

–Hace días que no hago otra cosa.

Oye la voz de ella llena de risa:

–Hablo del instinto de la orientación, del olfato, de todo lo que necesitas para caminar por el monte.

–Eso se llama instinto de conservación. Creo que lo tengo en estado de alerta roja.

–Se ve que no eres campesino.

–Para nada.

Avanzan ahora por un terreno plano rodeado por grandes árboles, de anchas siluetas. Claudia camina delante suyo. Antes de salir de la casa, se ha puesto un ligero traje de safari color habano.

–Estás vestida como para cazar leones –dice él.

–Pues para eso justamente compré este vestido. En Kenya, hace mucho tiempo.

–¿Realmente para cazar leones?

–No fue idea mía, sino de mi primer marido.

–¿Y él cazó algún león?

–Llegó a retratar a uno. De lejos, claro está. Con teleobjetivo.

Visto desde lo alto, el caserío parece dormir a la luz de la luna. Pero a medida que se acercan por una amplia calle de tierra, sus casas pequeñas y pintadas de vivos colores cobran vida. Brillan luces en las ventanas. Desde los umbrales, oscuros rostros de pupilas centelleantes se vuelven hacia ellos. Algunas mujeres saludan a Marita. Ella les responde riendo en un dialecto vivaz salpicado de palabras inglesas.

La casa de la adivina es la única del pueblo que tiene dos pisos. Se alza en la esquina de una plaza, si así puede llamarse un vasto espacio de tierra enfangada con una gran ceiba en medio y una iglesia anglicana construida en piedra volcánica al otro lado. Por fuera y por dentro la casa está pintada de azul, un azul añil muy intenso.

–¡Virginia! –llama Claudia al entrar.

La abarrotada salita, llena de muebles rústicos de madera, tiene sus paredes decoradas con paisajes alpinos parecidos a los que se ven en las cajas de chocolates suizos. Hay una mujer vieja y gorda sentada en una mecedora y un enjambre de negritos de vivos ojos de ratón que los examinan desde todos los rincones.

Viniendo desde el fondo de la casa, aparece una mujer muy alta y todavía joven de piel más clara que el resto de habitantes de la casa. Es fea, pero tiene bellísimos dientes y una hermosa silueta, con amplias caderas que cubre con un pareo amarillo. Habla en inglés con Claudia echándose a reír a cada instante.

–Esta es la famosa bruja –le dice Claudia a él, presentándosela.

–Bruja –repite la mujer en castellano, riéndose siempre, mientras los guía por una escalera rústica hacia el segundo piso de la casa. En contraste con la planta baja, el segundo piso resulta fresco y escueto. Se reduce a una vasta habitación de madera pintada de azul con una hamaca del mismo color colgada del techo. Desde el balcón se divisa la plaza iluminada por la luna. La única luz proviene de una vela incrustada en una botella de ron.

–Quítate las botas –dice Claudia mientras se saca las que ella lleva puestas–. Virginia también lee la planta de los pies.

–No creo que encuentre nada estimulante en los míos.

–De pronto allí están tus secretos más profundos.

La adivina los hace sentar sobre el piso de madera del balcón en posición de yoga, y ella los imita, sentándose frente a ellos, de espaldas a la plaza dormida, formando una especie de círculo íntimo en torno a la vela que ha traído de la habitación contigua. La llama tiembla agitando sus sombras en las paredes y en el techo. Fuera, en la luz blanca de la luna, todo parece dormir bajo el canto enervado de los grillos.

–Mi amigo quiere que le leas la suerte –le dice Claudia en inglés.

–Tú también –le propone la mujer alegremente.

–Yo no; yo te tengo miedo, Virginia.

Ella suelta la risa como si hubiese oído algo muy cómico.

–No siempre son cosas malas.

–Sólo una vez me leíste la suerte, y me dijiste cosas terribles.

–¿Qué te dijo? –le pregunta él.

–De algún modo me anunció la muerte de Tomás. Vio en mi mano vidrios y sangre; luego, un ataúd lleno de flores.

–¿Quieren beber algo? –pregunta la adivina señalando a una negrita descalza que acaba de aparecer en el balcón trayendo una bandeja llena de pequeños vasos de licores.

–¿Qué es todo esto?

–Nada diabólico –dice Claudia–. Ron y vino de palma. El que hacen aquí es famoso.

El trago de ron le quema la lengua y la garganta y casi le saca lágrimas. La mujer ríe observándolo. Ella ha bebido el suyo de un solo golpe. Luego, con sorprendente delicadeza, toma uno de sus pies y a la luz de la vela lo examina como si fuese una radiografía. Él no comprende lo que está diciendo.

Claudia traduce:

–Dice que eres muy sano.

–¿Sólo eso? Creo que dijo algo más.

–Dijo que los riesgos, en tu caso, no están dentro de ti, en tu cuerpo, sino fuera. Debes cuidarte.

–Eso no tiene nada de particular. Le sucede a todos los que viven en nuestro país. ¿No ve algo más interesante?

La mujer habla de nuevo sin dejar de examinar la planta de los pies.

–Dice que eres ansioso. No tienes paz por dentro.

–Muy cierto.

–Sensible también.

–Como una rosa.

–Tu vida cambia de rumbo. Está rota.

–Siempre lo ha estado –responde él defensivamente–. Claudia, dile que necesito oírle cosas más excitantes relacionadas con el amor.

Claudia traduce lo que él ha dicho provocando en la mujer una explosión de risa. Deja el pie y le toma las dos manos, colocándolas con las palmas hacia arriba, una al lado de la otra, como si fueran las páginas de un libro abierto. Las examina de nuevo y comienza a hablar de nuevo, rápidamente.

–Traduce.

–Por lo que dice, tienes en el amor una suerte desastrosa. Literalmente ha dicho: llamas que se apagan de repente.

Él experimenta un oscuro desasosiego.

–Ahora empiezo a creerle.

La adivina está observando con aire preocupado un punto de su mano izquierda. Lo roza con un dedo. Su voz suena muy lenta.

–¿Qué dice?

–Dice que alguien cercano a tu corazón va a desaparecer.

Él cambia con Claudia una mirada sombría. Por un instante, en su memoria, vuelve a ver a Serena, muy joven, subiendo por las dunas del castillo de Salgar. Aquel domingo, hacía tantísimos años.

–También eso lo sé –suspira–. ¿No habrá algo menos lúgubre en mis manos?

La adivina continúa su silenciosa exploración mirando las líneas trazadas en sus palmas como si fueran los filamentos de una hoja observados por un botánico. Suavemente le oprime la base del pulgar. Algo parece haber descubierto porque ahora su expresión es traviesa.

–Dice que el sexo y el amor no van en ti por el mismo camino. Ha encontrado algo así como una relación secreta y fuerte que aún no ha terminado –Claudia va siguiendo de cerca las palabras de la adivina como si fuese una intérprete simultánea–. Es una mujer... Tiene una vida muy cercana a la tuya. Pero provoca… –dice una palabra en inglés– ¿se dice disturbios?

–¿No serás tú esa mujer?

–No, claro que no. Debe ser la frívola de tus tormentos.

La mujer sigue palpando la base del pulgar con un aire entre divertido e intrigado. Claudia repite en castellano lo que ella va diciendo en inglés.

–Parece que tienes con esa mujer un secreto muy especial.

–¿Qué clase de secreto? –pregunta él.

La adivina sonríe con una expresión de picardía. Continúa hablando.

–Es algo sexual –traduce Claudia–. Parece que sólo arde contigo y con otro hombre –Claudia lo observa, intrigada–. Es tu frívola, ¿verdad?

–De pronto sí. Aunque no debías llamarla así.

La expresión de ella se endurece.

–No me has contado toda la verdad –dice con voz fría.

–Bueno, hay cosas que un hombre no puede contar.

–¿Ah, sí? Según eso la locuacidad y las confidencias sólo correrían por cuenta de nosotras, las mujeres...

–No te ofendas, Claudia.

–Creo que he hablado más de la cuenta contigo en estos días.

–No lo tomes así. Olvida lo que he dicho. Más bien deberíamos preguntarle a Virginia qué pasará con nosotros cuando dejemos esta isla.

–No se necesita ser adivino para saberlo –dice ella en un tono que suena sarcástico–. Cada cual seguirá su propio camino.

–No me gustaría que fuese así –dice él experimentando una brusca y oscura aprehensión–. Dejemos que Virginia nos lo diga.

La adivina parece comprender lo que él acaba de decirle a Claudia, porque le toma a ella las manos.

–No me vayas a decir cosas horribles, Virginia.

La mujer mira alternativamente las dos palmas que Claudia le está enseñando. Luego, suavemente, las coloca una al lado de la otra.

–Nueva vida –dice al fin–. Amores.

–¿Amores? –repite él sorprendido.

–Amores –repite la adivina.

–Qué decepción –exclama él–. Virginia –dice dirigiéndose a la adivina en su inglés elemental–. Busca mejor en su mano. ¿Estoy yo allí?

La mujer le hace cerrar a ella la mano para examinarla de lado.

–Sólo veo algo muy profundo y muy antiguo en su vida –dice, y aunque Claudia no traduce, él logra entender lo que está diciendo–. Alguien.

–*Somebody*? –repite Claudia intrigada.

–Alguien muy cercano. Te mira, te ama, te sigue adonde vayas...

pero no se deja ver –levanta hacia Claudia una mirada sorprendida–. Es una mujer. ¿No es tu madre?

Claudia retira bruscamente la mano como si hubiera recibido en ella una gota de aceite hirviente.

–Mi madre ya murió –dice con repentina aspereza. Luego, ante el desconcierto de la adivina, suaviza el tono–. Virginia, ya te dije que no quiero saber nada de mí. Ni bueno ni malo.

La mujer hace un ademán reconciliador.

–*Okey*. No pienses nada malo. ¿Quieren otra copa de ron?

Lejos, en la plaza llena de luna, se oye el grito de una lechuza.

➛

De regreso a casa, a través de la hojarasca envuelta en la claridad lunar, Claudia no cruza con él una sola palabra. Tiene el ceño duro de sus malos momentos. Al llegar a la alcoba, se ha desnudado en silencio y se ha metido en la cama con una expresión glacial. "¿Qué te ocurre?" le ha preguntado él. "No me ocurre nada", le ha contestado ella con aspereza. Luego le ha dicho "Buenas noches", y se ha dado la vuelta.

Ahora él permanece a su lado con una sombría inquietud. Qué extraña es, piensa. Imprevisible. Las cosas más inesperadas producen en ella reacciones feroces. Por algo se le conoce como una mujer dura, distante. En realidad, no lo es; o lo es por momentos, piensa. A menos que... Un pensamiento acaba de asomar en su mente dejándolo intranquilo. A menos que toda esta aventura con él no haya sido sino un capricho momentáneo, uno de esos caprichos de mujeres ricas que se disipan con la misma rapidez con que surgen. Otra llama que se apaga de repente, piensa recordando lo dicho por la adivina. Tal vez la mujer tenía razón, ese había sido su sino desde siempre. Estaba escrito en las líneas de su mano.

Desde siempre, suspira, sintiendo el corazón abrumado por esa oscura tristeza que trae desde su infancia. Ahora está escuchando un sordo rumor al otro lado de las persianas de madera. Es el viento. El viento del mar agitando las palmas. Por algo estas islas, descubiertas por Colón en sus viajes, se han llamado las islas del viento. O de Sotavento. *Les îles sous le vent*. Detrás de este vasto rumor, tan parecido al de la lluvia, está el eterno concierto de los grillos y las ranas. Más lejos, tal vez en las plantaciones de la montaña, escucha remotos ladridos de perros. Parecen darse la réplica desde distintos puntos de la isla. A veces se alargan como aullidos de lobos a la luna. En Amberes, cuando era niño, se estremecía creyendo que aquellos aullidos eran realmente de lobos. Su padre, que era cónsul de Colombia, había tomado una casa apartada de la ciudad, cerca de la costa, y en las noches de invierno también soplaba el viento y a veces se oía el bramido de la sirena de un barco en el puerto. Y siempre, también en invierno, aquellos ladridos de lástima. Es el *méchant loup,* el lobo Garou, le decía Olga, la rubia muchacha belga que lo cuidaba cuando su padre y su madre estaban invitados a cenar, y él tenía miedo de quedarse solo en las tinieblas del cuarto, bajo un espeso edredón de plumas. Más tarde, en la casa que su madre había tomado en Bogotá al quedar viuda, aquellos rumores de la noche (ladridos, pitazos de trenes entrando en la estación del ferrocarril) servían de fondo a sus congojas de adolescente, a las preguntas que entonces se hacía sobre el sentido de la vida y a sus sueños de fuga. Todas las teorías que se había fabricado sobre la soledad y la manera como, según Schopenhauer, ella era un signo de espíritus superiores, habían desaparecido con sus lecturas de textos marxistas. Pero la soledad misma, ese sentimiento que traía desde la niñez, se había evaporado sólo al casarse con Serena. No había lobos Garou sueltos en la noche, cuando ella dormía a su lado, envuelta en una tibia fragancia de lavanda, la misma que se respiraba al abrir el clóset donde estaban colgados sus ligeros trajes tropicales. Todos los profusos rumores de la noche de Barranquilla, desde los grillos hasta los silbatos de los celadores en aquel barrio, El Prado, donde vivían, acompañaban, en sordina, su suave respiración.

–¿Estás despierto?

La voz de Claudia, a su lado, en la oscuridad.

–Sí.

Ella guarda silencio, y los dos escuchan el viento.

–Y estarás preguntándote qué me ocurrió.

–Claro.

–Es muy fácil de entender.

–Francamente no para mí.

–¿Qué te pasa, dónde han quedado tus antenas? No me molestó el hecho de que hubiese algo secreto en tu relación con otra mujer, sino la manera de explicar por qué no podrías revelármelo. Los hombres no pueden contarlo todo, dijiste con esa fatuidad o esa fartedad, como decimos en la costa, de cualquier macho latino. Porque una de dos: o todo lo callas y no haces ni aceptas confidencias, o nada te lo guardas conmigo.

–Eres terrible.

–Exigente. Sólo eso.

–¿Qué puedo hacer ahora?

–Quiero saber cuál es ese famoso secreto de cama con la frívola de tus tormentos. ¿Le pegabas con un látigo?

❧

Ahora habla él mientras sigue escuchándose el rumor del viento agitando las palmeras y el lejano ladrido de los perros. "Dame tiempo", dice. Pide tiempo para poner rápidamente en orden las piezas del rompecabezas que le ha ido entregando poco a poco: aquel amor platónico de adolescencia por la amiga de sus primas; el reencuentro con ella, en París, veinte años después; la manera como lo torturaba con sus confidencias tomándolo por una especie de primo o hermano cómplice, y finalmente aquella revelación brutal (la de haber sido violada por el primo de Claudia en el vestíbulo de un apartamento), que al hacer trizas el mito tejido durante años, le permitió llevarla al cuarto de un hotel.

–Todo eso lo sé –dice Claudia.

–Todo eso lo he contado, pero no lo que siguió después: una situación aún más inverosímil y desesperada, pues aparentemente todo lo sucedido aquella tarde en el Hôtel du Port Royal había desaparecido de la memoria de Adriana, lo había olvidado de la misma manera que se olvida un sueño; un mal sueño, quizás. Era Adriana, la de siempre, tan ligera y bella como una mariposa de verano, llamándolo por teléfono a la oficina de Radio France International para proponerme un encuentro en el Bois de Boulogne, en Saint-Germain-des-Prés o en la Place des Victoires donde modistos japoneses habían abierto una nueva boutique, sin que nada permitiese identificar un cambio, por sutil que fuese, en su antigua relación. Él la veía probándose faldas o zapatos o la escuchaba hablándole de un nuevo romance de las princesas de Mónaco o de cualquier otra frivolidad, y no podía creerle a su memoria cuando le devolvía las escenas pasionales vividas en aquel cuarto en penumbras del Hôtel du Port Royal. Alguna vez que pasaron en el automóvil delante del hotel, ella cruzó con él una mirada rápida y suspicaz. "Sabio, tú eres un verdadero diablo", le dijo sonriendo. Sólo eso. Y otro día, cuando él había intentado hablarle muy seriamente de todo lo que él sentía por ella, Adriana le había echado encima el jarro de agua fría de una réplica inesperada: "Sabio, por más libres que ustedes sean, yo no soy capaz de repetir semejante locura; me muero de pena con Serena."

–Sí, pero seguía yendo contigo a todas partes –dice Claudia.

Cierto, pero después de aquella declaración tan terminante, él había decidido no verla más. Dejó de llamarla. Dio alguna excusa. Pidió a la muchacha del conmutador, en Radio France, que tomara recados sin pasarle a nadie al teléfono con el pretexto de reuniones de trabajo. Tampoco contestó una breve esquela, de Adriana, que traía una brizna de su perfume y dos líneas: "Sabio, ¿qué te pasa? ¿Estás bravo? Llámame, por favor." Lo malo es que no resultaba fácil dejar de verla. Era como si la vida perdiese de pronto todo interés. Llegaba a casa enervado, con una extraña sensación de volver a una jaula opresiva pese a todo el amor que tenía por sus hijas y por Serena.

–El amor que creías tener por Serena, debías decir –dice Claudia.

No, era también amor. Sólo que se había transformado en una especie de ternura paternal, que no excluía la atracción y el interés suscitados por otra mujer, por Adriana. Esa era la realidad tal como la vivía de una manera terriblemente perturbadora, sin salida. Y lo peor es que Serena se daba perfectamente cuenta de todo. Una noche, viéndolo inquieto y sombrío e incapaz de concentrarse en la lectura del periódico, le recordó el mutuo compromiso de no ocultarse nada, de decirse siempre la verdad. Y él, en parte obedeciendo a este código de conducta pero también para desahogarse, le confesó todo, incluyendo, claro está, lo ocurrido aquella tarde en el Hôtel du Port Royal. Serena lo escuchó con mucha calma y comprensión, casi con piedad, como si se tratase de una calamidad previsible propia de la inmadurez o la precipitación de un muchacho. Pero esta vez, sorprendentemente, en lugar de exponerle de nuevo su teoría sobre la perversidad de las seductoras, se mostró muy interesada en explicarle el comportamiento sexual de Adriana. Dijo que la comprendía perfectamente, también aquel era un problema suyo, de Serena. "Orgasmo y afecto u orgasmo y respeto son a veces perfectamente incompatibles", le explicaba. Seguro que tú la inhibes. No logra expresar sus fantasmas contigo. A mí, por cierto, me sucede lo mismo. Necesita alguien más directo, un hombre de piel y no de cabeza." Él estaba perplejo. Jamás le había oído una recriminación tan cruda de su propia relación conyugal. Oyéndola, experimentó la sensación de ser enjuiciado por su mujer, de ser culpable de alguna insuficiencia sin entender, pese a todo, cuál podía ser esta. Intentaba defenderse dando palos de ciego:

–A ver, dime, ¿qué clase de hombre necesita ella o necesitas tú para que se sientan realizadas? No logro ver el problema.

–No te ofendas –decía Serena–. Pon a un lado cualquier vanidad de macho. No eres culpable de nada. Pero es un hecho que ciertas mujeres necesitamos apartar del deseo cualquier implicación sentimental, afectiva o intelectual. Necesitamos que el deseo se exprese con entera libertad, y para ese efecto es mejor un hombre que no nos inspire ningún respeto.

Él no sabía qué decir.

–Un camionero, quizás –ironizó él ineptamente, sin poder apagar una inquietud profunda que le latía por dentro como un nervio inflamado.

–No te crispes. Es un viejo problema femenino. O por lo menos, de las mujeres de mi generación educadas en la idea del pecado.

–De modo que tú también...

–También yo. Sólo que yo no busco a nadie. Pero me ha ocurrido. Una vez en el metro... –alcanzó a decir.

–Por favor, no me cuentes barbaridades –dijo él.

–¿Te das cuenta? Nada se te puede decir. Nada. Reaccionas como un puritano. O como un típico machista. Ahí, en ese terreno, tu inteligencia no funciona para nada. Tú y yo hemos convenido dejar un campo abierto a las relaciones contingentes, en el entendido de que ellas son, en primer término, inevitables; y luego, hasta cierto punto, complementarias y necesarias para que aquello que nos une no se deteriore. ¿Y tú qué haces? Reproduces con otra mujer, con la que podrías acostarte sin dramas y ser feliz, una situación o problema igual al que tienes conmigo, porque en vez de tomarla de la manera más tranquila y espontánea, como se toma una cosa deseable, armas todo un tango, sueñas, suspiras, la idealizas y al final también a ella la frustras.

También a ella, había dicho. Era algo no sólo inesperado sino muy duro que lo había dejado ambulando por un laberinto de reflexiones amargas. Serena parecía arrepentida de haberle hablado con tanta crudeza. Aquella noche, en la oscuridad de la alcoba, la había sentido a su lado insomne e inquieta. Y de pronto le había llegado su voz no más alta que un susurro y con la sombra de una queja:

–¿Manuel, no vas a dejarme?

–Sería incapaz –había dicho él.

–Siempre he pensado que envejeceríamos juntos.

–Y así será. No llego a imaginar la vida sin ti.

–Si tú te fueses con otra yo no sabría qué hacer. Me mataría.

–No digas eso.

–Yo te quiero.

–También yo a ti, tú lo sabes.

–Me duele que sufras por otra mujer.

–No creo sufrir por ella.

–Quizás no quieras admitirlo, pero es así. Te veo crispado, lleno de tensiones. Y no vale la pena, créemelo. Siempre te dije que no debías dejarte enredar en historias bobas y menos con una cachaca. Las cachacas juegan con cartas tapadas. Administran muy bien su sexo. Y tú, que eres inteligente, no puedes caer en semejante juego.

–Estoy tratando de no verla más –le había dicho él–. No es fácil, pero creo que lo conseguiré. Y todo será igual que antes.

–Sí –había dicho ella–, no hay razón para que te envenenes la vida por un trasero y un par de piernas que te alborotan quién sabe qué duendes de adolescencia. Me tienes a mí, tienes a las niñas, tienes al fin un trabajo estable. Los malos tiempos ya pasaron. Estamos saliendo adelante. ¿Para qué aparecer ahora con dramas tan idiotas?

–Tienes razón, Serena. Tienes toda la razón. No volveré a verla.

Ella había reaccionado con vehemencia:

–No, eso no lo quiero. Te sentirías terriblemente frustrado. Me verías inevitablemente con aversión. Los instintos reprimidos se vengan, eso lo sé de sobra.

–¿Qué quieres que haga, entonces?

–Habla con ella en forma muy clara. No entres en su juego. Tu deseo por ella es perfectamente legítimo, no tienes por qué avergonzarte de él. Díle que quieres acostarte con ella y si no acepta, la dejas. Realmente la dejas. Pero díselo con todas las letras. Y si quieres oírle sus cuentos sobre sus amantes o sobre las últimas colecciones de Dior o de Pierre Cardin, que sea en la cama. Eso se soporta mejor en posición horizontal.

❧

–¿Todo eso te dijo? –pregunta Claudia asombrada.

–Todo eso, sí.

–Ahí está pintada Serena. No ha cambiado. Es un caso. Lo que es a mí, si me hubieses llegado con la misma historia te habría puesto en la calle sin tanta filosofía. ¿Quién puede entender semejante locura, tú?

¿Quién?, se pregunta ahora escuchando de nuevo el viento de la isla. Era algo que sólo la propia Serena podía explicárselo racionalmente a la luz de sus lecturas. Para esa época, recuerda, andaba interesada en estudios comparativos del comportamiento sexual de los animales, osos y palomas incluidos, como antes se había sumergido en las frondas del psicoanálisis. Él nunca le había prestado demasiada atención a esas especulaciones aunque a veces le permitían a Serena juicios muy certeros sobre gentes o situaciones. Él sólo sabía que Adriana provocaba en él disturbios secretos, físicos, algo que ponía sus sentidos en estado de alerta, le apresuraba los latidos del corazón, y le daba escalofrío de ansiedad en la boca del estómago, sólo al verla, esbelta, elástica, en la luz de la ventana, cepillándose el pelo o pasando el dedo meñique por los labios para emparejar o extender la pintura de su lápiz labial. Era algo visceral e incontrolable, casi un efecto alucinógeno, que no le impedía a él irritarse a veces con sus comentarios, sus ideas, prejuicios, convenciones y trivialidades clásicas de una latinoamericana de clase alta, sin más cultura que la que le proporcionan las revistas semanales.

–Está bien –dice Claudia–, ¿seguiste el consejo de Serena?

Él cierra los ojos buscando aquel recuerdo en su memoria. Un hotel. El otoño de los árboles del parque de Luxemburgo; árboles dorados o rojizos que dejaban los senderos del parque tapizados de hojas secas. ¿Cómo se llamaba? El Hôtel des Principautés Unis. Desde las ventanas se veía el parque, el cielo gris, los árboles en otoño.

–La llevé a un hotel.

–¿Cómo, ella aceptó repetir la experiencia después de todo lo que te había dicho?

–Tuvimos al fin una conversación franca –dice, recuperando en su memoria el almuerzo en un restaurante de la rue du Bac, con espejos y terciopelos de la Belle Époque, y una charla sobre temas hasta entonces vedados. Hablaban de su relación, del sexo.

"Tengo que hablar contigo", le había dicho él, y ella había sentido por primera vez, con esa capacidad típicamente femenina para leer en las miradas de un hombre la verdad de sus palabras, qué tan cierta era su resolución de poner en claro algunas cosas o dejar de verla. Con ayuda de una botella de vino, la había obligado a examinar su propio comportamiento con los hombres. Ella había sido siempre muy necia, decía, y con aquel eufemismo le estaba indicando, luego de dos aclaraciones, sus dificultades para acceder a un placer compartido. Cualquier cosa, el menor detalle, la dejaban como un témpano, decía; y luego con sentimiento de repugnancia hacia sí misma. "No sé por qué, pero así soy", le había dicho. "Lo menos parecido a esas mujeres que se dejan tomar por los hombres como si ellos fueran caballos y ellas yeguas en celo." En realidad, le había confesado después, sólo un hombre la había hecho sentir mujer, aunque no se hubiese tomado el trabajo de hacerle la corte, de enviarle flores o esquelas, o inclusive decirle palabras de amor. Era Ramiro, dijo. Es decir aquel joven emergente, Gutiérrez y Céspedes o González y Céspedes, que había conocido en un coctel y no más que media hora después le estaba haciendo el amor dentro de un automóvil. Ridículo o drogado o como quieran llamarlo, decía ella, lo cierto es que la había hecho feliz. Feliz como mujer (así decía, con esa expresión de mala novela), aunque la expusiera a las situaciones más peligrosas y dementes, como la de meterse días después en su propio cuarto, de noche, aprovechando la ausencia del marido, escalando un balcón y sin importarle los ladridos de un perro y el alboroto armado por una vecina que, tomándolo por ladrón, estuvo a punto de llamar a la policía. "Yo temblaba de susto viendo semejante locura y no obstante..." No obstante todo con él, sexualmente hablando, había sido distinto a lo ocurrido con los hombres (con los pocos hombres, dijo) que había conocido hasta aquel momento y, desde luego, distinto a lo ocurrido con su marido, que en vez de diplomático, ha debido ser cura; quizás hoy sería cardenal o papa, otro papa Inocencio, decía con un ataque de risa, mientras él, viéndola allí, delante suyo, volvía a sentir la ansiedad lenta y espesa del deseo encendiéndole la sangre. "¿Nunca antes con otro sentiste lo mismo?", le había preguntado. Ella lo había mirado con picardía: "Ahora eres tú el que pareces un cura; me siento en el confesionario", le dijo. Pero él no quería nuevas evasivas que dejaban su imaginación en ascuas. Así que había insistido: "¿Nunca antes con otro?" Hubo un silencio. La vio sonreír, absorta, con la copa de vino en la mano. Una vez. Sólo una vez, murmuró al fin. Fue algo repentino, extrañísimo, con un amigo de mi marido, precisó después. Era un madrileño, un hombre de negocios muy simpático. Volvían de una boda en el Monasterio de Paular, no lejos de Madrid. Él conducía el automóvil. Era la primera vez que se encontraban solos; su marido, como de costumbre, estaba de viaje. Hacía mucho calor, el aire lleno de luz reverberaba en las colinas. Nunca supo si fue el vino bebido en la boda, o el calor, o la mano que él puso de pronto en su rodilla, mano que le subía grande y viril a lo largo del muslo: lo cierto es que él detuvo de repente el automóvil y la llevó a un trigal, a la orilla de la carretera. Y allí sintió por fin aquello, un capullo de ansiedad abriéndose a una sensación hasta entonces desconocida, un vértigo, luego una ola de placer que subía del fondo llenándola de gemidos hasta dejarla de nuevo en la orilla, desfallecida, estupefacta, ahogada en suspiros mientras él la ayudaba a incorporarse. Solo una vez le ocurrió lo mismo, le había dicho, pues nunca más con aquel hombre volvió a sucederle lo mismo. Así que tuvo que ponerle punto final a aquella historia, pese a que el madrileño, loco por ella, le proponía que se divorciaran en Londres de sus respectivos cónyuges (él estaba casado con una inglesa) y se casaran.

Terminaba aquel almuerzo. Habían pedido un café, luego un coñac, dejando tranquilamente que el restaurante fuera desocupándose hasta quedar casi vacío. Confundido o entretejido con la somnolencia y la ebriedad dejada por el vino, un espeso vino de Burdeos más oscuro que la sangre, la brasa soterrada y voraz de aquel deseo encendido por estas nuevas confidencias continuaba ardiéndole dentro. Adriana pareció advertirlo. "¿Qué pasa?", le preguntó bajando la voz. Él no pudo evitar que su propia voz surgiera ronca, crispada de ansiedad. "Quiero estar contigo de nuevo." Ella seguía mirándolo con una lumbre de provocación en los ojos a tiempo que sigilosamente le acercaba su rodilla bajo la mesa, rozando con sus labios muy finos el borde de la copa de cognac. "Ya me di cuenta, sabio", murmuró. "Acuérdate que soy muy necia. Pero..." "¿Pero qué?," había preguntado él. "No puedo llevarte a mi apartamento", dijo. "¿Por qué?" "Tengo en mi casa a una prima de mi mamá." Hizo una pausa reflexionando. "Tampoco quiero ir al hotel de la vez pasada. El camarero del bar se ha dado cuenta de todo. No me gusta cómo me mira."

De modo que así había quedado despejado el camino. Y ahora, en su memoria, ve aquel otro hotel elegido al azar, un hotel de nombre pomposo, el Hôtel des Principautés Unies frente al parque de Luxemburgo. No han entrado juntos. Se han dado cita allí a las cinco de la tarde. Y él ha llegado primero, con sigilos de conspirador, llevando una botella de champaña y dos copas compradas en el drugstore de Saint-Germain-des-Prés. También ha llevado una bolsa de hielo que ha vertido en el lavamanos para enfriar la botella. Luego, lleno de ansiedad, se ha quedado esperándola. No quiere fumar, porque ella detesta el humo y el olor del cigarrillo. Por la ventana ve el cielo gris, los árboles del parque con todos los colores de otoño en sus hojas y los autobuses que pasan por la rue de Vaugirard. A medida que transcurren los minutos, después de las cinco, mira el reloj preguntándose si vendrá, si todo irá bien, si esta vez... Pero, en realidad, la ansiedad de la espera ha devorado el deseo y ahora se siente inquieto y algo ridículo en aquel cuarto impersonal y con la botella de champaña en el lavamanos. Tal vez preferiría que no viniese. No hay ambiente propicio, piensa. El fuego se ha apagado, y sólo hay en sus entrañas el frío de una zozobra como si estuviese en la antesala de un dentista. Mientras la hora avanza, observa la calle por la ventana esperando ver el Mercedes blanco de Adriana. No lo ve, no lo verá tampoco cuando se enciendan las luces de la calle oscureciendo el cielo. El presentimiento de que no va a venir se está volviendo una amarga certeza, y pese a lo deseado minutos antes, una frustración irritante. "No vino", piensa, y justo en aquel momento escucha, con un estremecimiento, tres tímidos golpes en la puerta. Abre, y allí está Adriana, bella, resplandeciente, soberbiamente vestida con un ligero abrigo muy corto y el mismo traje violeta y la pañoleta de seda amarilla que llevaba a la hora del almuerzo explicándole con risa que por poco se mete a otro cuarto, el cuarto de un señor alemán, porque no encontraba la luz del corredor.

Ha dejado el abrigo y la cartera en la silla, inspeccionando con humor el horrible papel de las paredes, la cama y las mesas de noche mientras él se apresura a sacar del lavamanos lleno de cubos de hielo la botella de champaña. "Qué locuras las tuyas, sabio", sonríe observando su cauteloso esfuerzo por sacar el corcho de la botella sin provocar el feroz estampido, cosa que no puede evitar para su propio sobresalto. Con una mano temblorosa llena las dos copas pensando que en vez de aquella champaña tan ligera y burbujeante necesitaría un whisky o cualquier otro licor más fuerte.

Nada de esto se lo ha dicho a Claudia. Es sólo un destello de la memoria que le ha devuelto en segundos aquella secuencia, el cuarto, las dos copas, la luz moribunda del anochecer sobre los árboles del Luxemburgo y Adriana con una expresión divertida en la cara diciéndole: "No hay apuro, sabio, si estuviese con otro hombre ya se me habría echado encima. Tú no, tú eres distinto a todos, por fortuna. Todo tu ímpetu lo has puesto en sacar ese corcho." Sueltan la risa al tiempo, lo que cumple un inesperado papel: el de aliviar una situación inevitablemente tensa por el carácter frío e irrisorio de los preparativos, privándola sin embargo de toda significación erótica, pues la risa ha restablecido entre ellos una relación de amigos, no de amantes.

La voz de Claudia lo trae a la realidad:

–¿Qué pasó, pues? La llevaste a otro hotel y fue allí donde al fin...

–No fue así.

–¡Ocurrió lo mismo de la primera vez!

–Más o menos.

–Entonces ahórrame detalles, no me interesa el episodio. Es algo *déjà vu.*

Cierto. Sería algo ya visto, o mejor ya oído por ella, aparte, piensa él, de que son vivencias intransferibles; ninguna relación con una mujer es igual a otra. Así que es mejor quedarse con esa información, la de un nuevo fracaso. Pero la memoria se resiste a cerrarse sobre este simple y triste diagnóstico. Está devolviéndole imágenes, recuerdos. Adriana, sentada frente a él, con la botella de champaña y las dos copas sobre la mesa, hablándole con ligereza de cualquier cosa como si no hubiesen ido a hacer el amor sino a conversar de futilezas, a beber y reír en un cuarto de hotel. Sólo que, mientras la oye sin escucharla, él se ha puesto ociosamente a imaginar bajo la pañoleta amarilla de seda la curva suave de su cuello, sus hombros y aquellos senos siempre firmes que se alzan con insolencia bajo la tela de la blusa como los de una muchacha, y ahí mismo la brasa del deseo que él creía apagada mientras la aguardaba al pie de la ventana vuelve a encenderse en su sangre. Tal vez ella ha adivinado sus pensamientos porque de repente interrumpe su charla y se queda estudiándolo con una expresión maliciosa. "Sabio", le dice bajando la voz. "Tienes que apagar las luces y cerrar las persianas. Esto parece un estadio."

Su memoria no ha retenido otros preámbulos de esta ceremonia amorosa, salvo una imagen: ella, Adriana, apareciendo de pronto en la puerta del baño sin ropa, apenas envuelta en una toalla; su espléndida silueta a contraluz en el dintel iluminado, la manera como deja caer la toalla a sus pies con un ademán de reina y avanza desnuda y rápida en la oscuridad hacia la cama donde él la espera palpitante. Recuerda la fragancia de su piel y de su pelo y aquel largo vértigo de besos, suspiros y caricias que parecía envolverla en el mismo fuego suyo. "¿No te importa si me demoro?" le había susurrado ella al oído cuando la penetraba por primera vez. "No te preocupes, toma todo tu tiempo", respondía él tratando de llevarla por el mismo sendero de carbones ardientes de su deseo sin conseguirlo, pues aunque él volviera a ella una y otra vez, con ímpetu desesperado, la sentía fuera de juego, ansiosa y a la vez tensa, quizás exasperada consigo misma. "No puedo, no sé que me pasa...", decía. Al final, ella había capitulado con risueña resignación: "No insistas, sabio, te vas a desbaratar." Y luego, cuando todo había terminado y ella, sentada en la cama, se ponía las medias: "No pongas esa cara. Hiciste lo que podías. Mereces un trofeo, el premio, ¿a qué?, a la perseverancia, el mismo que nos daban las monjas del colegio del Sagrado Corazón", decía, muerta de risa. No recuerda ahora si fue en aquel momento o más tarde, en el automóvil, llevándolo a casa, cuando a manera de consuelo le habló de Dios. Tal vez Dios no quería que entre ellos hubiese algo más que una amistad. "Tú no crees en Él pero yo sí", le había dicho abrumándolo con el anuncio inesperado de este designio divino. Dios sabía cómo hacer las cosas.

Lo sorprende la voz de Claudia, a su lado.

–Te quedaste mudo. Está bien, no cuentes tu secreto con ella.

–No, espera. Es un secreto que puede resultarte banal. Te lo diré sin más vueltas.

❧

Es el fin, ahora sí es el fin, pensaba aquella vez regresando a su casa. Aquella relación con Adriana estaba condenada, no era sino una fuente de frustración y de tensiones. Le estaba robando toda su tranquilidad. Se lo había repetido con un sordo desasosiego a lo largo de aquella semana, dispuesto a no verla más. Pero esta vez la casualidad, y sólo ella, los había reunido pocos días después en un *vernissage* de la galería de Claude Bernard, en la rue des Beaux Arts. Al llegar, la había divisado en un rincón de la galería hablando con un célebre crítico de arte. Reía con él. Y había en aquella risa tanta complicidad y tanta coquetería que él no pudo evitar una reacción de celos tan quemante como la de una herida tocada por la sal o por unas gotas de limón. Eran los mismos celos que él había experimentado veinte años atrás viéndola con el diplomático español que luego sería su marido. Nada parecía haber cambiado desde aquella noche en el Salón Rojo del Hotel Tequendama. Se sentía rabioso y humillado. Seguía siendo tan vulnerable y desamparado ante aquella mujer como el muchacho que era entonces, pobre y solitario e indigestado de lecturas marxistas. Buscando apaciguar aquella cólera sorda, había bebido de prisa dos o tres whiskies conversando con un grupo de conocidos, entre ellos el pintor cuya obra estaba colgada en las paredes de la galería, sin dejar de mirar de reojo hacia el lugar donde ella seguía dialogando y riendo, en *tête-à-tête*, con el crítico, un hombre alto y elegante, de sienes plateadas y con una bufanda de seda anudada al cuello. Seguía llegando gente, y de pronto la perdió de vista. La buscó ansiosamente con la mirada por todo el salón sin hallarla. Se había ido. Se había ido con el otro, pensó, sintiendo aquel escozor de celos más vivo que nunca. Al mismo tiempo le avergonzaba descubrir dentro de él aquel sentimiento que siempre había despreciado. Decidió irse a casa. Debía cumplir sus propósitos. Volver a su vida de antes, cuando sólo había en su vida su mujer y sus dos hijas y su trabajo y el proyecto de escribir un nuevo guión de cine. Sobre aquella historia con Adriana sólo le quedaba poner una lápida y una cruz. Con este pensamiento en la cabeza –lápida y cruz– había tomado su automóvil, que estaba estacionado en la rue de Seine. ¿Qué extraño duende lo llevó por un camino distinto al de su casa? Lo cierto es que había tomado por la rue Jacob hacia la rue du Bac. Llegado allí, giró a la izquierda y al pasar por la rue Montalambert, se estremeció viendo estacionado delante del Hôtel du Port Royal el Mercedes blanco de Adriana. Seguramente estaba allí con el crítico. No había duda. Temblaba. Tuvo que dominar el impulso de detener el automóvil y entrar en el bar. Era ridículo. Adriana iba a pensar que estaba siguiéndola. No puedo caer tan bajo, pensó. Así que se alejó en el automóvil por el bulevar Raspail, rumbo a su casa, sintiendo latir dolorosamente los celos como una herida recién abierta, pero diciéndose que al fin y al cabo aquella era la lápida, la cruz y la lápida de su historia con Adriana.

No ocurrió así. Como si hubiese adivinado sus pensamientos, Adriana lo llamó al día siguiente a su oficina. "No pienses nada malo de mí", le advirtió apenas él pasó al teléfono. Lo había visto de lejos en la galería de arte, le dijo, y como parecía tan indiferente, hablando con un grupo de amigos, había resuelto aceptarle al crítico de arte una invitación a cenar. Ahora estaba arrepentidísima, porque el francés aquel quién sabe qué se habría imaginado. Se había puesto muy necio. "¿Qué quieres decir con necio?", le preguntó él. "Necio, sabio. Como se ponen a veces los hombres con una mujer", le contestó. "Pero al final no pasó nada, te lo juro."

Él se había crispado preguntándose qué quería decir aquello de "al final no pasó nada". Ella se echó a reír. "Estás celoso, sabio", le dijo. "Y no tienes por qué estarlo. No pasó nada, te digo." Él sentía latir por dentro un sordo resentimiento. "Creo que no vale la pena continuar esta historia tan absurda", se oyó decir. "¿Qué tiene de absurda?" preguntó ella. "Me encanta estar contigo. No te pongas complicado, sabio. Además, si es por aquello que sabemos", la oyó reír de nuevo, "no te debes quejar". Mereces un trofeo, ya te lo dije. La culpa es sólo mía." No supo cómo logró sacarse de la garganta una nueva negativa. Realmente era mejor no continuar viéndose, le dijo. Ella le preguntó si lo decía pensando en Serena. "De ser así, no insisto", dijo. No quiero hacer daño. Me moriría de vergüenza con ella. Sólo que..." Y aquí él sintió sus palabras como un alfilerazo: "creía que ustedes eran tan libres como decían..." "El problema no es ese" dijo él. "Entonces no entiendo nada", contesto ella. "Sabio, si no quieres verme más, no nos veremos. Pero al menos, para dejar las cosas en claro, valdría la pena que habláramos aunque fuera por última vez."

–Te manejaba como a una criatura –dice Claudia.

Probablemente. Aunque no lo hiciese de manera calculada, es evidente que Adriana, con esa intuición tan femenina, conocía los puntos débiles de los hombres. "Son como niños que quieren un helado", decía siempre. Así que, convenciéndose a sí mismo de ir sólo a una despedida, había aceptado verse con ella en Castel. Deliberadamente, para no amargar con aclaraciones inútiles este encuentro final, él prefirió beber, bailar y reír con ella como si nada hubiese ocurrido, sabiendo que de todas maneras no la vería más. Estaba decidido. Inclusive oyó con humor todo lo que ella le contaba a propósito del crítico de arte. "Tenía más tentáculos que un pulpo", le decía. "Estaba empeñado en meterse a mi apartamento sin creer para nada que allí estaba la prima de mi mamá. Cuando creía habérmelo quitado de encima, volvió. Quería que le abriera." A él le parecía haberle escuchado otras veces historias muy similares. "No puede uno aceptarles una invitación cuando ya están imaginándose cualquier cosa", decía ella. Adriana no se daba cuenta que en todo lo suyo había algo incitante, provocador, destinado a alborotar inexorablemente a los hombres. De todas maneras era inútil hacérselo notar. Se habría ofendido. Así que se limitó a oírla, sumergido en la atmósfera de acuario de la discoteca, llena de música estridente y de cambiantes luces rojas y azules que daban un tinte espectral a los rostros. Tal vez por eso y por la circunstancia de saber que no la vería más, tenía aquella noche una sensación de irrealidad, como si estuviese soñando o hubiese fumado un cacho de marihuana. Era muy tarde cuando ella le pidió que la acompañase a casa. "No quiero volver sola y encontrarme con el loco de ayer", le dijo. "Está bien, seré hasta el final tu fiel escudero", le contestó él, y poco después estaban cruzando, en el automóvil de ella, las calles desiertas de la madrugada. París parecía quieto y glacial con sus cúpulas y luces de los semáforos sumergidas en una bruma de fines de noviembre. De reojo él la veía frente al volante envuelta en un suave y espeso abrigo de piel bajo el cual tenía un traje negro corto y ceñido. "Es una eterna muchacha", había pensado él observándola fresca, sonriente, sin sombra de cansancio en el rostro. Le dolía pensar que no la vería más. A medida que se acercaban al edificio de ella, en Passy, sentía la realidad de aquella despedida inminente como una nube oscura sobre su ánimo. Toda la despreocupada euforia de la noche había desaparecido. Fue con alivio como escuchó la propuesta de que la acompañara hasta la puerta de su apartamento, pues "el hombre ese", decía refiriéndose al crítico de arte, es bien capaz de estar esperándome dentro del edificio. El ascensor en el que subían al cuarto piso, donde ella vivía, se llenó de pronto de su perfume, el mismo que se percibía en sus cabellos y en el abrigo de piel. Sus miradas, bajo la luz tenue del ascensor, se cruzaron de pronto, y él vio en los ojos oscuros de ella una lumbre de travieso descaro que le hizo latir el corazón de prisa. Nunca supo a qué horas se encontró en las tinieblas del pequeño vestíbulo que había frente al apartamento de ella, besándola en el cuello y en los labios y respirando aquel perfume suyo, a tiempo que sus manos, introduciéndose bajo el cálido abrigo de pieles le levantaban la falda del traje con desesperada ansiedad. La encontró húmeda, palpitante, abierta a su deseo, y a la vez profundamente asustada porque en aquel momento el ascensor había sido llamado a la planta baja. Sobre la puerta, iban iluminándose los números de los pisos. A él nada de eso le importaba; estaba más allá de cualquier temor o cautela. Obedeciendo a un ardiente apremio, pugnaba por sacarle a lo largo de la pierna sus breves pantaloncitos de seda. Le pareció que Adriana le ayudaba alzando un tobillo. Ahora las manos de ella, finas y sigilosas como arañas, le bajaban la cremallera del pantalón para permitir que el sexo de él, como un hierro candente, buscara el de ella en las tinieblas. Cuando la halló flexionando las piernas la sintió estremecerse toda, rota la respiración por un jadeo creciente. Su voz de pánico le llegó al oído: "El ascensor está subiendo; de pronto es él", dijo, y no pudo agregar más porque su respiración se hizo muy honda como si le faltara el aire y se quebró en un gemido, luego en otro y otro más. Él cerró los ojos estremecido también por un vértigo intolerable que le sacó de la garganta un sonido sordo animal a tiempo que oyó el ascensor pasando raudo a espaldas de ellos hacia los pisos superiores. Al final de todo, Adriana se había apoyado en él, desfallecida, respirando muy fuerte. "Sabio, qué locura", la oyó murmurar con la voz entrecortada rozándole la cara con sus labios.

–Había sido al fin feliz contigo –dice Claudia con sorna–. ¿Cuál era el secreto famoso: hacer eso de pie en la puerta de un ascensor?

–No lo has descubierto, y sin embargo creo haberte dado todas las claves.

–¿A qué te refieres?

–Acuérdate del oficial de marina que la esperaba en su camarote a mediodía. Y luego, del empresario madrileño que le hizo el amor en un trigal viniendo de una boda. Y más tarde el joven representante de las clases emergentes que se introducía en su casa por un balcón. Con ellos había logrado... eso.

–Si te parece muy cruda la palabra orgasmo, hablemos de éxtasis. ¿Quieres decir que necesitaba el riesgo o el peligro para sentirlo? ¿Tal vez una sensación aguda de pecado?

–Todo eso junto, sí.

–¡Qué morbo!

–No veo nada de reprobable, sino de curioso. Al fin y al cabo era un antídoto contra la rutina o la burocracia sexual. La fruta prohibida del paraíso, Claudia.

–Ha debido decírtelo desde el principio en vez de asarte a fuego lento como lo hizo.

–Estas son deducciones mías, no de ella. Nunca, creo, fue consciente de estas excitantes perversiones. Lástima que no haya llegado a consultar a un discípulo de Freud. Habría encontrado el origen de ellas en la infancia. De niña, según me contó alguna vez, tenía juegos prohibidos con un primito, en las fiestas o en los cumpleaños, cuando apagaban la luz para proyectar sobre un telón portátil cortometrajes de Charlie Chaplin. Siempre había el temor de que encendieran la luz...

–Ya veo, el mismo temor que tenía de que se abriera la puerta del ascensor mientras ustedes...

–Exactamente.

–¿Te hizo al menos feliz ser dueño de ese secreto?

–¿Feliz? Más me valía no haberlo descubierto nunca.

–¿Qué, seguiste haciéndole el amor en los vestíbulos oscuros?

–Nada que fuera deliberado. Dejaba que surgieran las circunstancias más inesperadas. Jugábamos con fuego siempre.

–¿Por ejemplo?

–Estoy viendo el automóvil de ella estacionado en pleno bulevar Saint-Germain. Pasaban los autos a nuestro lado... O una cocina de su casa, con la prima de su mamá viendo televisión en la sala al lado. Podía entrar en cualquier momento. Pobre señora, habría sufrido un síncope.

–¡Qué fetichismo tan atroz! Después de semejantes acrobacias, debes verme tan insípida y tan sana como una zanahoria recién lavada.

–¡Qué va! Tú no eres ninguna Caperucita Roja. Y la mejor prueba es lo que ha venido ocurriendo en esta isla.

–¿Me estás viendo como una viuda libertina? Tal vez lo soy. En vez de llorar mi pena, heme aquí contigo para asombro y escándalo del fiel Graham.

–Felizmente nunca te arrepientes de nada.

–De nada. Nunca. Es un principio. Pero no te confíes, tal vez soy peor que Adriana. Espero que no te arrepientas de haber venido conmigo a la isla.

TERCERA PARTE

XII

–¿Hoy es domingo? –pregunta él sorprendido.

En la limpia luz de la mañana se respira la paz de un día festivo. Confirmando esta impresión, acaba de divisar por la ventanilla del automóvil a un negro muy viejo y a una mujer de su misma edad vestidos con ceremoniosa elegancia, ambos con sombrero, él con un bastón y ella con una sombrilla de colores, caminando de prisa por la carretera hacia una iglesia cuya campana está repicando.

–Claro que sí –responde Claudia apartando la vista de los reverberantes campos de caña recién cortada que se extienden hasta el flanco de la montaña–. ¿No te habías dado cuenta?

–En estas islas se pierde el sentido del tiempo. Ni siquiera recuerdo en qué año estamos –dice él.

Ella ríe. Bella, levemente dorada por el sol, sus grandes lentes oscuros cubriéndole parte del rostro y el pelo recogido bajo una pañoleta de seda azul, parece recibir con placer la brisa salobre y cálida que viene del mar a través de las ventanillas del auto. La idea de venir a Saint Kitts ha sido suya. "Es la madre de todas las islas", le ha dicho cuando cruzaban el estrecho brazo de mar que separa Saint Kitts de la isla de Nevis. El yate, piloteado por Graham, los ha dejado delante de una playa de arena blanca sombreada por altos cocoteros. Cerca, en el Turtle Beach Bar, los aguardaba un taxi que Claudia había hecho llamar por radio antes de embarcarse. El auto, conducido por un isleño joven y locuaz, ha recorrido el extremo sur de la isla, una península despoblada con un lago salado y polvorientas colinas llenas de luz, parecidas a lomos de grandes dinosaurios alzándose sobre el vasto panorama marino. Al dejar atrás las colinas, han cruzado una delgada franja de tierra ceñida a lado y lado por el mar.

–Este es un punto privilegiado –le ha dicho Claudia–. De un lado tienes el océano Atlántico y del otro el Caribe. Mira la diferencia –le señala las olas bruscas del océano reventándose contra los arrecifes, a la derecha del automóvil–: el Atlántico parece oscuro y revuelto. Debe traer toda la resaca de Europa. En cambio, mira al otro lado, el Caribe: una pizarra azul.

Apenas se han apartado del mar, encuentran un paisaje tapizado de verdes intensos. Palmas reales, flamboyanes, trinitarias y cayenas rojas y amarillas salpican la vegetación. La brisa parece cargada de fragancias como una cesta de flores.

Ahora acaban de pasar al lado de la pareja de color que se apresura hacia la iglesia. Él ha dicho que en estas islas se pierde el sentido del tiempo y ella le ha contestado que precisamente en eso reside su encanto.

–Pero es un encanto engañoso –agrega–. Viniendo del norte o de un país como el nuestro, tan lleno de violencia, esto resulta al principio un paraíso.

–¿Acaso no lo es? –pregunta él.

–Deja de serlo cuando entras en la vida local. Es como vivir en una pequeña colonia británica compuesta por los seres más extraños, algunos encantadores y otros sin mayor interés. Todos acaban conviviendo mal, espiándose unos a otros y empinando el codo más de la cuenta. Entonces el antídoto necesario a esta vida es otra vez la gran ciudad con todo su estrépito y anonimato.

–Nueva York.

–Exactamente. Es la ciudad que a mí me gusta. Como a ti París.

–París también tiene su punto de saturación. Yo me quedé allí más tiempo del debido. Mucho más –dice recordando por un instante aquel último verano suyo en París; la luz, la soledad latiéndole por dentro mientras deambulaba por calles y cafés–. Pero estoy de acuerdo, tampoco yo podría quedarme viviendo en una isla de estas.

Ella le echa una mirada suspicaz.

–¿Ni siquiera con una agradable compañía?

Él siente su ánimo ensombrecido por una súbita zozobra.

–Tú misma sabes que eso no es posible.

–Lo sé –ella se ha puesto repentinamente seria–. Es mejor que dejemos nuestro futuro en paz. *Nous allons tout gâcher*. Contentémonos con el presente inmediato, que es muy saludable. Déjame hoy ser tu guía turístico. Conozco bien esta isla.

–¿A dónde vamos ahora?

–Quiero presentarte una pareja de amigos franceses. Te van a gustar. Han convertido en un hotel y restaurante muy exclusivo la casa de una vieja plantación.

Están pasando muy cerca de la línea férrea que cruza a través de los cañaverales.

–¿Hay un tren en esta isla?

–Sí, es un trencito de color amarillo que sólo funciona en enero para recoger la caña –dice Claudia–. La muelen en un sólo lugar, cerca del aeropuerto. ¿No has visto que de los antiguos trapiches sólo quedan las ruinas?

Desde hace un buen rato, en efecto, mientras el auto cruza a través de vastas plantaciones de caña, ha estado observando, esparcidos aquí y allá en el paisaje, aquellos trapiches con sus molinos altos y chimeneas elevándose sobre la verde vegetación. En las colinas que se alzan sobre el mar se divisan a veces solitarias iglesias construidas con la misma piedra volcánica de los trapiches.

Ahora el auto se ha apartado de la carretera principal para entrar en la calle tranquila, polvorienta y reverberante de un caserío. En los jardines estalla el color vivo de las trinitarias. No se ve a nadie en las puertas, pero al pasar delante de una especie de capilla les llega, en ráfagas vibrantes, el eco de una música sincopada.

–¿Qué es eso, una discoteca?

Claudia se echa a reír.

–Es una iglesia, tonto. Esta isla está llena de sectas protestantes. Y sus misas, o como se llamen sus ceremonias religiosas, son muy alegres. ¿Quieres entrar?

Claudia hace detener el automóvil.

Apenas entran en la pequeña capilla los envuelve la estridencia de la música. Donde debía hallarse el altar hay un conjunto musical con batería, tumbadoras, guitarras eléctricas y un teclado. Los músicos están sentados en una tarima detrás de un hombre muy alto, con saco y corbata, y de una mujer vestida de largo que canta con una voz limpia y profunda algo que no parece un salmo sino una especie de balada sentimental. Y todos ellos y cuantos ocupan las bancas de la iglesia son negros y parecen vestidos como los asistentes a un banquete de bodas. Apenas la cantante termina una estrofa de su canción, todos los presentes, acompañados ahora con ímpetu por las guitarras eléctricas, la batería y la tumbadora, cantan un estribillo bamboleándose de un lado a otro. La melodía es muy hermosa. Callan de repente para permitir que el hombre parado al fondo de la capilla, sin duda el pastor, lance por el micrófono un breve discurso en el cual afirma una y otra vez "Dios nos ama", "Amamos a Dios". Su sermón naufraga de nuevo en el coro cantado también por la mujer de traje largo y acompañado por la música de las guitarras.

–Tienes razón –le dice a Claudia saliendo a la claridad de la calle–. Si todas las misas fueran tan alegres, no me perdería una sola.

Cuando suben al auto, el conductor les explica que la cantante, maestra de escuela en el lugar, es su hermana. Está casada con el pastor.

Se alejan escuchando a sus espaldas el coro en el aire ardiente del mediodía.

La casa a donde han llegado parece salida de un grabado de otro siglo, con una fresca terraza de madera desbordante de trinitarias, penumbrosos y elegantes salones llenos de libros, lámparas y muebles victorianos y un patio con un gigantesco samán que despliega sus ramas sobre una grama tan cuidada y fresca como la de un parque inglés.

Desde el primer momento le han caído muy bien los dueños de casa, un bretón robusto y jovial de intensos ojos azules y su esposa. Ambos tienen rostros curtidos por el sol y la brisa del mar y una mirada franca y cordial que inspira confianza. Claudia se los presenta con su nombre de pila, Francis y Jacqueline. Ella es delgada, de labios muy finos y largos y revueltos cabellos descoloridos por el sol. Parece recién salida de la ducha.

A los dos les sorprende descubrir que él habla francés sin acento.

–No es gracia –les explica él–. Lo aprendí de niño, en Amberes, con una especie de nodriza muy joven que debió ser mi primer amor.

Ellos se ríen.

–Siempre lo he dicho, en la cama se aprenden mejor los idiomas –dice Francis.

–En su caso fue en la cuna –aclara la esposa–. *N'est ce pas*?

–Casi. Debía tener unos cinco años cuando mis padres me llevaron a Bélgica.

Francis lo examina con sus amistosos ojos azules.

–¿Usted era amigo de Tomás?

–Tutéalo de una vez –interviene Claudia–. Es más cómodo. Y yo respondo por él: nunca conoció a Tomás. En cambio, su esposa era mi mejor amiga cuando teníamos dieciocho años.

–Mi ex esposa –dice él.

–Creo que ustedes no van a entender este enredo –se ríe Claudia–. Y si quieren pensar mal por vernos llegar juntos, están en su derecho. Piensen lo peor y aciertan.

–*Chacun sa vie* –comenta Francis sonriendo–. Yo le robé esta mujer a su marido –dice señalando a su esposa–. Él era un joven belga buen mozo y de la nobleza que le daba una vida de perros. La puse en un velero y zarpé, y aquí estamos.

–Lo peor de todo es que es cierto –se ríe Jacqueline.

–En resumidas cuentas, todos tenemos vidas algo escandalosas –dice Claudia–. Francis, me parece que ha llegado la hora de tomarnos una de esas piñas coladas que tú preparas con tanta sabiduría.

–Tengo algo nuevo que proponerles –dice Francis–. Es un secreto profesional a base de ginebra y fruta de la pasión.

–Bueno, pero vamos a un lugar más fresco –dice Jacqueline

señalando la terracilla cubierta que mira hacia el jardín–. En este vestíbulo hace mucho calor.

Luego de beber un par de aperitivos, pasan a la mesa. Francis, que es un excelente cocinero, ha preparado una deliciosa langosta al horno que acompañan con Chablis muy frío. Durante buena parte del almuerzo, la conversación gira en torno al recuerdo de Tomás, el marido de Claudia. Al parecer era muy buen amigo de Francis y de su mujer. Por lo que ambos cuentan, debía ser como ellos un gran aficionado a la pesca y a la navegación. Con frecuencia salían a pescar de noche. *C'était incroyable ce qu'il pouvait faire a son âge*", dice Francis. Gracias a su ayuda, recuerda el francés en un momento dado de la conversación, habían podido comprar aquella casa. Claudia participa alegremente de aquellas reminiscencias como si se tratara de un marido ausente y no de alguien asesinado poco tiempo atrás. Todo cambia, sin embargo, cuando a Francis se le ocurre preguntarle a Claudia qué ocurrió, por qué aquella muerte tan absurda. Lo hace de una manera perfectamente espontánea, ignorando sin duda que aquella es una pregunta prohibida, algo innombrable. A Claudia se le ensombrece el rostro, pero no reacciona como otras veces, esquivando el tema. De una manera también muy natural responde: "Creo que fue una venganza relacionada con nuestro secuestro." Y por primera vez no tiene inconveniente alguno en hablar de este episodio traumático, el secuestro, origen de la tragedia ocurrida dos o tres meses atrás, mientras la pareja de franceses y él escuchan en silencio. Oyéndola, a todos les parece ver aquel auto que regresa a la capital en la noche de domingo. Vienen de su finca, en las tierras bajas. La carretera, llena de curvas y tallada en el flanco de la cordillera, bordea una estrecha garganta al fondo de la cual, con rumor tumultuoso, descienden las aguas del río Bogotá. Ella y Tomás, su marido, están habituados a regresar muy tarde de la finca, a fin de evitar el intenso tráfico de la última hora del domingo y primera de la noche. Avanzan, pues, en aquella oscuridad llena de rumores y olores tropicales, rota sólo por la luz de los faros del auto que iluminan la cinta retorcida, blanca y polvorienta de la carretera, cuando aparece aquel otro auto atravesado como si hubiese sufrido un accidente y los hombres con gorras militares que les ordenan detenerse. Ella alcanza a pensar que son soldados haciendo una requisa de rutina, pero de pronto ve que en vez de botas llevan zapatos tenis. Así es que, segundos antes de tenerlos en torno al auto apuntándoles con sus armas, ella tiene la certeza fulminante que se trata de un atraco; no precisamente de un secuestro, sino de un atraco cuyo propósito sería el de robarles el auto, joyas o dinero que llevan encima. Es otra ilusión, si así puede llamarse, pues uno de ellos, el que luego resultaría ser el jefe, un tipo alto con gorra militar y lentes oscuros, asoma la cabeza por la ventanilla, sonríe al verlos y luego se vuelve hacia sus compañeros con un parte triunfal: "Son ellos, compañeros." Al sonreír ella advierte que tiene en la boca un colmillo casi canino superpuesto sobre un diente. Tomás, con voz tranquila, se dirige a este individuo preguntándole qué quieren, pero no obtiene del hombre con colmillo de perro sino un áspero "tranquilo, abuelo, esto es una retención". Usa esa palabra y no secuestro. Y no hay tiempo para más diálogo, ya que uno de los hombres armados hace salir al conductor fuera del auto y sin atender a sus protestas lo obliga a meterse en el baúl del automóvil. Todo lo efectúan con rapidez y precisión como si lo hubiesen ensayado muchas veces.

Los dos automóviles, el Mercedes donde venían y el que había obstruido la carretera, parten hacia Bogotá velozmente. Conduce el hombre de la gorra, que se había quitado los lentes, y a su lado otro hombre los vigila apuntándoles con una pistola. Tomás intenta hablarle de nuevo al hombre del colmillo pero de nuevo sólo consigue una respuesta breve y mordaz: "No tengo tiempo de explicarle nada, abuelo: cierre el pico si no quiere que le pongamos un esparadrapo en la boca."

Al llegar a las goteras de la ciudad, en un lugar solitario y sombrío donde suelen quemarse las basuras dejadas por los camiones del aseo municipal, hay otro automóvil aguardándolos. Los hacen subir a él luego de atarles las manos a la espalda y de cegarlos poniéndoles sobre la cabeza y la cara dos pasamontañas cuya abertura prevista para los ojos ha sido cosida con hilo grueso. Antes de quedar en tinieblas y sofocados por aquellas máscaras de lana olorosas a sudor, alcanzan a ver cómo su conductor es sacado del baúl del Mercedes Benz. En los largos días del secuestro pensarán que ha sido asesinado y su cuerpo abandonado en el basurero, pero luego sabrán que ha sido dejado allí vivo y con las manos y pies atados; el Mercedes lo encontrará la policía, completamente desmantelado, en una calle ciega al sur de la ciudad. Cuando emprenden de nuevo la marcha, ella empieza a contar mentalmente de uno a cien, luego de cien a doscientos y así sucesivamente, para medir la distancia entre el basurero y el sitio al cual van a ser conducidos, tomando nota también de las veces que el auto gira a la izquierda y a la derecha. Los ruidos que escuchan –motores de autos, de buses y camiones y la música de algunas cantinas muy estridente– les indican que están transitando por suburbios populares No es un viaje muy largo; el auto se detiene; oyen rechinar una puerta de hierro al abrirse; segundos después, se cierra a sus espaldas. Todavía con la cara cubierta, entran en una sala con fuertes olores de cocina y las voces emitidas por un televisor. Cruzan a tientas un corredor y entran en un cuarto. Los hacen sentar en un par de catres que crujen bajo su peso. Sólo entonces les desatan las manos y les quitan los pasamontañas. Nunca olvidarán aquel cuarto. Un bombillo polvoriento cuelga del techo. No tiene ventanas y en sus paredes pintadas de rosado hay sólo un almanaque de propaganda y la carátula de una revista China con un retrato vulgarmente coloreado de Mao-Tse-Tung. Los dos catres sólo tienen dos colchones sin sábanas, almohadas sin fundas y un par de cobijas también olorosas a mugre y a sudor. Una andrajosa cortina cubre un pequeño cuarto de baño con un aguamanil y un retrete. A la luz del bombillo, ven al hombre del colmillo de perro de pie en medio del cuarto. Se ha quitado la gorra y los observa con el aire satisfecho de un propietario que acabara de adquirir dos objetos valiosos. Empieza a perder el cabello y sus ojos, especialmente al sonreír, parecen ladinos y rasgados como los de un indio. Tiene un bigote descuidado cuyas puntas viran hacia abajo. Sus botas están llenas de barro. Cuando habla, su acento suena áspero y sarcástico: el mismo de la clase popular bogotana.

–Bueno, les dice, esta no es propiamente una suite del hotel Hilton. Pero no se pueden quejar. Tiene todas las comodidades posibles. Luz y agua corriente, que en estos barrios es un verdadero lujo.

Tomás lo observa con sus pequeños ojos llenos de cólera y desprecio. El hombre parece sentir sobre su piel aquella mirada porque de pronto la sonrisa se le congela en los labios y la sangre le sube al rostro.

–¿Qué tanto me mira, abuelo? ¿Quiere grabarse bien mi cara para luego sapear?

Entonces ella oye la voz reposada y firme de su marido.

–Queremos saber qué se propone con esto.

El hombre vuelve a enrojecer y la voz le tiembla de cólera.

–No me de órdenes. Se ve que está acostumbrado a mandar, pero aquí el que mando soy yo. Y todo lo que tenga que informarles, se lo diré a su debido tiempo.

Tomás cambia con ella una mirada.

–Está bien –dice resignadamente. El hombre sonríe y de nuevo aquel acento rudo y sarcástico con que ha hablado la primera vez aparece al tiempo con su colmillo de perro.

–Así me gusta, mansito.

Ella, que ha estado observándolo, no tiene ya duda de que se trata de un hombre lleno de complejos.

–Señor… –empieza a decir.

–Comandante –corrige él.

–Muy bien, comandante. ¿Puede decirme también su nombre? Quiero decir, el que le dan sus compañeros.

Él la observa lleno de recelo, dudando.

–Soy el comandante Emilio –dice al fin.

Su actitud con ella no es la misma que tiene con Tomás, su marido. Varias veces, en el automóvil que los llevaba a Bogotá, antes de colocarles los pasamontañas, Claudia ha sorprendido por el espejo retrovisor rápidas y curiosas miradas suyas dirigidas a ella. Ahora vuelve a sentir aquel mismo interés. Quizás es algo más, ella lo intuye así: una especie de extraña fascinación.

–Si prefiere, puede llamarme Emilio –dice el hombre intempestivamente. Luego le dirige a Tomás una mirada dura–. Pero usted me llamará comandante, a secas –con una sorprendente volubilidad, rompe de nuevo a reír–: El nombre de Emilio es un privilegio que solo tienen las damas muy bellas, así sean de la más encopetada burguesía.

Ella comprende que está ganando terreno con él.

–Emilio –dice, observando cómo aquel apelativo familiar le produce a él un vivo placer–. Me doy cuenta de que este es un secuestro realizado por una organización política y no por delincuentes comunes.

–Por una organización revolucionaria –corrige él–. Y no es un secuestro sino una retención, cuyo objetivo es esencialmente financiero. Ustedes tendrán que pagar un impuesto.

–¿Un impuesto? –pregunta ella fingiendo candor.

–Sí, vamos a tener que quitarles algunos milloncitos de encima. Hablo en dólares, claro. Será como quitarle un pelo a un gato... Ustedes llevan una vida regalada. Les sobra lo que a nosotros, o mejor dicho a la revolución, le está faltando.

–¿Y cuándo, según usted, podremos hablar de esos asuntos? –interviene Tomás.

–A su debido tiempo –replica el otro con aspereza: Tomás parece irritarlo siempre–. Y no más cháchara por hoy. Sólo me queda desearles la bienvenida a esta cárcel del pueblo.

Y al sonreír, en apoyo a su sarcasmo, vuelve a asomarse bajo los bigotes caídos aquel colmillo de perro.

↝

Más allá de las trinitarias del jardín y del amplio samán que abre sus ramas en todas las direcciones, alcanzan a divisar el mar. Visto desde lo alto, parece una lámina de metal en el aire ardiente y quieto de las dos de la tarde. Están en una galería fresca, abierta al jardín y al paisaje que se despliega frente a aquella colina. Vuelan ociosamente algunas abejas sobre el mantel atraídas por los trozos de melón que una muchacha negra acaba de traer. Nadie habla, excepto Claudia que continúa refiriendo aquel secuestro como si lo estuviese viviendo de nuevo día a día. De alguna manera ha conseguido meterlos a todos ellos –a los dos franceses de idénticos ojos azules y a él mismo– lejos de la isla, de su floración de flamboyanes y trinitarias y cayenas, para compartir aquel cuarto glacial y sin más luz que la que se filtra por la puerta del corredor o la luz del bombillo, manchado por suciedades de moscas, cuando lo encienden. Han oído a Claudia hablándoles de la comida que les traen; sopas tibias, tazas de agua de panela, algún plato de arroz o de papas o un trozo de carne sancochada, servidas siempre por una mujer encinta que apenas los mira a la cara, no saben si obedeciendo órdenes o por vergüenza. Sin decir palabra, a pedido de Claudia, les ha traído un pequeño pan de jabón usado para que puedan lavarse en el aguamanil. A veces se asoman a la puerta hombres armados.

Durante los tres días siguientes al secuestro, Emilio no vuelve a aparecer. Quedan, pues, a merced de sus conjeturas, sin libros ni revistas, ateridos por el frío y la humedad del cuarto, asqueados por aquellas cobijas grasientas, esperando. Tomás duerme poco, absorbido por sus pensamientos. Está claro, le ha dicho la segunda noche, que estamos en la etapa de castigo. Quieren quebrantarnos los nervios para negociar en posición de fuerza. "Déjame actuar, sin mostrar inquietud alguna por lo que haga o diga." Tiene razón en advertírselo porque en lo sucesivo manejará las cartas de aquel secuestro con la destreza y la sangre fría de un jugador de póker. En primer término, nunca muestra impaciencia, incertidumbre, menos aún miedo. Parece actuar como si estuviese en un hotel de vacaciones. Así, cuando Emilio aparece trayéndoles un par de sudaderas deportivas de color azul, dentífrico y cepillos de dientes, un pequeño aparato de radio y los diarios del día, Tomás no hace pregunta alguna ni muestra interés en entablar conversaciones relacionadas con el secuestro. Deja que la impaciencia provenga del otro lado. Ni siquiera presta atención a los espesos sarcasmos de Emilio al entregarle los periódicos:

–Están ustedes mojando prensa, pero esta vez gracias a nosotros y no a un baile o banquete en el Jockey Club.

Tampoco ella deja traslucir inquietud alguna.

–Emilio –le dice al verlo, en el tono de quien se dirige a un viejo amigo–: gracias por las sudaderas: son prendas muy cómodas. Pero tengo que pedirle el favor de que me permita tomar una ducha.

Aquello parece tomarlo por sorpresa. Seguramente ha esperado encontrar a una mujer con los nervios destrozados y en cambio ve a otra, tranquila, reposada, amistosa, pidiéndole un servicio que no sabe si conceder o negar tajantemente.

–Esto no es un veraneadero –acierta a decir Emilio con esa sorna que en él es tan natural como la propia respiración.

–Sí, Emilio, ¿pero qué mal hay en que yo tome una ducha? –insiste Claudia.

El otro parece debatirse entre la desconfianza y el halago de ser objeto de tal solicitud.

–Está bien –dice al fin–. Pero tienen que llevarla con los ojos vendados. Mejor así, tapadita, no va y le pique la curiosidad. O se nos resfríe.

En aquel momento, recuerda Claudia, lleva un traje corriente y un pullover colorado que le llega a la barbilla. Parece un portero. Pero aquella noche reaparecerá con su traje militar, su gorra, los lentes oscuros y una pistola muy grande que pone sobre sus rodillas mientras habla, y su actitud vuelve a ser áspera y autoritaria como si estuviese representando el papel de un juez militar en un consejo de guerra. El reflejo del bombillo que cuelga del techo, sobre su cabeza, se reproduce de manera idéntica en los dos lentes de sus gafas oscuras. Explica lo decidido por el comando de su organización, una tal alianza revolucionaria obrera y campesina con un brazo armado cuya sigla llena de letras ni Tomás ni ella habían oído mencionar nunca. Según lo dispuesto, deben pagar un rescate de doscientos millones de dólares como indemnización o impuesto por pertenecer a una dinastía plutocrática aliada al imperialismo yanqui responsable de la miseria popular. En caso de que esta justa indemnización no se produzca, dice, los retenidos serán condenados a la pena capital y ajusticiados en la fecha y lugar que señale un tribunal revolucionario. Esta última parte es leída por Emilio en un papel escrito a máquina que ha sacado de su chaqueta. Mientras lo lee, ella observa que su mano es pequeña, morena, casi infantil y con la uña del dedo meñique desmesuradamente larga como si nunca en su vida se la hubiese cortado.

A él, Manuel, aquel detalle parece interesarle.

–¿Una uña muy larga has dicho? –pregunta.

–Sí, ¿por qué?

–Creo que conozco a ese individuo –dice él.

–En tal caso, lo conocías. Ya murió –corrige ella–. ¿Por qué estás seguro de conocerlo?

–Cuando mencionaste el colmillo, tuve una sospecha. Y ahora esa uña... Pero no quiero interrumpirte, prosigue.

Ahora Emilio ha llevado su mano de uña muy larga hacia su cara, ha retirado sus lentes y los mira con un aire maligno y triunfal buscando en el rostro de ellos el resultado de sus palabras. Su satisfacción desaparece de inmediato al ver a Tomás.

–¿De qué se ríe, abuelo?

También ella, Claudia, está sorprendida viendo aquella sonrisa divertida, casi irónica, que se dibuja bajo el bigote fino y encanecido de su marido y que parece significar "caramba, caramba, las cosas que le toca oír a uno". Queda aterrada cuando le oye decir con voz tranquila:

–Va a tener que fusilarnos, comandante.

Emilio enrojece, desconcertado, como un actor ante una réplica inesperada, fuera de libreto. Su colmillo de perro parece morder las palabras:

–¿Y es eso lo que lo hace reír?

–No, comandante –contesta Tomás–. Tengo mucho respeto por la vida para reírme de esa sentencia.

–Entonces cuál es el chiste que le parece tan gracioso?

–La suma que dijo –responde Tomás.

La voz de Emilio vibra de cólera:

–¿Me cree idiota? Conozco la vida y la fortuna de su mujer mejor que usted mismo. Nada en millones, yo lo sé. En millones, y no de pesitos desvalorizados sino de dólares.

–Supongamos que sea cierto –interviene Tomás, conciliador–. Supongamos que sea cierto, aunque en eso hay más de leyenda que de realidad. El problema no es saber cuánto dinero representa su patrimonio, sino cuál es el dinero líquido disponible para atender el reclamo de ustedes. Ahí es donde el asunto está mal tacado.

–De pronto deberíamos tomarlo a usted como consejero –ironiza Emilio, sin poder contener un parpadeo de inquietud.

–Pues de verdad les sería útil –dice Tomás con el aire sereno, enteramente profesional, con que debía presidir una junta directiva de su banco–. Conozco algo de operaciones financieras y sé por experiencia que nada saca uno pidiendo la luna. Hay que situarse siempre en el terreno de lo posible.

–Yo no voy a discutir con usted –estalla Emilio; su desconcierto parece volverlo irascible–. El asunto está clarito. Nuestra organización revolucionaria le ha puesto precio a la vida de ustedes dos. O pagan doscientos millones de dólares o son dados de baja. Piénsenlo bien y luego hablamos.

Tomás no se inmuta.

–Sobre esta base no tenemos nada que discutir, comandante. Yo siempre he sido muy realista. Va a tener que fusilarnos.

❧

–Fue una larga y terrible partida de póker –prosigue Claudia mientras las abejas continúan revoloteando ociosamente en torno a los restos de melón–. Tomás la supo jugar con toda la inteligencia de que era capaz y con un soberbio dominio de sí mismo. Cada día, al anochecer, volvía Emilio. Cada día se sentaba bajo el polvoriento resplandor del bombillo esperando obtener el dinero que su grupo pedía. A veces, arrastrado por la cólera y por su propia impotencia frente a las razones de Tomás, era procaz y amenazante. A veces, obedeciendo quién sabe a qué cálculos, llegaba amistoso, persuasivo. En alguna oportunidad me llevó a otro cuarto, para hablar a solas conmigo. Lo hizo de un modo que yo nunca me habría esperado, llamándome por mi propio nombre y hablando de mí, de los míos, como si me conociese de siempre. Incluso me mostró una fotografía mía de cuando era niña, una foto que cargaba en la cartera, lo que me hizo pensar en la complicidad de algún empleado o empleada de servicio de la casa, o quizás del fotógrafo en cuyo estudio había sido tomada quién sabe cuántos años atrás. No quería hacerme daño, decía, pero, para que nada me ocurriera, yo debería ayudarlo a cumplir el objetivo que su organización le había asignado. Lo afirmaba con una extraña vehemencia, tanta que parecía una súplica. Tenía húmedos los ojos y un cierto temblor en la voz. Sí, conmigo actuaba de un modo muy extraño, como si quisiera saltar cualquier diferencia de clase o de educación entre nosotros. Tomás, en cambio, lo irritaba peligrosamente por la actitud tranquila, casi paternal que adoptaba cuando le explicaba cómo mis hijas no tenían autonomía alguna en el manejo de fondos, la imposibilidad de vender propiedades o acciones o el compromiso del banco de nunca pagar rescate por el secuestro de alguno de sus socios.

«Emilio, oyéndolo, mantenía una actitud incrédula, desconfiada y rabiosa. A veces se levantaba bruscamente del asiento diciendo "ese cuento se lo echa a otro" o "mejor vaya encomendando su alma a Dios". Creo que hubo un momento en que tuvo realmente el propósito de matar a Tomás. A Tomás y no a mí. Quizás su organización llegó a decidirlo así, creyendo que de esta manera obtendrían más fácilmente el rescate pedido. Estaban rabiosos por no encontrar interlocutor fuera de nosotros. Una noche, poniendo su pistola sobre las rodillas, Emilio nos comunicó que un ajusticiamiento era inevitable. Tomás y yo nos miramos con la misma inquietud. Estaban convencidos de ser una réplica local de Fidel Castro o de Mao Tse Tung, y palabras como "ajusticiamiento" o "guerra de clases" o "expropiación por la vía armada" les permitían decidir un asesinato a sangre fría con un pretexto ideológicamente honorable. Si no lo hizo, quiero decir, si no mató a Tomás (pálido, tembloroso, alcanzó a rastrillar la pistola) fue gracias a mi reacción, para él completamente inesperada. Creo que llevo por dentro algunos genes de mi abuelo Simón o de mi abuela, la dura mujer mitad india mitad alemana que él encontró en las selvas del Chocó, porque reaccioné de una manera que debió sorprender al propio Tomás.

»–Mátelo –dije poniéndome de pie frente a él, a Emilio–; mátelo ya, sin más amenazas. Las armas se sacan para usarlas. Pero guarde dos balas para mí, porque si usted es tan estúpido de dispararle, juro que no pagaré ni dejaré que paguen rescate alguno. Antes mil veces muerta. Me tendrá que matar. Y ustedes no van a recibir nada, será una operación fallida.

»Tomás intervino entonces aprovechando el desconcierto del tal Emilio.

»–Créale, porque es cierto –dijo–. Si me liquidan, no habrá rescate; sólo hemos discutido la suma fijada por ustedes, porque desde todo punto de vista es perfectamente irreal. Déjeme hablar con sus propios compañeros y se lo explico.

»Emilio nos miraba alternativamente cada vez más inseguro. En aquel momento estaba muy pálido.

»–No necesita hablar con nadie porque el comandante soy yo –dijo guardando la pistola.

»A partir de aquel momento empezó al fin la negociación propiamente dicha, que culminó con el pago en efectivo de quinientos millones de pesos, es decir, al cambio de aquel momento, menos de un millón de dólares. Con el argumento de que sólo yo podía retirar dinero de los bancos, Tomás consiguió que me dejaran en libertad mientras él quedaba de rehén. Y todo terminó como lo había previsto. A él lo dejaron en libertad apenas recibieron los dos o tres costales llenos de billetes que fueron depositados en el baúl de un automóvil cuya llave –o copia de ella– tenían. Fue liberado en el mismo lugar de la Avenida Boyacá donde me dejaron a mí, con suficiente dinero para tomar un taxi. Cumplimos en parte el compromiso adquirido con ellos de no dar aviso a la policía. Digo en parte porque el pago, en efecto, se hizo sin que lo supiese autoridad alguna para no poner en peligro la vida de Tomás. Pero una vez que este quedó libre, puso el caso en conocimiento del director del Departamento de Seguridad, el DAS, de quien era amigo. Y con ello no consiguió nada distinto de una serie de imprudentes visitas a nuestra casa en Bogotá de agentes o detectives de seguridad. Iban y venían recibiendo declaraciones, haciéndonos obvias recomendaciones y trayéndonos a veces retratos hablados que sólo tenían un remotísimo parecido con Emilio y dos o tres hombres que habíamos visto durante el secuestro. En cambio ellos, los guerrilleros, si es que así puede llamársele a una banda de secuestradores, supieron todo esto. Tal vez tenían gente infiltrada en el DAS. O quizás, simplemente habían observado la continua llegada a nuestra casa de automóviles con placas oficiales. En todo caso, Tomás empezó a recibir llamadas por teléfono llenas de amenazas y palabras soeces, y en una oportunidad, viniendo de su oficina, creyó ver al propio Emilio siguiéndolo en un automóvil. No sé si era cierto o si se trataba de una obsesión suya. Porque Tomás no hablaba sino del secuestro; y no pensaba en otra cosa que en echarles mano a los secuestradores. No podía vivir tranquilo, decía, sabiéndolos libres e impunes, y, para colmo, vigilando todos sus movimientos con el propósito de volverlo a atrapar. Seguramente toda la tensión vivida por él durante aquel trance terrible le había afectado el sistema nervioso. No dormía bien. Se interesaba desmesuradamente en todo caso de secuestro y en una ocasión sirvió de intermediario para obtener la liberación de un amigo. Ni siquiera en Barranquilla, ciudad completamente ajena a guerrillas y secuestros, estaba tranquilo. De nada sirvió que nos refugiáramos allí, durante varias semanas, en casa del abuelo Simón, que ya había muerto. Al final, para salvar nuestro matrimonio, lo convencí de venirnos a la isla. Y él aceptó. Ustedes, Francis y Jacqueline, vieron cómo se interesó en toda una serie de proyectos turísticos, hoteles y clubes. Al mismo tiempo jugaba partidos de golf y salía a pesca con ustedes. Parecía curado de sus obsesiones, hasta cuando encontró, en esta casa, a nuestro querido amigo Howard.

»Sí, Manuel, es el mismo agente de Scotland Yard de quien te hablé anoche o antenoche en casa. Creo que bajo este techo y en torno a una botella de whisky se reunieron dos seres tan parecidos como el hambre y las ganas de comer. Howard había sido durante muchos años un experto en acciones de inteligencia encaminadas a identificar y combatir a terroristas del IRA irlandés. Me parece verlos ahí, sentados frente al samán, o en nuestra casa en la otra isla, hablando de cómo podía infiltrarse una red clandestina mediante la compra muy bien pagada de informaciones. No hay duda de que Howard es un genio en esta clase de tareas. No sólo había pasado media vida haciendo este tipo de trabajos en Inglaterra, sino también en países del Medio Oriente. "Los hombres son los mismos en todas partes", decía siempre. Y repetía una frase que también se la había oído al abuelo Simón. "Actúan por miedo o por interés." Y de esa manera, la vieja obsesión de Tomás (cazar a los secuestradores) revivió aquí, precisamente en el lugar paradisíaco que habíamos elegido para que olvidara su secuestro. Pero fue imposible impedirle a él, que era un jugador, un aventurero y un vencedor nato, aquella insensatez: irse a Bogotá con Howard para montar una operación de caza cuya pieza mayor era el tal Emilio, o como se llamara el tipo aquel de la uña y del colmillo de perro. Howard, de su lado, lo sabes de sobra tú, Francis, no se había resignado nunca a ser un viudo apacible, una especie de abuelito septuagenario disfrutando de su pensión de retiro en una isla del Caribe sin más oficio que el de sacar crucigramas, jugar al ajedrez o salir de pesca con ustedes. Así que Tomás encontró en él al socio ideal para su loca empresa.

«Howard hacía muy bien su oficio. Era oscuro, paciente, infatigable. Quién sabe cuántos archivos estuvo revisando, cuántas fotografías estuvo viendo, cuántas pistas, verdaderas o falsas, estuvo siguiendo durante tres largos meses en Bogotá. El dinero de Tomás hizo el resto. Pues, al cabo de muchas indagaciones, un modesto abogado les dio claves muy útiles. Según me contaría Tomás (yo no quise acompañarlo en esta expedición), aquel tinterillo de invariable traje negro y paraguas en el brazo, con una polvorienta oficina en el centro de Bogotá y sin más lujos que su nombre escrito en letras doradas en el vidrio esmerilado de la puerta, un paraguero y una vieja máquina de escribir Remington, conocía desde la universidad a todos los grupúsculos de izquierda. Tal vez pertenecía a alguno de ellos. Había defendido presos acusados de actividades sediciosas, sindicalistas e inclusive gentes del hampa. Conocía muy bien todo ese mundo subterráneo. Pidió una suma de dinero que seguramente no había visto jamás en su vida para pagar informantes. Tomás nunca supo si era cierto o no, pero de todos modos resultó muy efectivo, pues al cabo de una semana empezó a dar informes sobre la banda que nos había secuestrado. Inclusive suministró el verdadero nombre de Emilio.»

–¿Se llamaba Rozo? –pregunta Manuel.

Claudia lo vuelve a mirar llena de asombro.

–Sí, ese era su verdadero apellido. Rozo. ¿Por qué lo sabes?

–Te lo contaré luego. Sigue.

–Al parecer, el dinero recibido como rescate (quinientos millones de pesos) había provocado toda suerte de disturbios dentro del grupo de secuestradores. Había quienes querían comprar armas y quienes consideraban que algo de ese botín debía corresponderles. Algunos, descontentos, habían desertado. Entre ellos, el hijo de un talabartero que a cambio de algún dinero dado por el abogado reveló la dirección de la casa donde Tomás y yo habíamos permanecido durante el secuestro. El resto corrió por cuenta de los agentes del DAS, y quizás de gratificaciones repartidas entre ellos por el propio Tomás. El hecho es que la casa fue tomada una noche por asalto después de varios días de vigilancia. No creo que alcanzaran a defenderse, pues todo ocurrió con vertiginosa celeridad conforme a instrucciones dadas por el propio Howard. Parece que aprovecharon la salida de la mujer encinta encargada de preparar la comida, para entrar de improviso antes de que ella cerrara la puerta. Utilizaron armas con silenciador. Nadie, dentro de la casa, quedó vivo. Había allí cuatro hombres, entre ellos Rozo. Los agentes del DAS dijeron haber encontrado sólo una mínima parte del dinero entregado (trescientos mil pesos, vaya uno a saber si decían la verdad). Hallaron también varios revólveres, una ametralladora, material explosivo y hojas de propaganda, todo lo cual fue exhibido al día siguiente por la prensa y la televisión con la noticia del desmantelamiento de una célula terrorista.

«En realidad, fue sólo una parte de la red. Había más hombres, no sé cuántos más, en la misma organización. Ellos vengaron a Rozo asesinando a Tomás. También yo estoy sentenciada, según parece. Pero de eso, francamente, prefiero no hablar.»

–Algo sabíamos por Howard –dice Francis–. Estaba muy contento cuando regresó de Bogotá.

–Siempre le recomendó a Tomás no volver a Colombia por muy

largo tiempo –dice Claudia–. Estaba seguro de que el abogado hacía doble juego.

–Howard desconfiaba hasta de su propia sombra –dice Jacqueline.

–A propósito, ¿dónde esta él? –pregunta Claudia.

–Volvió a Inglaterra. Creo que dirige una agencia de detectives.

–¿A su edad, todavía anda en eso? –ríe Claudia–. Supongo que debe estar siguiendo esposas infieles.

↝

Ha pasado la hora más dura de la tarde. El sol ilumina las colinas con suave resplandor dorado, mientras avanzan en el taxi por la carretera, muy cerca de la costa.

–Eres muy extraña –dice él–. Nunca quisiste hablarme de la muerte de tu marido. Era un tema prohibido. Y de repente, sin ninguna reserva, se lo cuentas todo a tus amigos franceses.

–Todo no.

–¿Hay algo más?

–Algo más que sigue siendo *top secret*.

En el mar, que se divisa a la izquierda a través de la hojarasca, surgen extrañas rocas volcánicas.

–¿Sientes el olor? –pregunta Claudia.

–Horrible, sí.

–Así debe oler el infierno –dice ella–. Es el olor a azufre que viene del volcán e impregna esta parte de la costa con sus emanaciones.

–¿Hay un volcán?

–En todas estas islas hay volcanes extinguidos.

El isleño que conduce el taxi comenta algo en inglés, que él no comprende.

–¿Qué ha dicho?

–Dice que este lugar se llama Bloody Point. Punto sangriento. Aquí, en una sola noche, ingleses y franceses mataron a dos mil indios caribes. No quedó uno sólo vivo. Es un lugar maldito.

–¡Qué barbaridad!

–Los indios, según se cuenta, preparaban un levantamiento. Fueron delatados por una mujer, una india que se había enamorado de un oficial francés.

El lugar, una especie de hondonada cubierta de una áspera vegetación que desciende hacia el mar, parece tan sombrío como su leyenda.

–No sabía que los franceses habían estado aquí –dice él.

–Claro, durante largo tiempo esta isla fue compartida por ingleses y franceses. Tenían una frontera y su respectivo gobernador. Todo terminó mal, a bala, hacia mil setecientos ochenta u ochenta y dos. Fue una guerra.

–Que ganaron los ingleses.

–No, primero los franceses. ¿Ves ese fuerte? A la izquierda, en lo alto de la colina.

Lo ve: una soberbia fortaleza de piedra en el contrafuerte de la colina con cañones que apuntan hacia el mar. En lo alto ondea una bandera.

–Lo llaman el Gibraltar del Caribe. ¿Quieres verlo? Cuando estalló la guerra entre ingleses y franceses, los primeros, con su gobernador a la cabeza, se refugiaron en el fuerte. Fueron sitiados por ocho mil soldados franceses.

–¿Ocho mil?

–Todo un ejército, sí, al mando de un marqués. Al final, los ingleses se rindieron.

–Fueron masacrados.

–*Pas du tout, monsieur*. El marqués los trató muy bien. Los dejó libres. *Noblesse oblige*, un año después fueron los franceses los que se rindieron a los ingleses y también tuvieron su vida a salvo. A partir de entonces, la isla fue inglesa.

Desde lo alto del fuerte, la vista es muy bella. Acaban de recorrer las fortificaciones, el vasto patio interior y los recintos donde se exhiben mapas, armas y uniformes de la época.

Cuando se asoman a la terraza exterior, a él le sorprende ver en el horizonte, surgiendo del mar, dos altas montañas. Vaporosas, parecen un espejismo, algo más cercano de un sueño que de la realidad.

–Son las islas de San Eustaquio y Saba –le informa Claudia–. Aparecen o desaparecen según la claridad de la atmósfera. Tomás tenía la idea de edificar en Saba un hotel de montaña. Allí no hay playas. En realidad, es un volcán. A Tomás le fascinaba. Un día tendremos que irnos a vivir allí, decía.

El recuerdo de su marido la ha dejado de pronto silenciosa. Mientras el taxi desciende por la colina en busca de la carretera principal, él continúa observando las dos islas casi desvanecidas en el horizonte marino.

De pronto oye la voz de Claudia:

–No me has dicho cómo conociste a Rozo, el jefe de la banda.

–Fue hace mucho tiempo, cuando yo era estudiante. Rozo era el secretario de una célula comunista.

–¿Cómo fue eso?

–Te he hablado de ellos, de Céspedes y Montoyita, mis dos grandes amigos de esa época de la universidad. Ambos eran entonces, en tiempos de la dictadura militar, miembros de las Juventudes Comunistas. Y tal vez a raíz de todo lo ocurrido con Adriana (el fiasco de la serenata, quizás su matrimonio tiempo más tarde), yo decidí aceptar la propuesta que ellos dos me hacían de ingresar a esa organización, entonces medio clandestina, la JUCO. Recuerdo aquella noche, cuando ingresé por primera vez a la célula. Se llegaba a ese lugar con muchas precauciones. Era una vieja casa cercana a la plazuela de los Mártires. Veo la salita del segundo piso, con varios taburetes, retratos de familia y un manchado papel de flores en la pared. En la planta baja había el estudio de un fotógrafo. La célula se componía de algunos estudiantes, dos o tres empleados bancarios, el fotógrafo y un obrero de la zona industrial. A mí me sorprendió oír cómo Montoyita era saludado con otro nombre, el de camarada Ramiro. Céspedes era el camarada Gonzalo. Por lo que pude darme cuenta, no les daban mayor importancia pese a que tenían un nivel intelectual muy superior al del resto. Con los brazos cruzados sobre el pecho y los ojos bajos, como si estuviesen en misa, iban escuchando diversos informes: uno sobre una huelga en una fábrica de llantas; otro sobre el llamado levantamiento fascista en Budapest; otro, en fin, sobre acciones de protesta previstas con motivo de la llegada a Bogotá de una misión norteamericana. La reunión, para decírtelo de una vez, era presidida por Rozo.

«También a mí me resultó un tipo extraño y muy desagradable. Era el responsable de la agitación y la propaganda en aquella zona. Enrojecía con frecuencia y al sonreír le asomaba en la boca aquel colmillo de perro que tú le viste desde el primer momento. Y tenía aquella uña desmesurada en el dedo meñique de una de sus dos manos. Disfrazaba mal una personalidad agresiva. Después de oír los diversos informes tomando notas en silencio, intervino de último para hacer un resumen de lo dicho. Habló de la situación del país, de encuentros entre el ejército y grupos guerrilleros, de un llamado frente patriótico. Decía que era muy amplio, y que ya ganaba terreno incluso en capas de la burguesía consciente. Por ejemplo, allí mismo, en aquella sala, había tres compañeros que venían de la clase explotadora, dijo señalando a Céspedes, a Montoyita y a mí. Salían de allí, de la burguesía, como salió el camarada Engels. Todos parecían muy contentos con esto, pero debió pensar que iba demasiado lejos en su presentación, pues de pronto, con ese sarcasmo que tú le conociste, se apresuró a señalar que tampoco nos iban a tratar como a niños bonitos. Ser comunista era un privilegio que debía pagarse a precio muy alto, dijo pasando en torno suyo, sobre todos los que allí estábamos, una mirada feroz. "No, esto no es un colchoncito de plumas", agregó; había riesgos, riesgos muy altos, riesgos de muerte, si queríamos saberlo; ya nos estábamos jugando la vida sólo por el hecho de estar allí reunidos.

»Yo estaba francamente decepcionado. Esperaba algo más emocionante de mi ingreso a una célula comunista. Debía tener en la cabeza todas aquellas imágenes románticas de la Revolución Rusa de 1917 que me habían dejado los relatos de Montoyita. Pero Rozo no era ningún Lenin sino una especie de portero resentido, y las huelgas en las fábricas de llantas no me decían nada.

»–Ese tipo es un verdadero saco de complejos –le dije a Céspedes y a Montoyita cuando salimos de la reunión.

»–El camarada Rozo es muy desconfiado –concedió Montoyita.

»–Y ustedes en la reunión no dijeron ni mu. Parecían estar escuchando la lectura del Evangelio –dije yo.

»–Somos de la base –explicó Montoyita, modesto.

Céspedes se había ofendido conmigo:

»–Rozo no es ningún niño bien del Country Club, sino un excelente agitador –dijo–. Lo que pasa es que usted, Manuel, tiene prejuicios de clase. Al fin y al cabo es hijo de un godo.

»Acabamos peleando, como siempre. Pero yo estaba en lo cierto: con nosotros tres, especialmente con Montoyita y conmigo, que teníamos el aspecto de muchachos de buena familia, Rozo tenía una situación cambiante, muy rara. A veces nos invitaba a tomar una cerveza; era amistoso, casi cómplice. Pero cualquier cosa destruía aquella untuosa simpatía. Nos ponía tareas que debía suponer vergonzosas para nosotros, tales como poner letreros en la Avenida de Chile o lanzar volantes en la puerta de la iglesia de la Porciúncula. Letreros como "*Yankees, go home*", que no significaban nada para los transeúntes. Los poníamos con crayola en las paredes, muy tarde en la noche, temiendo siempre que nos sorprendiera una patrulla de la policía. Los escasos hombres que se detenían a leerlos (un celador en bicicleta, algún borracho tambaleante) los deletreaban perplejos.

»Montoyita acometía aquellas tareas con suma docilidad, escribiendo, para colmo, con su mano izquierda, porque era zurdo. Se daba explicaciones: había que superar prejuicios burgueses y fundirnos en la disciplina monolítica del partido. Yo protestaba:

»–Ese Rozo lo que está buscando es que nos peguen un tiro. Y todo por vainas que nadie entiende.

»Montoyita me miraba estupefacto:

»–¿Crees que nadie entiende?

»–No, deben pensar que "*go home*" es el título de una canción de Elvis Presley.

»Rozo se enfurecía oyendo cualquier comentario mío al respecto.

»–*Go home* es una consigna que le ha dado la vuelta al mundo desde la guerra de Corea –decía rojo de rabia–. Es un mensaje dirigido a la burguesía, que por cierto habla mejor el inglés que el castellano.

»Debía tener alguna razón, pues el esposo de mi tía Lola, miembro de la junta directiva del Banco de Bogotá, me llamó días después a su oficina. Trémulo de cólera, tenía en la mano uno de esos papeles que Rozo me había hecho repartir en la puerta de la iglesia de la Porciúncula.

»–Usted, jovencito, tiene un apellido que no puede ensuciar. No es que me gusten los chafarotes militares en el poder. Cómo me van a gustar, viendo la manera como han llenado el Palacio de la Carrera de mujeres lobísimas con vestidos y zapatos de raso. Pero, el comunismo... ¿Qué diría Emilio, su papá, si lo viera?

«–Son mis ideas –le repliqué con la mayor dignidad posible, y ahí acabaron mis relaciones con esa rama de la familia. Fue un sarampión que no duró, por fortuna, sino dos o tres años. A Rozo lo perdí de vista. Me llegó la noticia a París de que había fundado una fracción maoísta. Jamás se me ocurrió pensar que había terminado de secuestrador.»

–Él y sus amigos eran unos hampones con una jerga comunista –dice Claudia–. No entiendo cómo pudiste tú mezclarte con ellos alguna vez.

–Tampoco yo lo entiendo. Quizás era algo que estaba en los vientos de la época. Las utopías políticas cumplen un papel similar al de las religiones: ofrecen una respuesta a toda clase de problemas e infortunios. Pero, no sé por qué, acaban siempre tiñéndose de sangre.

–Para mí todo eso no es sino una forma de barbarie –dice Claudia.

–Lo es. Pero a veces hay que esperar un siglo para que se les vea su verdadera cara. Fíjate lo ocurrido con el comunismo. Rozo, y hay cientos como él, no era sino un pobre diablo lleno de resentimientos. Sus lecturas debieron limitarse a cuatro o cinco cartillas de marxismo elemental. Y ahora debe ser visto como un mártir de la causa revolucionaria.

–Así ocurrió. ¿Sabes cómo se llamaba el grupo armado que mató a Tomás, mi marido? Brigada Jesús María Rozo.

XIII

Ahora regresan hacia el extremo sur de la isla en la luz dorada del atardecer. El mar, con los vivos reflejos de un sol crepuscular centelleando en el agua, parece tan sereno como un lago. Graham, según ha dicho Claudia, los espera con el yate en la Turtle Beach. Hacia allí se dirigen cuando Claudia le ordena al isleño que conduce el taxi detenerse en un lugar de la carretera.

–Quiero mostrarte un lugar que a mí me encanta –dice–. Si no te importa, vamos a pie. Está ahí mismo, en esa colina.

Suben entre una doble hilera de palmas reales muy altas. Hierbas salvajes crecen por todas partes borrando el trazo del camino. Aquí y allá pastan algunas cabras y en lo alto hay una iglesia en ruinas. En la luz del atardecer todo aparece nítido y silencioso; sólo se oye el rumor del viento.

–Es una especie de cementerio –explica Claudia–. Allí está la tumba de Thomas Warner, el más célebre y el primero de los colonos británicos. Algunos isleños pretenden haberlo visto sentado sobre su propia tumba, mirando hacia el mar. Son fantasías de negros, claro. Imaginan siempre cualquier cosa. En realidad, de noche, se ven luces. Luciérnagas y no ánimas en pena.

Ahora, desperdigadas en la colina y casi sepultadas por la hierba, muy cerca de las cabras que pastan tranquilamente, él descubre algunas lápidas de piedra. El sol llega hasta ellas en largos rayos horizontales que se filtran a través de las palmas. Las lápidas tienen inscripciones en inglés.

–Como lugar para dormir una siesta eterna, ninguno mejor –dice él volviéndose a mirar desde lo alto el suntuoso panorama del mar Caribe en el crepúsculo. Un velero con sus blancas velas desplegadas se desliza silenciosamente muy cerca de la costa.

Obedeciendo a un súbito impulso, ella se acerca a él y lo besa en el mentón. Sus ojos fijos en los suyos tienen en este momento un apasionado resplandor que lo estremece. Nunca la ha visto tan bella como en este instante. Tomándole por el talle la aproxima a él y la besa. La siente frágil y palpitante en sus brazos.

–La vida es increíble –susurra él–. Nunca pensé que me enamoraría de ti.

Ella se desprende de él y algo receloso y esquivo le aparece en las pupilas.

–No, no me quieras demasiado.

–¿Por qué lo dices?

–Es mejor, te lo aconsejo.

Él la contempla sonriendo; cree saber lo que le ocurre.

–No te inquietes –dice–. La nuestra es una historia sin porvenir, yo lo sé.

Ella lo toma del brazo. Su expresión se ha suavizado; ahora es plácida, amistosa, casi tierna. Empieza a caminar a su lado hacia la cima de la colina.

–Siempre tengo la impresión de que tú me adivinas el pensamiento...

–Tú eres Piscis y yo tengo el signo Piscis como ascendente. Debe ser eso.

Ella guarda silencio unos instantes, reflexionando.

–Te voy a decir una cosa que te va a sorprender. Tomás era un hombre excepcional. Lo admiré mucho, siempre. Fue muy útil para mí. Un padre, quizás más fuerte que el mío y un poco parecido al abuelo Simón. No obstante, creo que habría terminado separándome de él.

–¿Por qué? –pregunta él sorprendido.

–Me quitaba el aire. Aunque no se lo propusiera, era tan fuerte que me quitaba el aire. Dentro de mí siempre ha habido una mujer libre. O que quiere serlo. ¿Te acuerdas lo que hice cuando decidí dejar a mi primer marido, a José Barker Iribarra? Te lo conté: me perdí tres días. Durante esos tres días, alojada en el hotel Pierre con otro nombre, fui la mujer que siempre quise ser. Me corté el pelo, vi amigos en el Village, fumé un cacho de marihuana con un escultor y tal vez habría terminado acostándome con aquel brasileño que encontré en el hotel. Caramba, fue como respirar aire puro después de haber permanecido mucho tiempo en el agua.

–Pero Tomás, aquella vez, te propuso matrimonio y aceptaste.

–Quizás fue una debilidad mía. No debí hacerlo. Habría podido ser su amante, pero no su esposa. No lo engañé, si exceptúo algún encuentro banal en Nueva York... ¿Te escandalizo?

–De ninguna manera.

–Muerto Tomás, he decidido no volver a hipotecar mi vida con nadie. Apareciste tú, y, en realidad, eres como el primer capítulo de mi nueva vida... Sólo un primer capítulo, y eso lo vio la bruja cuando habló de amores y no de un sólo amor. ¿Lo comprendes?

–Sí.

–Tengo la impresión de que no lo aceptas con mucha alegría.

–Probablemente así es. Desde que me separé de Serena, me ha quedado un sentimiento de... ¿de qué será? Soledad, orfandad. Debo estar buscando a alguien para cubrir ese vacío.

–El niño desamparado...

–El mismo que temía al lobo, al *loup Garou*, en Amberes –se ríe él–. Oye, ¿qué le pasa a esta iglesia? Parece que hubiese pasado por aquí un vendaval.

Han llegado a la cima de la colina. Construida en piedra volcánica, la iglesia carece de vidrios en las ventanas; en vez de ellos hay tablones. Enredaderas con jazmines de la India trepan por sus muros laterales. Desde lo alto se divisa buena parte de la costa.

–Es una iglesia anglicana medio abandonada –dice Claudia–. En realidad, en esta isla lo que sobran son iglesias. Hay tantas como antiguos trapiches. Tal vez había una cerca de cada plantación.

Él pasea la mirada por aquel melancólico paisaje de la colina con sus lápidas y sus palmas reales en la luz moribunda del atardecer. Ha hablado de soledad, y ahora la siente infiltrándosele en el corazón igual que un mal presagio.

Como si adivinara lo que está sintiendo, ella se acerca y lo besa muy suavemente.

–Tú mismo lo has dicho, Manuel. La vida no se ajusta a ningún libreto previo. Ahí está su encanto. ¿No es mejor aceptarlo así? Lo que es hoy no será mañana...

–¿No es un poco triste pensarlo?

–No, si se asume como una ley de la vida. Uno no debería atarse definitivamente a nada. Dejar que ella florezca bajo el sol y la lluvia como una planta salvaje. ¿Me dejas darte un consejo?

–¿Cuál?

–No busques reemplazar a Serena con nadie. Ni sufras tampoco por esa historia, que tuvo su comienzo y también su fin. No se te ocurra cambiar una jaula por otra. No la cambies, ni siquiera conmigo si es que yo estuviere dispuesta a ello. Soy feroz, Manuel. En cambio... cinco días en esta isla pueden equivaler a toda una vida juntos. Tómalo así, como un regalo de la vida.

–Es un espléndido regalo, tienes razón.

Ha oscurecido completamente cuando llegan al lugar donde los aguarda el yate. En el Turtle Beach Bar han encontrado a Graham esperándolos. Leía una novela con la flema de un lord inglés. Ahora ha tomado su puesto frente al timón del yate. Ellos se han sentado en la popa, detrás suyo, disfrutando de la brisa fuerte, cargada de olores marinos, que sopla desde el océano y de la vasta oscuridad en la cual, salvo algunas luces huérfanas, sólo se distinguen, contra un cielo sin luna, las colinas de la península alzándose muy cerca de la playa. Graham ha puesto en sus manos un par de vasos de cartón con un daiquirí, una corteza de limón y mucho hielo picado. Luego ha prendido el motor. Al zarpar, la quilla del yate rasga las aguas con un suave rumor en busca del mar abierto. Graham ha prendido un potente reflector que ilumina una vasta porción del agua. Desde su puesto, sin volverse, dice algo en inglés que él no comprende.

Claudia le traduce, haciendo un esfuerzo para hacerse oír sobre el ruido del motor.

–Parece que se está levantando el viento del lado del océano. Es una vía más rápida, pero no me gusta tomarla a esta hora y en esta época del año.

–¿Por qué?

–Confío en el Caribe. Es más seguro. En cambio el océano es traicionero.

–Para mí es lo mismo: agua.

–Te equivocas. El Caribe, en esta parte, está más al abrigo de los vientos gracias a todo este rosario de islas. Se ve que no tienes un pelo de marino.

–Seguro que no.

A medida que avanzan en la cerrada oscuridad cruzada de súbitos relámpagos, el viento arrecia. Las olas que ahora encuentran parecen más altas y fuertes. La proa del yate se hunde bruscamente, choca con el agua y luego se levanta arrojando trombas de agua que les salpican la cara.

Graham vuelve a hablar con Claudia, a gritos, sin apartar la vista de las olas que vienen a su encuentro en la luz del reflector. Están pasando muy cerca de la costa de Nevis.

Claudia le repite en castellano lo que acaba de oír:

–Dice que hemos debido salir más temprano. A las cinco. El mar está muy picado a esta hora.

–Así parece. Esto se mueve mucho.

–¿Quieres ponerte un salvavidas?

–Prefiero ahogarme al tiempo contigo.

A la luz del relámpago él ve la sonrisa de ella.

–Bebe y calla, tú.

Una de las olas, al romperse contra el yate, los lava de pies a cabeza.

–Hemos debido quedarnos en Saint Kitts –dice ahora Claudia, inquieta, viendo cómo el yate vibra y se estremece sacudido por el viento y las olas, mientras siguen recibiendo en la cara y en los hombros trombas de agua tan bruscas como latigazos.

Graham deja oír su voz de nuevo.

–Pide que nos pongamos los chalecos salvavidas.

De una caja que hay delante de ella saca dos chalecos de color anaranjado, y le pasa uno.

–Sujétate bien a las manijas que tienes al lado –dice, mientras le ayuda a ponerse el chaleco salvavidas–. Este barco ha visto peores momentos.

–Por el momento sólo hay una baja: mi daiquirí. Se lo llevó una tromba de agua.

–El mío está lleno de agua salada. Es un purgante.

Durante largo rato permanecen en silencio.

Los relámpagos continúan iluminando el cielo y el mar, dejando luego una oscuridad más profunda. Ráfagas de lluvia, empujadas por el viento, penetran por los lados. La proa del barco se hunde en el hueco de las olas con un golpe sordo, luego se levanta para caer de nuevo, y el motor parece rugir con desesperación.

–Estoy tiritando de frío. ¿Tú no? –dice ella.

–También. Espero que sea sólo de frío y no de miedo. No quiero ahogarme sin antes haber escrito una novela.

–¿Novela de amor?

–De amor y de dolor. ¿Estamos todavía lejos de tu nido?

–No, estoy viendo nuestra costa. Al fondo, a tu derecha.

No puede decir una palabra más porque una verdadera catarata de agua le golpea la cara dejándolo casi ciego. Oye la voz de Claudia:

–Fue una imprudencia habernos venido en pleno mar abierto. Tomás acostumbró mal a Graham. Le encantaban estas aventuras.

Vuelven a quedar en silencio mientras el yate se debate con las olas.

Al doblar un cabo de la isla donde está la casa, el viento parece amainar. La costa empieza a dibujarse mejor. Distinguen el muelle y en lo alto de la colina la terraza de la casa iluminada. A los lados del muelle relumbran algunas lámparas.

–Se ve que nos estaban esperando.

–¿Tus esclavos?

–Sí, ellos conocen realmente el mar y deben estar inquietos.

–El único tranquilo es Graham.

–A él nada lo conmueve. Debe parecerle de muy mal gusto dejar traslucir cualquier emoción.

Les parece que el yate tarda una eternidad en acercarse al muelle. En realidad, la marea ha subido hasta el punto en que ha cubierto la playa, y las olas revientan con fuerza contra las estacas del pequeño embarcadero.

–Creo que no podemos atracar. Será mejor nadar –dice ella.

–¿Nadar? ¿Con este oleaje?

–Dos brazadas solamente.

–¿Vestidos?

–O sin ropa. Como quieras. Darás una fuerte impresión a las negritas que sostienen las lámparas... En todo caso, deja tus zapatos aquí.

Apagado el motor, las olas mecen el yate como si fuese un barco de papel. Graham suelta el ancla que cae al agua con un estrépito de cadenas. Claudia se despoja del salvavidas, y guarda su sombrero, sus lentes, la pañoleta azul y sus zapatos en el cofre metálico que está en la popa. Luego, ágilmente, se deja caer en el agua. Él la sigue. Una ola lo arrastra con fuerza hasta la orilla. Se levanta, con las ropas pegadas al cuerpo, resoplando como una foca. Ella se ríe mirándolo, mientras muchachas negras se acercan con sus lámparas de gasolina en las manos.

–¡Qué aventuras! –comenta él chorreando agua–. Esto parece un naufragio.

–Creo que necesitamos unas buenas toallas, una ducha caliente y un vodka. En ese orden –dice ella.

La aguarda ahora en la terraza pensando que las mujeres son todas iguales, toman con calma todo su tiempo, bañándose, arreglándose, cepillándose el pelo, vistiéndose, poniéndose una gota de perfume más leve que un suspiro detrás de la oreja, mientras su marido, su novio, su amigo o su amante las aguarda con una copa de cualquier licor en la mano, como es ahora su caso. Se ha calmado el viento. El cielo está más limpio. Ha salido la luna y hay estrellas, racimos de estrellas, en el vasto espacio abierto sobre el mar y la isla. En el aire se respira la calma, llena de fragancias húmedas, que reina en el trópico después de la borrasca. Quisiera él también estar en paz, seguro y tranquilo dentro de las ropas que acaba de vestir después de tomar una ducha caliente y con el fuego de aquel vaso de vodka reconfortándole el corazón y las entrañas mientras escucha en el estéreo la trompeta de Louis Armstrong. Pero le queda por dentro un rescoldo de incertidumbre, pues no sólo está allí, en la terraza que se asoma al vasto panorama del mar tenuemente iluminado por la luna, sino que ha vuelto también en su recuerdo al cementerio crepuscular de aquella tarde, y está escuchando a Claudia diciéndole con un estático resplandor en la mirada no te enamores, no me quieras tanto. También ella se administra, administra las turbulencias del corazón, colocando aquí y allá luces rojas como en un campo de aterrizaje, y algo dentro de él se lo recrimina, mientras otra parte lo acepta razonablemente. Pues debía dejar al fin de ser un muchacho, piensa; aquel pobre muchacho que leía versos en las tristes tardes de sábado de la remota Bogotá de su adolescencia. "Como el niño que en la noche de fiesta se pierde entre el gentío...", el verso aquel de Machado. Leía a Machado, a Neruda, a Vallejo en parques y cafés y en aquella lúgubre casa cercana a la estación del ferrocarril. Versos, mujeres inalcanzables siempre vistas en una bruma de sueños adolescentes. Películas de entonces. Ingrid Bergman en *Casablanca*. Sus ojos llenos de lágrimas mientras el pianista negro toca, a pedido suyo, "*As time goes by*..." Aquella música, Humphrey Bogart, el aeropuerto de Casablanca en la neblina, toda la atmósfera sentimental de aquella película vista a los diecisiete años, los seguía a ellos, a él, Céspedes y Montoyita, saliendo del viejo teatro San Jorge al frío de la calle, a la triste y glacial Bogotá de aquellos tiempos. Luego entraban en un café. Bebían y, bajo las luces de neón, por encima de las botellas de cerveza y en el humo de los cigarrillos que envenenaban la atmósfera de aquel antro donde pasaban horas, las húmedas y lentas pestañas de la Bergman volvían a alzarse sobre el destello de una lágrima, y la música de *Según pasan los años* continuaba resonándoles por dentro. Y hasta el cínico Céspedes parecía tocado en alguna parte del corazón, porque no hacía sino repetir, para estupefacción de Montoyita, ya borracho, "qué belleza de mujer, carajo... Lástima que uno deba contentarse sólo con las putas del burdel de Blanca Barón". Sí, soñado con imágenes cinematográficas y poemas de Neruda, amor era lo que sentía por Adriana en casa de sus primas y lo que le oprimía el corazón cuando volvían del campo los domingos en la tarde. O eso que experimentó cuando Serena, sentada en el Heyneman frente a él en una luz de acuario, sus grandes ojos oscuros fijos en él, le había dicho gravemente: "Yo no podría casarme sino con un tipo como tú..." Pero la realidad parecía dar una réplica brutal a esos sueños. La realidad era otra. Era Adriana en París preguntándose si debía o no aceptarle su propuesta matrimonial a un viejo noble austríaco por el cual no experimentaba nada distinto a un soberbio hastío. ¿Y Serena?

También aquello se había derrumbado del modo más triste, más amargo. Y en cuanto a Claudia, es evidente que su independencia pasaba antes del amor; se lo había dicho aquella misma tarde. Quizás era legítimo que eligiera esta forma de vida, pero... ¿no iría a terminar como esas mujeres llenas de dinero, desencantadas y glaciales, que cambiaban de amante como cambian de vestido?

La voz de Claudia le llega desde el corredor:

–¿Qué haces?

–Algo muy poético: mirar la luna y las estrellas esperándote.

–¿Estás bebiendo algo?

–Vodka.

La ve acercándose por la terraza, fresca y radiante, con una túnica blanca que le llega a los pies. Qué bella es, piensa con un repentino vacío en el corazón. Así debería recordarla siempre.

–Me estás mirando con ojos libidinosos.

–Todavía no. Pero ocurrirá apenas estés al alcance de la mano. ¿Qué perfume te pusiste detrás de la oreja?

–Must de Cartier. Nada original. Dentro de poco se lo pondrán las cabineras de los aviones.

–Alguien debería pintarte como te veo ahora. Descalza y con una túnica dentro de la cual debes estar completamente desnuda.

–¿Se nota? –pregunta ella con coquetería–. Ven, sentémonos aquí. Pero antes déjame decirle a Graham que ponga una brisera sobre la mesa. Prefiero la luz de una vela a estos reflectores de teatro. Y sírveme también un vodka. Necesito beber algo fuerte, para reponerme de tantas emociones. Por poco naufragamos, tú.

❧

La lumbre temblorosa de la vela le lame la cara mientras conversan bebiendo aquel vodka muy frío y comiendo ceviche marinado en vino blanco y limón y con una guarnición de batatas dulces. No sabe por qué Claudia ha insistido en saber de qué manera se produjo su separación con Serena. Es como si todo lo que ella llegó a referir aquel día a propósito de su secuestro y del asesinato de su marido removiera en ambos secretos bien guardados hasta entonces. Y él lo entiende así, porque de pronto él resulta hablándole de aquella tarde crucial de su vida, años atrás, cuando Serena le anunció que había encontrado otro hombre. Se lo había dicho así, sin dramatismo alguno, casi con dulzura, mientras se maquillaba delante del espejo del baño. Estaba completamente desnuda; su cuerpo era todavía esbelto, sus cabellos largos y sedosos y no había perdido el estupor infantil en los ojos. Se maquillaba con un meticuloso cuidado y mientras se ponía sombra en los párpados, mientras se pintaba las cejas o los labios, continuaba hablándole de aquella manera suave y persuasiva como lo haría una madre con un niño a quien se desea convencer de algo que debe admitir por su propio bien.

–Has cambiado tanto, Manuel. Tanto... Cuando te conocí eras un muchacho perseguido, pobrísimo, desamparado. No tenías a nadie. Andabas con un solo traje brillante en las solapas. Daban ganas de protegerte. Sólo hablabas de libros. Eras el hombre que siempre había estado buscando.

–No creo que haya cambiado tanto –había dicho él.

–Mucho más de lo que tú imaginas. Y no te lo reprocho. Quizás necesitabas entrar en los huertos que siempre te habían prohibido. Quiero decir, en ese mundo que de niño sólo podías mirar desde afuera; y el mismo que te lastimaba con sus desprecios porque eras el hijo de una viuda pobre. A mí, en cambio, nada de eso me interesa. Mi elección siempre fue definitiva. No he cambiado desde que nos conocimos. Para vivir me bastan mis libros y cuadernos, un par de bluyines, un pullover o una blusa y algo que poner en la nevera y en el horno. Necesito, sí, que el hombre que esté conmigo comparta mi manera de vivir. Y ese ya no es tu caso. Has llegado a sentir que la verdadera vida no es esta que hemos llevado en París. Buscas otra cosa...

Él había guardado silencio unos instantes, reflexionando.

–Tal vez tengas razón –dijo.

–¿Lo ves? Tú mismo lo admites.

–Pero algo no ha cambiado –dijo él sintiendo que las palabras le brotaban de lo más hondo del corazón–. Sigo queriéndote igual que siempre.

–También yo.

–Serena, ¿a qué vienen todas estas reflexiones?

Ella dejó de maquillarse y él encontró su ojos en el espejo mirándolo con un brillo profundo y grave.

–Debo decirte algo, Manuel. Tomálo con calma.

Él sintió en las entrañas el súbito hielo de una inquietud. No era usual que Serena le hablase de aquel modo, y sólo ahora caía en la cuenta de que se disponía a salir de noche, cosa que nunca hacía.

–¿Qué sucede? –preguntó–. ¿A dónde vas?

Ella parecía buscar sus palabras. Volviéndose hacia él, que se había sentado en el borde de la bañera, le dijo muy despacio como quien pronuncia una sentencia de muerte:

–He conocido a alguien...

Él estaba estupefacto.

–Explícate, Serena.

Ella vacilaba aún.

–No sé cómo decírtelo. Es un francés. Lo he visto sólo tres veces en el consultorio de mi nuevo médico, del doctor Lemaire. Y algo ha sucedido entre los dos.

–¿Te acostaste con él?

–No me ha tocado un dedo.

–¿Entonces, qué es lo que ha sucedido?

Ella se puso a pintarse los labios, pero era evidente que lo hacía de una manera mecánica mientras reflexionaba. Se detuvo, y de nuevo él vio sus ojos negros y profundos mirándolo en el espejo.

–Me ha propuesto que me case con él. Y yo...

–Estás loca –la interrumpió él sin poder darle crédito a lo que estaba oyendo.

–Así me han llamado siempre en Barranquilla. Y tal vez lo soy de verdad.

Él tenía una sensación de irrealidad, como si estuviese soñando.

–Serena, esto no tiene ni pies ni cabeza.

–Sí los tiene. Acuérdate, lo mismo me ocurrió contigo. La primera vez que te vi, en Barranquilla, llegué a casa y le dije a mi abuela: "Conocí al hombre con quien me voy a casar. Él no lo sabe. Es tímido. No se atreverá a llamarme antes de tres días, y eso para invitarme al cine club, pero me voy a casar con él."

Era cierto. Y así había sucedido. De modo que de igual manera aquello podía ocurrir ahora con otro hombre. Serena era así. De todos modos era difícil aceptarlo. Sentía que sus propias palabras eran frágiles tentativas de oponerse a un designio irrevocable.

–Nadie rompe un matrimonio para irse con un desconocido.

–No es un desconocido.

–Es un hombre que sólo has visto tres veces en tu vida, y en un consultorio médico.

–Hemos tomado té cerca del hospital.

–¡Un té!

Ella había terminado de pintarse los labios y ahora se cepillaba el pelo.

–Dicho así, parece absurdo. Pero no lo es.

Siguió cepillándose el pelo en silencio; luego, su ademán se hizo más lento y de nuevo encontró su mirada en el espejo.

–Él es como tú eras cuando te conocí.

–Ahórrame el retrato.

–Es recto, limpio, solo. No tiene a nadie en la vida. Creció en las colonias francesas. No sabe cuánto le queda de vida. Fue operado de una úlcera...

–Te estás pareciendo a sor Teresa de Calcuta. ¿Has pensado lo que dejas aquí?

–Lo he pensado, sí. Y nada de esto ha sido fácil, créemelo. Anoche no hice sino llorar mientras tú dormías. Pensaba en ti, en todo lo que hemos vivido juntos.

Los ojos se le llenaron de lágrimas. Él sentía un nudo en la garganta y un plomo en el corazón. Era como si la tierra hubiese cedido bajo los pies y todo lo suyo estuviese a punto de ser arrastrado por una sacudida sísmica.

–¿Y las niñas, qué? –preguntó con una voz que le sonó muy ronca.

–Quedarán contigo. Y no me inquieta, porque las adoras y sabrás cuidarlas. Yo no puedo imponérselas a otro. Claro que yo las quiero, y he logrado ser no sólo su mamá sino su hermana, su amiga.

–Justamente...

–Las seguiré viendo continuamente. En realidad, hay otra cosa que me preocupa.

–¿Cuál? –preguntó él.

–Los libros.

–No veo cuál es el problema.

–Tengo que llevármelos, y tú vas a querer que te deje muchos de ellos. Te puedo dejar a Hemingway, pero de ningún modo a Faulkner ni a Virginia Woolf.

Sólo a Serena se le habrían ocurrido semejantes reflexiones en aquel momento.

–Quédate con los libros que quieras.

–Tú podrás comprar de nuevo los que te falten.

–Supongo que te llevarás la gata.

–Él adora los gatos y Salomé sin mí se moriría. No puedo dejarla.

Puede dejarnos a nosotros pero no a su gata, había pensado él con sarcasmo. Pero no dijo nada. Todo le parecía absurdo, irreal. Absurdo que doce o catorce años juntos terminaran de aquella manera, hablando de gatos y de libros.

Su aspecto debía ser el de un hombre muy triste, porque ella le sonrió en el espejo y luego le dijo:

–Acuérdate del refrán ruso: vendrán días de vino y rosas –se mordió los labios y rompió a llorar–. Vete ahora. Tómate un trago en alguna parte. Invita a Adriana. No quiero llorar porque se me va a correr el rímel de las pestañas.

Él había salido al salón; en la mesita del comedor, contigua a la cocina, sus hijas estaban haciendo las tareas. No sabían nada. Serena les hablaría como a él de la misma manera persuasiva, presentándoles bajo una luz muy favorable lo que podía ser para ellas un verdadero cataclismo.

La mayor, Clara Lucía, lo estaba mirando con un gesto de picardía:

–Papi, ¿realmente conoces bien la obra de Racine?

–¿Por qué lo preguntas?

Ella se echó a reir.

–La profesora de francés me puso una nota pésima, y fuiste tú el que me ayudó a hacer esa tarea.

–Espero no haber confundido a Racine con Sófocles.

–Seguro que sí, papi –dijo ella sin dejar de reir–. En todo caso la profesora me puso en un margen del cuaderno: *manque de rigueur*.

–Te habría ido mejor pidiéndole ayuda a tu madre –sonrió él, y en seguida se arrepintió: era lo menos indicado que podía decir en aquellos momentos, cuando Serena se proponía dejarlos.

Había experimentado la súbita necesidad de respirar aire fresco; de caminar. Siempre le había ocurrido así: las desventuras le impedían quedarse quieto en un sitio. ¿Cuántos kilómetros había recorrido aquella noche? Hacía un poco de frío. Debía ser una noche de otoño porque su recuerdo estaba tapizado de hojas amarillas. Había hojas cubriendo el parque Montsouris, frente al inmueble donde vivía. Había hojas a lo largo del bulevar Jourdan y en todo el trayecto seguido por él hasta su vieja querencia del barrio Saint-Germain-de-Près. Sus pasos sin rumbo definido lo habían llevado por la rue de Seine hasta el quai de Conti y el Pont des Arts. Eran los parajes de la Maga, el personaje de Cortázar. Desde el puente permaneció largo tiempo contemplando el agua del río y las luces que se reflejaban en ella. Tal vez dentro de él no había todavía tristeza, sino confusión, zozobra y sobre todo aquella sensación de irrealidad que lo dejaba incrédulo frente a sus propias reflexiones. Siempre había pensado que su matrimonio con Serena era indestructible. Llegarían a viejos juntos, decían siempre. Le venían imágenes de aquellos años vividos en París, las mejores y no las más sombrías: él, Serena y las niñas adornando con bolas de colores un árbol de Navidad; una tarde de agosto en el sur de Francia, cerca de Sètes; un bosque en Bretaña, en primavera, y él y Serena leyendo a la sombra de una encina mientras las niñas corrían por un prado luminoso; tardes y noches de paz, en el apartamento. La memoria era parcial, selectiva; sólo alzaba sobre el agua del río, y los vagos resplandores reflejados en ella, los mejores recuerdos de aquellos años, y no otros, que eran muy duros. De todo esto no le quedaba sino una aguda perplejidad. Serena se iba de su vida. Temblaba por dentro. ¿Qué era lo que había ocurrido?

–Espera, espera –dice Claudia–. Todo lo que me cuentas no tiene, como tú mismo lo has dicho, ni pies ni cabeza.

–Pero así ocurrió todo.

–No parece creíble. En primer lugar, porque Serena, según me lo has contado, no sólo te autorizó a acostarte con la frívola de tus pesares, sino que te empujó a ello. ¿No fue así? ¿Acaso no te dijo desde el primer día que debías hacerlo?

–Cierto.

–Y lo hacía justamente para banalizar esa relación, para impedir que se convirtiera en un enredo sentimental. Lo único que tenías prohibido era enamorarte y no el hecho de hacer el amor con otra.

–Sí, para Serena el sexo era travieso, caprichoso, y había que aceptarlo así. El corazón, en cambio, podía ser fiel. Y yo, de paso, pensaba lo mismo.

–Exactamente. Y tú no pensaste en ningún momento en dejar a Serena. No habrías sido capaz.

–También eso es cierto.

–Es decir, jugaste con sus propias reglas del juego. Fue ella la que no las cumplió.

–Supongo que la realidad pulverizó todas sus construcciones teóricas. Siempre ocurre así. Por eso, entre otras cosas, fracasan las ideologías.

–No me cortes los pelos en cuatro. No estoy hablando de ideologías. Estoy hablando de Serena. Y la cosa es muy simple para mí. Ella, Serena, es igual a cualquier mujer así elabore toda clase de teorías sobre el amor y el sexo en los hombres y en los elefantes. Yo habría hecho lo mismo que ella. Te habría mandado a la punta de un cuerno. Te dejó porque no podía aceptar tus infidelidades.

–Realmente crees que...

–¡Qué ingenuo eres! Y si me permites, agrego lo siguiente: no te quería. Si uno deja a un hombre por otro que acaba de encontrar en un café o en un consultorio médico, es porque no lo quiere.

–Creo que simplificas todo de una manera brutal.

–Pues a veces es necesario no buscarle cinco pies al gato y ver las cosas con ese formidable sentido común de cualquier abuela del Caribe. ¿Sabes lo que debía tener Serena por ti? Rencor. Tú andabas con otra, pasabas noches enteras en restaurantes y discotecas y venías inclusive a contarle tus emergencias sexuales... ¿Quién puede aguantar semejante cosa?

–Eres terrible.

–Razono como mujer, eso es todo. Las teorías nada tienen que ver con las vísceras. Si Serena aceptó la propuesta del primer monógamo tranquilo que encontró en su camino, es porque no estaba esperando otra cosa. Y de paso, se vengó de ti.

–No lo creo.

–Como lo oyes. Cualquier mujer pensaría lo mismo escuchándote.

–Me dejas perplejo. ¿Quieres otro vodka?

–No bebas más. Deja que tu cabeza esté clara. En cambio voy a hacerte una propuesta indecente.

–La que tú quieras.

–No sé cómo lo tomes, pero a veces, cuando quiero sentirme tranquila, *détendue*, fumo un poco de hierba.

–¿Marihuana?

–¿Tienes algo en contra?

–Nada, salvo que no me produce mayor efecto.

–Quién sabe qué has fumado. Yo tengo una excelente. Pero no creas que soy adicta. Fumaba muy de vez en cuando y siempre a escondidas de Tomás. Ahí sentía yo los treinta años que me llevaba. Reaccionaba del mismo modo como habría reaccionado el abuelo Simón...

–¿Y Graham qué dice?

–Graham nunca dice nada. Pero no me gusta que nos vea en ese trance. Déjame ir al cuarto y traigo un primoroso cigarrillo. Soy experta en hacerlos. Lo fumaremos afuera. Quizás despierte tus instintos más dormidos.

–Contigo nunca han estado dormidos.

–Eso es verdad. Espera, ya vengo. Pídele a Graham un helado de almendras en licor. Es una maravilla.

⤳

–... déjame mirar las estrellas. ¡Qué paz! ¡Cómo brillan! Todo parece inmóvil esta noche, vasto e inmóvil en esta isla perdida, y uno siente, terriblemente vivo en la oscuridad, el perfume de los jazmines. Hay otros olores que brotan de la tierra después de la lluvia. ¿Los sientes? Fragancias salvajes de frutas y flores. Muy lejos, tal vez del caserío donde tu bruja echa la suerte pronosticando muertes y amores, vienen ráfagas de música, esa extraña música de las islas, que saca notas cantarinas de marimbas y tambores de barriles de petróleo. Siento el roce de la túnica mientras caminas. Susurro de sedas sobre tu cuerpo desnudo, palpitante. Y tus ojos, esta noche, en la claridad de la luna, tienen una fosforescencia sobrenatural. Nunca he visto ojos tan verdes bajo unas cejas tan oscuras. Flamboyanes, cayenas y trinitarias parecen arder a la luz de la luna. Siento una especie de paz y de plenitud. Es como si años de inquietudes se hubiesen esfumado y de pronto el alma estuviese libre al fin de toda culpa. No sé por qué digo esto. No sé por qué hablo de culpas. Tal vez todos las llevamos por dentro. No, tú no. Me lo has dicho. Jamás me arrepiento de nada. La frase es tuya. Jamás pido disculpas, jamás me arrepiento de nada, has dicho, y ahí está probablemente tu fuerza. Impones tus propias reglas del juego a quienes se cruzan en tu camino. Es algo excepcional. Porque esa cultura judeo-cristiana, que pesa sobre nosotros como una lápida, no es sino culpa y expiación. Pecado. Supongo que Serena lo descubrió a tiempo, y quiso rebelarse de esa herencia represiva y católica recibida de abuelas y bisabuelas. Quiso siempre trazar sus propios códigos morales, ajenos a la culpa, al castigo y a la represión de lo que representaba la libre expresión del deseo y del instinto. Debió de haber en ella una lucha terrible entre sus ideas y esa carga atávica. Y yo sé hasta qué punto fue leal en su esfuerzo de ser consecuente consigo misma. Pero no pudo en el fondo de ella misma, como me lo dijiste hace un instante, aceptar mi relación con Adriana. Algo se quebró dentro de ella, alguna pieza esencial de su equilibrio físico y psicológico. Se enfermó. Tenía depresiones. Le venían fiebres altas y súbitas, que al amanecer desaparecían dejándola empapada en sudor. Le aparecieron manchas en la cara. La vieron varios médicos. Decían que era algo nervioso. Al final hubo uno, sólo uno, capaz de descubrir la naturaleza de su mal. Oímos con igual extrañeza aquella palabra: lupus; vagamente, a mí me recordaba la enfermedad que llevó a la tumba a una hermana de mi mamá. ¡Qué tiempos! El médico aquel, un tal doctor Bernard o Bertrand, era un hombre pálido y hermoso, de palabra brusca y de ojos azules, fríos y duros como un metal, que jamás miraron a nadie, ni a su propia madre con piedad o ternura. Parecía un fanático, y a lo mejor lo era. Comunista, no aceptaba consultas privadas, y lo más que podía concederle a un paciente eran diez minutos (tenía siempre enjambres de obreros e inmigrantes aguardándolo), es decir, lo necesario para mirar y ordenar exámenes de sangre y radiografías y escribir con furiosa impaciencia unas cuantas fórmulas sobre papel. “No es mi culpa, es el sistema el que lo quiere así”, decía en aquel sombrío consultorio suyo del hospital Saint Louis. Quizás de este modo quería convertir a todos sus enfermos en militantes de su causa. Aquel apóstol del proletariado resultaba más inhumano que un médico sólo interesado en ganar dinero, pues al menos este último, si se le paga, presta un servicio eficiente. Recuerdo con un frío en el corazón aquellos pasillos lúgubres y helados del hospital donde se respira toda la miseria y toda la tristeza de París. Patios, ventanas, rostros, calles, canales ensombrecidos por la luz del invierno aguardaban a Serena, a Serena, que llegaba ardiendo de fiebre y mal cubierta con una barata chaqueta de piel, durante aquellas visitas. Y no había en empleados y enfermeros ni siquiera una sonrisa mercenaria para apaciguar la inquietud de los pobres enfermos, que aguardaban durante horas con un papel numerado en las manos.

«Sí, son recuerdos que parecen acudir a la memoria como testigos de cargo para remover oscuros sentimientos de culpa. Nunca logré escapar a ellos. Pues aunque Serena no relacionara su enfermedad con Adriana y todo lo que ella representó para mí (los síntomas de su mal habían aparecido antes de su llegada) no podía impedir esta vieja y subrepticia relación entre pecado y castigo. No en vano crece uno con el olor del incienso en las narices y oyendo penitencias en un confesionario. Serena, en sus accesos de fiebre, no era ajena a estas mismas consideraciones, pues sabía por su médico que la aparición o recrudecimiento de su enfermedad estaba ligado a un factor nervioso. Y dijese lo que dijese, aquella historia debía llenarla de inseguridad. Le oía sarcasmos amargos. Hablaba a veces de su deseo de morir.

«En una película de Bergman, oí decir que éramos analfabetos del sentimiento. Nunca pude olvidar esta frase. ¿Cuándo cambia o muere el amor? ¿Qué es el amor? ¿Te lo has preguntado, Claudia? ¿Era ese sobresalto, ese desorden del corazón o de las vísceras que me producía Adriana? ¿O era una simple atracción sexual en el supuesto de que fuera legítimo desvalorizarla con semejante adjetivo? ¿Era amor ese sentimiento tierno y profundo, pero desprovisto de todo deseo, que me suscitaba Serena? ¿Y ella? Si me dejas un día, me suicido, decía siempre; pero un día, maquillándose ante un espejo, me anunciaría tranquilamente que se iría con un hombre que acababa de conocer en un consultorio médico como quien participa a un funcionario público un cambio de domicilio. En este caso, ¿es cierto, como tú crees, que el amor se trasmutó en rencor hasta el punto de liquidar todo lo que nos había unido? Misterios, Claudia.»

–Es mejor no hacerse tantas preguntas.

–Vivir todo a ciegas, eso es lo que...

–Has hablado mucho. Y yo, para serte franca, estoy en otra longitud de onda luego de fumar este cigarrillo.

–¿Cuál?

–¿No lo adivinas?

–Sí, te lo estoy viendo en los ojos.

–¿Qué esperas, entonces?

–Volvamos a la casa...

–No, es muy lejos. ¿Ves esa especie de galpón? Miremos si está abierto. Tomás lo hizo construir para alojar a un celador armado. Ahora no lo ocupa nadie. Ven.

–Está oscuro.

–No importa. Aquí hay un jergón.

–Huele a encierro, a humedad.

–No, huele a negro. Y eso me excita. Quítate esos trapos...

–Qué loca eres...

–Sigue, no te detengas.

–Olas ardientes...

–Bajan y suben. Sigue.

–¿Así?

–Sigue, sigue, ¿sientes lo mismo que yo?

–Sí.

–Voy a gritar.

–Grita.

–Necesito gritar.

–Grita.

CUARTA PARTE

XIV

En el primer instante, todavía desprendiéndose de jirones de sueño, no sabe dónde se encuentra. Confusamente, al otro lado de la ventana, escucha una vasta algarabía de pájaros. Trinos, arrullos, roncos gritos selváticos se dan la réplica desde la montaña hasta la costa saludando el nuevo día. Poco a poco su cerebro va poniendo las cosas en orden. Está en la gran alcoba de Claudia. Reconoce el techo de madera pintado de blanco, el ventilador de grandes aspas, la persiana con pálidas franjas de luz y aquella fragancia de lavanda que impregna el aire de la habitación. Claudia duerme a su lado. Él la observa. Tiene un aire de inocencia que hace más perturbador lo sucedido la noche anterior en el galpón: una orgía de besos, de caricias y juegos eróticos. Era insaciable, caprichosa. En un momento dado había querido bañarse en el mar. La recuerda desnuda, los cabellos revueltos como una medusa y aquellos ojos suyos fosforescentes bajo el resplandor de la luna, entrando en el agua con la esbelta arrogancia de una deidad marina. Ahora duerme con los brazos abiertos, plácida, tranquila, los senos medio cubiertos por la sábana de lino. No tiene nunca nada de qué arrepentirse, piensa él sorprendido. Debía tener mucho de su abuela, la india que el viejo Simón Aristigueta había encontrado en las selvas del Chocó.

Permanece muy quieto escuchando los pájaros (ahora hay un mochuelo muy cerca de la ventana dejando oír un largo arrullo) y de manera más leve, tan leve como la respiración de Claudia, el rumor de las olas rompiéndose en la playa. Hará un buen día, piensa; un día claro y fresco y el mar estará muy tranquilo como sucede en el Caribe después de una borrasca. Sigilosamente, para no despertar a Claudia, se desliza fuera de la cama. Levanta ligeramente una hoja de la persiana para mirar afuera. No ha salido aún el sol. La primera claridad es azul y está llena de húmedos olores vegetales y vibra con aquel vasto clamor de los pájaros. El mar parece una lámina de plata todavía brumosa en el horizonte.

Todo esto parece un sueño, piensa entrando al baño. No quiere preguntarse qué sucederá cuando la realidad, la inevitable realidad, haga trizas aquel encanto. Ni siquiera se ha atrevido a preguntarle a Claudia cuándo se irán de la isla. La víspera ella ha hablado de cinco días. Cinco días pueden equivaler a toda una vida juntos, había dicho. Claudia es imprevisible. Con ella todo puede acabar tan bruscamente como empezó. Es mejor no olvidarlo, piensa embadurnándose la cara de jabón frente al espejo. Le gusta aquella luz violeta que no se sabe de dónde proviene y sumerge el baño, tan limpio, tan lujoso, en una suave penumbra. La regla del juego es no hacerse preguntas sobre lo que sucederá después. Hay momentos en que uno debería aceptar la vida así, en el esplendor del instante, sabiendo, de todos modos, que lo que se está viviendo es intenso y hermoso justamente porque es fugaz, condenado a desaparecer como todo lo que palpita y respira bajo la luz de un nuevo día. Sin esa dolorosa percepción de lo que hoy es y mañana no será, no habría arte, no habría pintura ni poesía, no habría nada, piensa, pasándose la máquina de afeitar por el mentón. Tal vez Claudia había descubierto que también en su propia vida lo efímero tenía valor, esa especie de intensidad ajena a los agravios del tiempo, y lo había asumido al fin, enteramente, ahora que, muerto su marido, era tan libre como una mariposa. Sólo que semejante forma de vivir debía pagar un tributo muy alto a la soledad. Dejando de afeitarse, encuentra su propia mirada absorta en el espejo. ¿Por qué no podía también él contemplar la vida de esa manera? ¿Por qué no? ¿Una vida enteramente tejida por las contingencias, por el azar, con amores fugitivos, sin atarse a nada y a nadie, ahora que estaba solo, separado, ahora que sus dos hijas podían volar con sus propias alas? Lo ocurrido con Serena era la mejor ilustración de que lo más bello y limpio, expuesto a la erosión del tiempo o de la rutina, acaba marchitándose.

Deja la máquina de afeitar sobre la repisa después de enjuagarla, se cepilla los dientes y se dirige a la ducha. Le agrada sentir aquel surtidor de agua a la vez profuso y leve como una pluma cayéndole en la cara y en el cuerpo. Sí, piensa ahora; todo eso le parece válido. Podía aceptarse. Tenía su lógica. El movimiento era una ley esencial de la vida; era la vida, *tout court*. Nada escapaba a esa ley; todo estaba expuesto al cambio constante; también los sentimientos; también el deseo. Lo que hoy es mañana no será. Pero... Empieza a jabonarse perturbado por una duda. Pero si así fuese, ¿cómo explicar aquella sensación de orfandad que le había dejado su separación, aquella ansiedad, aquella búsqueda, aquella prisa por cubrir el hueco abierto en el corazón por la pérdida de Serena con mujeres como la propia Adriana o con Claudia, que no querían encerrarse en una relación estable y única? ¿Por qué no experimentaban ellas esa misma necesidad de compartir la vida con alguien, y en cambio parecían dispuestas a mantener su libertad a cualquier precio? ¿Sería una necesidad suya, sólo de él, un rezago de esas ideas románticas del amor definitivo propias de la adolescencia que la realidad acaba siempre demoliendo? ¿O, por el contrario, respondía a una ley de la especie, la garantía de su continuidad, o a los instintos profundamente conservadores de toda sociedad para la cual el matrimonio, la familia, la monogamia son un elemento básico de orden social? ¿Seguridad y libertad no serían dos cosas antagónicas, una contradicción latente en todo individuo? ¿No había sido una loca utopía de Serena intentar conciliarlas? Preguntas y más preguntas sin respuestas, piensa cerrando la llave de la ducha.

Vestido ahora con una franela de algodón y un pantalón de baño y calzado con un par de alpargatas, sale a la terraza. Responde al saludo de Graham que está colocando sobre una mesa los platos del desayuno. Le encanta esta primera luz del día en la isla. Todo palpita trémulo e incierto en el despertar de la naturaleza. La isla parece habitada sólo por pájaros de todas las especies. El aire es fresco, lleno de fragancias; el sol, saliendo tras la montaña, pone sus primeros reflejos en el mar. Las olas mueren suavemente en la playa. ¿Qué necesidad tenía de hacerse tantas preguntas? Debía recriminarse por esa manía suya, tan antigua, de andar buscándole a todo un sentido, una explicación, cuando lo único que obtenía con esto era ser un perpetuo observador de sí mismo y de su vida en vez de vivirla como la mayoría de los mortales. Como Claudia, por ejemplo. Si estuviese allí, a su lado, estaría disfrutando de esta hora con todos los poros. Pediría un café. Hablaría de alguna excursión. Tenía el sentido del placer. Era una hedonista. Vivía. Vivía sin hacerse tantas preguntas.

Debía hacer lo mismo que ella, piensa ahora bajando por el camino que lleva al embarcadero y a la playa. ¡Qué luz, qué aire! Desde lo alto, ve a un muchacho negro pasando por la playa con un largo pez plateado colgado de un palo. Debía haberlo pescado recientemente. El mar, la isla, la brisa fresca llena de olores fragantes, aquel muchacho negro con su pez plateado colgando de una vara, todo eso, y una sensación de bienestar, de sangre circulando con alegría y vigor en el cuerpo, le demostraban que no había perdido el gusto por la vida. No era el caso de Serena. Serena detestaba el calor, la arena, el sol, la vida al aire libre; quizás no era su culpa, sino de aquella enfermedad suya que la hacía buscar el reposo y la sombra. La luz le producía dolor de cabeza. Se acuerda de repente de aquel viaje que habían realizado con las niñas, años atrás, a una pequeña ciudad de la Toscana. Les habían prestado una casa de campo. Era verano, hacía mucho calor y los campos estaban llenos de girasoles, de viñedos, de trigales dorados y de altos cipreses en las colinas; pero ella, Serena, en vez de disfrutar de aquel paisaje luminoso, había acabado refugiada en un hotel vetusto y solemne, encerrada en una pieza con las cortinas corridas, bebiendo una tras otra tazas de café que le traía un camarero, fumando cigarrillos y leyendo. Y así era feliz. Sólo así. Encerrada en aquel mundo suyo. No, habría sido imposible seguirla por esta vía. Adriana, en cambio, adoraba el sol, la nieve, las playas, el mar. Se tostaba al sol cada verano. Palpitaba de vida. Sería feliz en un lugar como este, piensa él abarcando con una sola mirada la costa y el pálido mar azul con la silueta brumosa de la isla de Antigua en el horizonte.

Está pensando en Adriana. Otra mujer libre, inaprensible, tan resbalosa como un jabón. Sólo que Adriana preservaba su libertad por motivos muy distintos a los de Claudia. La suya no era una elección franca, consciente, de asumir relaciones puramente episódicas con un hombre dentro de un esquema de vida que se hubiese trazado. Adriana se escandalizaría de reconocerlo así. No soy una mujer ligera, habría dicho. No soy una p... Dentro de sus códigos morales, propios del mundo donde había crecido, acostarse con un hombre era de todas maneras una entrega, acto que sólo podría repetirse con otro hombre sólo si aquella entrega resultaba defraudada. Ella, decía, no podía tomar aquello como un deporte. Era una mujer decente. Buscaba algo... definitivo, algo serio, decía; pero ese algo –sonríe– o ese alguien, nunca llegaba. Era sólo un pretexto moral, una inconsciente coartada.

Ha recorrido parte de la playa, y ahora se detiene muy cerca del mar, viendo cómo mueren las olas en la arena, todavía sin decidirse a darse una zambullida. El agua de una ola, avanzando más lejos que las otras, le moja la punta de las alpargatas. Se queda mirando los juegos incesantes del agua sobre la arena; la manera como se retira y vuelve humedeciéndola constantemente. Sigue pensando en Adriana, no sabe por qué. En realidad, Serena tenía razón. Adriana era, sin aceptarlo, una seductora nata. Si era cierto, como él lo había leído recientemente en algún libro, que cada hombre necesita para vivir de alguna forma de reconocimiento, la de Adriana, la que adulaba y fortalecía su ego, estaba en esa prodigiosa capacidad suya de atraer, amansar y seducir a quienes detentaban alguna forma de preeminencia o de poder; capacidad de desestabilizarlos, alterándoles el pulso, exaltando sus deseos y fragilizando de paso con sus leves escamoteos y rechazos su vanidosa seguridad. Cerrarse sobre una sola relación habría sido para ella perder su mejor carta de triunfo, este *atout* fundamental de su vida. Nadie, piensa de pronto, podía ser propietario de una seductora. Si llegaban a casarse, eran mujeres imposibles. Veleidosas, exigentes, seguramente infieles.

Imposibles, repite quitándose las alpargatas para meter los pies en el agua. Está fría. Algo hierve en su cerebro. De repente le parece que ha atrapado por la cola una explicación de su complicada relación con Adriana. Era inaprensible por ese motivo, porque no podía renunciar a su forma personal de poder. Y ese poder estaba en ese juego suyo, en esa teórica posibilidad de entrega que excitaba a los hombres y que ella administraba, escamoteaba, con un extraordinario encanto. Era eso, piensa, decidiéndose al fin a zambullirse en aquella agua fría, estimulante. Un baño de mar antes del desayuno. Podía nadar hasta el muelle. Se quita la franela y la arroja sobre la arena seca, cerca de las alpargatas y fuera del alcance del mar. Sintiendo la brisa tibia en los hombros desnudos, entra en el agua.

⌁

Nada ahora muy despacio interesado en sus propios pensamientos. ¡Cuánto tiempo había perdido con ella, con Adriana! ¡Cuántos tropiezos y desaventuras! Era como caminar sobre arenas movedizas. Dejando de nadar, gira el cuerpo y ahora queda de espaldas, inmóvil, mecido por el agua. Siente el sol tibio en los párpados. Nunca, es cierto, había pisado tierra firme con ella. Nunca había asumido una relación cerrada con él. Había sido primero su amigo, su confidente, luego un amante no asumido como tal pero hasta cierto punto privilegiado, pues sabía quebrar sus hielos recónditos. ¿Y todo eso para qué? Siempre aparecían terceros. Siempre. Ella no podía evitarlo porque aquella era una manera de poner a prueba su poder. Eran hombres efímeros, es verdad; desaparecían siempre; los daba de baja. Pero siempre había uno en el horizonte. Simples amigos, protectores o *flirts*, como quisiera llamarlos, pero estaban ahí. Ella los necesitaba.

Empieza a nadar de nuevo hacia el pequeño muelle de madera donde atracan las lanchas. ¿Por qué, se pregunta, tardó tanto tiempo en comprender aquello? ¿Cómo no haber visto a tiempo que mientras Adriana siguiera siendo una mujer atractiva, mientras no envejeciera y perdiera seguridad en sí misma, aquel comportamiento arraigado en su propia naturaleza era irrenunciable? Ella, claro está, no habría admitido nunca que se le viera de esta manera. No provocaba a nadie, decía. No buscaba a nadie. No era su culpa si los hombres se le acercaban como perritos batiendo la cola. No podía evitarlo. Pero una cosa era cierta: perdían su tiempo con ella. Sólo los aceptaba como amigos, decía.

Amigos, repite él con irritación acercándose al muelle. Debe apoyarse en una de las llantas colgadas del costado para salir del agua. Resollando, se tiende sobre los tablones de madera. Siente el sol como una gran mano caliente en la espalda. Amigos. Para ella todos los que la llamaban, le enviaban flores o la invitaban a cenar –diplomáticos, empresarios, hombres de mundo– eran sólo eso, amigos. No debía ponerse celoso, le decía. Ella, además, detestaba los celos. Y él también, pero la verdad es que los sentía. Sentía celos oyéndola hablar por teléfono con cualquiera de estos admiradores. Parecía envolver el auricular con el pelo, bajaba la voz, se reía, todo con ese tono de intimidad de una muchacha hablando con su novio. Le aseguraba que no tenía nada con ellos. Nada de lo que podía imaginarse. ¿Era cierto? Él siempre tenía dudas. ¿Por qué había dicho alguna vez, hablando de uno de esos devotos suyos, aquel diplomático del Brasil o de la Argentina, que merecía el nombre de "miniatura"? Al parecer, pese a su majestuosa apariencia, estaba dotado de atributos masculinos más bien mínimos. No lo dijo abiertamente. Lo insinuó entre risas. Y luego se apresuraba a decir: "No pasó nada, sabio, te lo juro." A otro de sus amigos, un senador que la había invitado una semana seguida mientras estuvo en París, lo llamaba Tarzán. ¿Por qué?, preguntaba él. Porque daba gritos iguales a los de Tarzán cuando... cuando estaba haciendo aquello. Se lo había contado una amiga; no lo decía por experiencia propia.

Ella ni muerta habría ido a la cama con él. Ni muerta. ¿Sería cierto?, se lo preguntaba él siempre. Nunca sabía cuál era en definitiva la verdad. Sí, sentía celos. Adriana sabía suscitarlos, tal vez por la manera como decía aquellas cosas, con cierta picardía, con sobreentendidos, dejando campo a traviesas suposiciones; nunca sabía hasta dónde realmente habían llegado sus relaciones con aquellos hombres. Lo único cierto es que desaparecían. Y él, Manuel, era, cosa curiosa, el único elemento permanente de su vida. Su amigo del alma, el sabio. ¿De qué servía todo aquello?, piensa amargamente abriendo los ojos a un destello de sol que llega hasta el muelle a través de las palmeras de la playa. Una gaviota pasa muy cerca del agua buscando un pez. ¿De qué servía?

–Creí que te habías quedado dormido en el muelle –ríe Claudia.

–Qué va, estaba sumido en profundísimos pensamientos.

–No oías mis gritos llamándote a desayunar.

–No, pero de pronto te vi en la terraza con este vestido verde, color de la esperanza.

Ella se queda mirándolo con sus ojos brillándole de malicia mientras lleva a los labios una taza de café. Están desayunando en la terraza.

–¿No estás escandalizado?

–No, ¿por qué?

–Por las locuras de anoche. Creo que corrían por mi cuenta: el baño desnudos en el mar y... el resto. A ti la hierba te puso en una onda más bien poética.

–Y ese no era tu caso, evidentemente.

Ella se ríe.

–Evidentemente no.

Qué bonita es, piensa él contemplándola mientras pone mantequilla sobre un trozo de tostada.

–A mí la hierba me produce pánico –prosigue ella–. Elimina todos mis controles. Soy capaz de cualquier exceso, como te consta.

–¿Qué tiene eso de malo? A mí me parece no sólo excitante, sino encantador.

–*Méfie-toi*. No siempre produce el mismo efecto. Una vez, en un restaurante de Nueva York, me dio la risueña, no podía dejar de reír. Tomás estaba alarmado. El *maître* también.

–¿Sabía tu marido que habías fumado marihuana?

–No, ¿cómo se te ocurre? Él era muy puritano. Tal vez un caballero bogotano a la antigua. *Très comme il faut*.

–Igual que mi padre, que era un diplomático de carrera. Conservador y lleno de virtudes que yo no le heredé.

–Tampoco él aprobaría nuestros juegos. ¡Qué desvaríos!

–Deliciosos.

–No, hablando seriamente, a mí me produce mucha inquietud perder las riendas de esta manera. Una noche, hace años, tuve una horrible crisis de llanto. Quizás se me alborotaron algunos recuerdos –la cara se le ensombrece–. Vi a mi madre. Oía su voz.

–¿Murió, verdad? Nunca me hablaste de ella.

–Es verdad. Ya te diré cómo era. Pero ahora ocupémonos de lo que quieres hacer hoy.

–Es sencillísimo: nada.

–Ninguna excursión.

–Ninguna. Sólo quisiera estar contigo en esta playa, quizás con un libro y con el fiel Graham al alcance de la voz o de la vista para que nos traiga algo de beber cuando apriete el calor.

–Está bien. Pensaba llevarte a una lindísima playa de arena muy blanca en el norte de la isla, pero corremos el riesgo de encontrar gente.

–Amigos de tu marido que pensarán muy mal de ti viéndote acompañada por un hombre, sólo dos meses después de haber quedado viuda.

Ella lo mira de una manera muy extraña.

–¿Sabes una cosa? A veces me parece que estuvieras leyendo mi pensamiento. ¿Te lo he dicho ya?

–Sí. De pronto, Claudia, es que estamos hechos el uno para el otro.

Lo dice en tono de broma, pero ella no parece tomarlo así porque en su cara ha aparecido una expresión seria, casi triste mientras lo observa. Luego, tras unos instantes de silencio:

–Lástima que no te haya conocido cuando yo era joven –suspira–. Quizás la vida habría sido distinta para los dos.

Su voz contiene un inesperado matiz de melancolía.

–¿Por qué lo dices? –pregunta él sorprendido.

Ella hace un ademán como si quisiese apartar un pensamiento incómodo.

–Estaba pensando en voz alta.

–Me di cuenta, pero no me has contestado: ¿por qué piensas que aparecí demasiado tarde?

Ella parece cavilar unos instantes mientras se mira las manos.

–Habría sido mejor encontrarte cuando yo tenía 20 años, en vez de encontrar a José. José, mi primer marido, era un estúpido, un simple vividor. Tomás fue otra cosa: un papá. Quizás lo necesitaba para resolver problemas edípicos. Era admirable, seguro, altamente protector. Un papá, al fin y al cabo. Tú...

–¿Yo?

Ella sonríe con aire melancólico.

–Tú has debido aparecer cuando yo tenía la edad de la inocencia. Y cuando tú, que eras tan romántico, también la tenías. Te habría podido llamar "mi amor" sin ningún reato –lo mira derecho a los ojos–. Hoy es una palabra que he resuelto prohibirme. Sólo puedo decir que nos entendemos muy bien.

–Lo sé.

–Sí.

–Pero no quieres compromisos definitivos.

Encuentra los ojos de ella, intensamente verdes y brillantes, fijos en los suyos.

–Es eso.

Es eso, realmente eso, piensa él recordando todo lo que se había dicho a sí mismo aquella mañana mientras se afeitaba. Lo efímero como una forma de vida. Reacciona ante una oscura tristeza que le oprime el corazón.

–No arruinemos el día con este tipo de conversaciones. Es un día más en la isla y eso es lo que cuenta. Mejor vivirlo sin nubes, ¿verdad?

–Verdad. Te propongo una mañana tranquila en la playa. Luego podremos almorzar en el restaurante de Roger, que ya conoces.

–Perfecto.

–Voy por el traje de baño.

➛

–... Qué rara eres. Te pido que me hables de tu madre y tú, como siempre, me dices "más tarde". No sé por qué no quieres hablar de ella. Me pongo entonces a leer este libro de Marguerite Yourcenar, aprovechando la sombra del parasol, y tú, de pronto, me preguntas si estaba pensando en Adriana (o en la frívola, como tú la llamas) esta mañana cuando me llamaste a desayunar. "Tu gran amor", dices con ese tono de burla tan tuyo con el cual consigues siempre convertir en algo irrisorio y un poco ridículo los (¿qué palabra usar?) estragos, infortunios, cuitas, disparates, despelotes del corazón. En realidad, mirándola bien, retrospectivamente, esta historia mía con Adriana tiene algo de sainete. Está alumbrada por el deseo, que es algo digno de sumo respeto, pero tiene también sus contornos humorísticos. Yo creo que Adriana nunca llegó a enamorarse de mí, esa es la verdad. Decía que lo nuestro era una amistad amorosa, así la definía, y tal vez sería cierto si excluimos de esa poética definición algunos episodios escabrosos o picantes tales como hacer el amor en la puerta de un ascensor o en la cocina de su apartamento, casi vestidos, mientras, en el salón, su noble tía se comía una pera con tenedor y cuchillo viendo en la televisión *Lo que el viento se llevó*. Lo triste del caso, y también lo chistoso, es que para Adriana el gran amor de su vida fue aquel joven representante de nuestras clases emergentes, Gutiérrez y Céspedes. Yo sabía poco de él, salvo que había puesto aquella vanidosa *y* griega entre sus dos apellidos más bien corrientes, oriundos de la zona cafetera del país, para darles un tinte nobiliario. Sabía también que se había mandado hacer un escudo de familia copiado de las páginas de la revista Selecciones, dedicadas a presentar el origen de algunos apellidos hispánicos, y lo había hecho grabar en un anillo que siempre portaba en sus manos. Aunque nacido en Pereira, Colombia, se apresuraba a decir que era de origen español, descendiente de un conde o marqués asturiano. Adriana lo describía como un hombre divino; un churro, decía, parecido a Robert Redford, el actor de cine. Con estos elementos tan contradictorios era difícil componerse mentalmente un retrato aproximado del personaje. No era fácil, por ejemplo, comprender qué diablos había ido a hacer en Pereira, ciudad fundada en el siglo pasado, un noble asturiano y por qué motivo sus descendientes, padre y tíos del vástago que Adriana proclamaba como el amor de su vida, eran modestos agentes de viajes, vendedores de herramientas agrícolas o inventores de algún tónico capilar para evitar la caída del cabello; es decir, gentes colombianas corrientes y laboriosas que cantaban tangos o bambucos en coro cuando estaban borrachos y se estremecían de emoción, a la medianoche del treinta y uno de diciembre, escuchando en la radio un poema llamado *El brindis del bohemio* y otras loberías por el estilo, decía la propia Adriana. Yo sabía eso de Gutiérrez y Céspedes, y algo más; que seguía enamorado de Adriana y que cada semana, bajo los efectos del alcohol o de algún alucinógeno, amenazaba con venir a París, unas veces para matarla, otras para matarse él mismo.

«La verdad es que cumplió lo ofrecido, al menos parcialmente, pues no liquidó a Adriana ni se liquidó a sí mismo, pero sí apareció en París de la manera más teatral y sorpresiva. Recuerdo la cara que puso Adriana cuando lo vio aparecer delante nuestro, en el Bar des Théâtres, donde estábamos almorzando. Fue una cara de pavor. "¡Ramiro!", exclamó. Yo levanté la vista pero la verdad es que no encontré a ningún Robert Redford, sino a un muchacho más bien ancho, despeinado, algo tambaleante, que la miraba con los ojos fijos e irritados de un loco o de un borracho. Tenía un aspecto lamentable como si hubiese dormido con la ropa puesta. Así era, en realidad, pues después supimos que había llegado aquella misma mañana de Bogotá a bordo de un avión de Air France. Sí, parecía que hubiese bebido o estuviese bajo el efecto de una droga. No decía nada: sólo la miraba con pupilas dilatadas, vacilando ligeramente sobre sus pies y sin prestar atención a los camareros cargados de platos ("*allez, allez, foutez-moi le camp*", le decían) en cuyo camino se encontraba. "Espérame afuera", le dijo Adriana, sombría. Pero el majadero aquel no oía ni hablaba; era un sonámbulo. Debía de haber visto aquello en alguna película, el hombre destrozado que encuentra al amor de su vida con otro hombre en un café de París, y ha resuelto darle a ella el último adiós antes de quitarse la vida. En efecto, eso fue lo que le dijo a Adriana apenas terminó su número de sonambulismo y se encontró a solas con ella: que iba a suicidarse en París, de una manera algo parecida a la del célebre poeta bogotano José Asunción Silva, después de vestir un traje de ceremonia, de ponerse una flor en el ojal y de dejar una carta. Y ella, tan tonta, pese a conocer el gusto de él por la representación, pensaba que era capaz de hacerlo. Me llamó al día siguiente, angustiada. Quería verme. Le di cita en la cafetería de un hotel para desayunar juntos. Llegó pálida, vestida de negro como una viuda. Pensé que venía de un hospital o de una funeraria en la cual hubiese dejado yacente, con la flor en el ojal y los párpados cerrados, a Gutiérrez y Céspedes. Pero no; lo único grave era que se había acostado con él. "Lloraba, me partía el alma; quiere morirse", decía. Yo no entendía qué relación había entre esos sentimientos de lástima maternal y la cama, a menos que se tratara de algo así como una limosnita de sexo para el pobre huérfano. Ella se sentía echa una basura. "Sí, sabio, me acosté con él", repetía sin levantar la vista de su taza de café con aire culpable.»

–Qué sainete, de verdad.

–Cierto. Se había acostado con él porque le partía el alma. Porque pasara lo que pasara ya nunca más lo volvería a ver. Lo había decidido. Yo debía ayudarla. Y la ayudé. Le di consejos. La llevé fuera de París en mi automóvil. Y en el camino, mientras cruzábamos en la mañana gris los bosques sin hojas de la Île de France, le explicaba que no debía alarmarse; era un barato chantaje. Ella era el público de Gutiérrez y Céspedes. Ausente, no tendría ante quién representar el papel del inminente suicida. Además Gutiérrez y Céspedes no quería ni podía suicidarse, le decía yo. Primero, porque es seguro que a París había traído el frac, pero no un revólver. Si hubiese metido un arma en la maleta se la habrían quitado en el aeropuerto. Pastillas somníferas no se las vendían en ninguna farmacia de París sin fórmula médica. De modo que su único recurso para quitarse de verdad la vida sería echarse al Sena. Pero en aquella época el agua estaba muy fría. Vestido así, iban además a confundirlo con un vulgar prestidigitador, mimo o funámbulo de los tantos que abundan en Saint-Germain-des-Prés. Si se botaba al agua, se le mojaría el frac, se le desteñiría la carta, se le caería la flor en el ojal y después de todo tampoco le gustaría aparecer fotografiado en El Tiempo de Bogotá con cara de ahogado. Adriana terminó soltando la risa. "Así ni muerto", admitió.

–Ahí está pintada tu frívola. ¿Cómo pudo enamorarse de un tipo así?

–Misterios del sexo, Claudia. ¿Cómo, por qué estuviste tú casada por más de siete años con Barker Iribarra, que sólo es una versión algo más cosmopolita del mismo personaje? En esto de las relaciones amorosas no hay lógica que valga. ¿Cuánta mujer admirable ve uno casada con un estúpido, sin saber por qué? Este emergente de Adriana, el Gutiérrez y Céspedes, era un actor nato; un pantallero, decían entonces en Bogotá. Siempre estaba representando algún papel. Claro que aquella vez no pensó ni por un momento en matarse de verdad. Regresó a Bogotá, y un par de semanas después lo vimos fotografiado en una revista bailando desaforadamente en una discoteca con una bonita modelo y estrella de televisión. Era un José Asunción Silva liberado de tendencias suicidas, que participaba con júbilo en el furor de la salsa portorriqueña.

–¿Y qué pasó al fin con él? ¿Encontró una rica heredera y los dejó a ustedes en paz?

–Ojalá hubiese sido así. Volvió a París dos o tres veces más.

–¿Siempre con intenciones suicidas?

–¡Qué va! En cada viaje cambiaba de papel. La segunda vez que volvió a París estaba convencido de que Adriana y yo íbamos a casarnos.

–¿Y vino a matarte?

–No, en esa ocasión su papel no era el de Otelo, sino el de un buen perdedor.

–¿Es decir?

–Quería mostrarse como un hombre de mundo que está por encima de celos y arrebatos vulgares. Se empeñó en invitarnos a Adriana y a mí a un restaurante, la Tour d'Argent.

–No me vas a decir que aceptaste cenar con él...

–Sí, cometí la ignominia de aceptar aquella invitación. La verdad es que tenía cierta curiosidad profesional por conocer al personaje.

–Los tipos así no tienen ningún interés. Son obvios.

–Cierto. Pero no dejó de llamarme la atención su disfraz. Ahora llevaba una bufanda de seda y un saco de doce botones cortado por algún modisto italiano, y actuaba con la arrogancia de un millonario.

–Así era José.

–Tenía la manía de devolver botellas de vino con el pretexto de no ser de la mejor cosecha. En la Tour d'Argent, mandó a llamar al *sommelier*, y hablándole en un francés espantoso con acento de Oklahoma le hizo traer la botella más polvorienta y costosa que tenía en su cava. Quería lucir sus recientes conocimientos de vino aprendidos en algún manual. La botella aquella debió costarle una fortuna. ¡Y qué aspavientos hizo! Olió el corcho, lo mordió, se lo pasaba por el pelo, hizo unas gárgaras memorables y al fin, levantando la copa como un personaje de *La Bohême*, brindó por nuestra eterna felicidad.

–¿No era lo mejor que podía suceder?

–Claro, si todo hubiese terminado allí con ese elegante adiós de hombre de mundo. Pero no fue así.

–¿No fue así?

–No, no lo fue. Volvió. Y todo terminó al fin con Adriana luego de un episodio bastante confuso ocurrido aquella Navidad en Courchevel, a donde ella había sido invitada por amigos suyos venezolanos. Allí se apareció Gutiérrez y Céspedes, esta vez en el papel del seductor apasionado. Parece que se pasó de tragos, se dio algunos pases de coca y trató de metérsele al cuarto. Al ser rechazado, montó en cólera.

–Y le pegó.

–Le pegó, claro. Ella huyó a París, en su automóvil, manejando a través de una borrasca de nieve. Y allá se le apareció también la noche del 31 de diciembre. Adriana estaba con su tía y con una sobrina. Según me dijeron, se puso de rodillas delante de ella, abrió los brazos y dijo algo así como "perdóname, despréciame, pero te amo". Debió verlo en alguna telenovela.

–Y ella, conmovida, se precipitó en sus brazos.

–No, porque la sobrina, una muchacha muy decidida, típico exponente de las nuevas generaciones, intervino de inmediato diciéndole que no fuera tan huevón y que se fuera.

–¿Y él que hizo?

–Tuvo el desconcierto del actor que en vez de la réplica esperada, dramática o conmovedora, escucha risas. Se puso de pie, pálido de rabia, y le dijo a la sobrina: "Oiga, mocosa, jálele al respetico." La sobrina le dijo que más mocosa debía ser su madre y como él parecía dispuesto a pegarle, ella blandió el cuchillo puesto sobre la mesa para trinchar el pavo. Él se fue golpeando la puerta. Y nunca más volvió.

–Todo eso es bien grotesco.

–Desde luego.

–¿Cuál fue tu papel en el sainete: el del amigo fiel que todo lo soporta?

–La verdad es que de nada de eso guardo gloriosos recuerdos. Sólo algo de perplejidad y de insatisfacción conmigo mismo. Es increíble, las situaciones que puede provocar el amor.

–¿Crees que eso era amor? También yo llegué a confundir el amor con la simple atracción sexual que tenía por José Barker, o el afecto y la necesidad de protección que me inspiraba Tomás. Y ahora te propongo que nos echemos al agua para lavar tan profundos pensamientos. Piensas demasiado, tú.

–Eso me decía esta mañana. ¿Al agua?

–Al agua.

–Qué día tan maravilloso. ¡Caramba, eres una verdadera campeona de natación! No pude seguirte. Cuando menos pensé, estabas llegando al banco de corales.

–Parece muy cerca, pero créeme que está lejos.

–Seguro. Ahí viene Graham siempre puntual con la ginebra y los vasos.

–Graham siempre adivina lo que uno necesita a la hora exacta.

XV

De nuevo el campero de Claudia corriendo en el hirviente resplandor, el mar quieto y azul vislumbrándose a través de las palmeras, las trinitarias desbordando los muros, los mangos, los arrayanes, los almendros, los árboles de pan y el vibrante rumor de las chicharras; de nuevo la entrada a la pequeña ciudad con sus pequeñas casas de madera pintadas de vivos colores, los negros sentados en los umbrales y el puerto de agua tan azul donde se mecen embarcaciones de pesca, visto desde lo alto. De nuevo, en el corazón de la pequeña ciudad, la plaza ciega de sol con su enorme ceiba en el medio, la iglesia, la casa del gobierno, la calle de los almacenes y las heladerías, la divertida inscripción de Trafalgar Square designando un modesto *rond point* con un reloj victoriano en el medio, y los depósitos de mercancías; y luego, la carretera y el campo con sus cultivos de caña y sus trapiches en ruinas, todo reverberando en una luz tan viva y cruda que hiere las retinas, mientras Claudia, por primera vez, le habla de su madre sin que él logre adivinar por qué hasta entonces ella había eludido el tema como si debiese proteger un secreto de familia. "Mi madre se llamaba Martine, Martine Borda", le ha dicho, y en pocas pinceladas va trazándole el retrato de aquella muchacha, hija de un diplomático bogotano y de una aristócrata suiza, que llegó a Bogotá hacia 1943, en plena guerra europea, poco después de que el padre de ella quedara viudo. Según Claudia la describe, parecía una réplica femenina de Ramón Aristigueta: la misma aura refinada y cosmopolita de quien se ha formado en contacto con personas de la alta sociedad internacional, en colegios de muchachas o muchachos ricos y no en el mundo al fin y al cabo estrecho y provinciano de una capital suramericana. "Martine, mi madre, hizo hablar de ella a todo Bogotá como un año antes le había ocurrido a papá", dice Claudia. "Era muy alta", dice. Era bella. Bella y fría; algo en su porte, en su reserva, en sus labios finos, en sus cabellos claros hacía pensar de inmediato en una muchacha extranjera aunque tuviese un apellido bogotano de pura cepa y un gran número de primos en la llamada, por los periódicos, sociedad capitalina. Hablaba además el castellano con una delicada sombra de acento francés. A su lado, las bonitas muchachas bogotanas de su generación, que la rodeaban hablando al tiempo con una atropellada e insustancial locuacidad, no hacían sino resaltar, por contraste, su serena circunspección. Ella parecía examinarlas con la curiosidad que un coleccionista de lepidópteros concede al revuelo de mariposas hasta entonces por él desconocidas. Hablaba poco; cuando lo hacía su tono era suave, dulcificado por aquel leve acento francés; lo que decía parecía subrayado siempre por una sonrisa, y sus palabras eran exactas y desprovistas de toda futilidad, pero había en ellas a veces una sutil ironía, por cierto muy francesa, que sólo un observador agudo llegaba a apreciar en toda su graciosa causticidad. Evidentemente era muy superior al medio donde había tenido que caer por culpa de la guerra y de la muerte de su madre. Su padre, Eusebio Borda, era un ser encantador, uno de esos vástagos de grandes familias bogotanas educados en colegios ingleses y prometidos desde muy jóvenes a la diplomacia. Vivía en una bellísima hacienda sabanera, heredada de sus padres, llamada La Cuita, que hasta entonces había sido administrada por mayordomos muy fieles. Martine gobernaba la casa.

Por el solo hecho de ser ambos ricos, bellos y refinados, de haberse formado en el exterior y de experimentar el mismo y secreto desdén por la sociedad bogotana, por sus pequeños chismes y escándalos, era inevitable que Martine Borda y Ramón Aristigueta se sintieran muy próximos y acabaran casándose. Parecían príncipes provenientes de la misma dinastía. No fue sin embargo algo tan fácil y espontáneo como muchos creyeron. Primero, porque Ramón Aristigueta era incapaz de tomar él solo decisiones tan definitivas y trascendentales como la de casarse, así la muchacha le resultara muy atractiva y como hecha para él. Nunca dejó de ser un hombre suave, bien parecido y encantador, pero en el fondo de sí mismo vivía muerto de susto, como si todo el valor que necesitase para afrontar las contingencias de la vida lo hubiese monopolizado el viejo Simón, su padre, y a él no le quedase, como protección, sino aquella suavidad de carácter, una notable elegancia y la fineza de modales de un príncipe. Hasta aquel momento la única mujer que había llegado a conocerlo de verdad era Hortensia Reyes. Ella había intuido desde el primer instante sus terrores secretos y había logrado despertar en él una oculta y ardiente sexualidad, hasta entonces sofocada por el miedo, actuando con la pasión de una mujer enamorada y la sabiduría de una amante experta en los juegos y en las artes del amor. Todo ello había sido para él un descubrimiento fascinante, algo que tal vez no era amor sino una pasión enteramente física y abrasadora, nunca antes experimentada con otra mujer. Entre otras razones, porque, presumiblemente, nunca se había acostado con ninguna otra. Durante meses, después de conocer a Hortensia y de dormir con ella por primera vez, Ramón Aristigueta no había hecho otra cosa que esperar la noche ardiendo de ansiedad; la noche, el sigilo de aquella puerta discreta a pocos metros de la entrada de El Edén, la escalera que probablemente subía con latidos en el pecho y en el vientre hasta el apartamento tapizado con brocado de seda color vino donde, antes de encontrarla a ella, sus párpados lentos, sus ojos de fiebre y sus insinuantes *deshabillés* de seda negra, respiraba en la penumbra que dejaba la luz tamizada de las lámparas de mesa el mismo perfume, dulce y perturbador de su piel y sus cabellos. Quizás aquella habría sido una historia indestructible, o en todo caso muy prolongada, si ella no hubiese quedado encinta. Pero aquello lo cambió todo. Quebró el encanto dejándolo delante de una mujer distinta, de senos pesados y vientre que empezaba a hincharse, a veces pálida y llorosa y bruscamente posesiva por miedo a perderlo. "Mi padre", dice Claudia, "debió sentirse atrapado." Atrapado dentro de una situación que ya no le producía placer sino desasosiego y temor, expuesto a los chismes del club y a posibles enredos judiciales aunque ella le jurara que nunca le pediría nada y que aquel hijo iba a ser sólo un hijo del amor y nada más que del amor, sin ninguna consideración interesada de por medio. El nacimiento de la niña le produjo pánico. Estaba profundamente nervioso viendo a aquella criatura dormida en una cunita rosada, completamente inocente y ajena al mundo de El Edén que se abría al otro lado del pasillo, mientras Tomás, su socio, destapaba una botella de champaña para celebrar el acontecimiento. Ramón Aristigueta debió decidir en aquel mismo momento no poner más los pies en El Edén. Decidió eludir llamadas de teléfono y refugiarse durante varias semanas en casa de su padre, en Barranquilla, ignorando sin duda que Hortensia Reyes, por enamorada que estuviese, por grande y terrible que fuese su sufrimiento, tenía bastante orgullo como para no suplicar nada. La aparición de Martine Borda, que coincidió con su regreso a Bogotá, debió resultarle providencial a Ramón Aristigueta. Ella le permitió olvidarse de

Hortensia Reyes y de la niña, aquel bebé cuyo llanto llenaba el ámbito desolado del cabaret durante el día.

❧

Martine Borda, desde luego, se sintió atraída por aquel hombre tan distinto a todos los admiradores que le surgieron en Bogotá, pero mantuvo con él la distancia y la prudencia que no tenían las innumerables muchachas enamoradas de Ramón Aristigueta. Martine actuaba como una futura reina, serena y reflexiva, y con una notable seguridad en sí misma. Esperaba que él diese el primer paso. Cuando fue evidente que no iba a darlo, incapaz de rebasar la simple galantería y de ser algo más que el acompañante a los bailes del Gun Club, formando con ella una pareja resplandeciente, Martine decidió estudiarlo con más cuidado y perspicacia, y no tardó en descubrir lo mismo que había descubierto Hortensia Reyes: que era débil, asustadizo. En cierta forma, decía Claudia, decidió cambiar de estrategia y tomar la iniciativa. Consiguió apoderarse de él gradualmente sin dar la impresión de que lo estaba haciendo, pues nunca su actitud dejó de ser dulce y encantadora aunque detrás de ella hubiese una inteligencia alerta y una voluntad firme. Esa firmeza, por ser oculta, por estar recubierta con modales de gran dama, no la veía nadie, o casi nadie, pero se hacía sentir cada vez que el miedo dejaba a Ramón Aristigueta vacilando en el umbral de una decisión. Fue una especie de madre, una muleta que le permitiría avanzar sin tropiezos en la vida. Ella hizo aquel matrimonio. Uno tras otro, tomándose todo su tiempo, dio los pasos necesarios para convertirlo en su esposo. Lo presentó a su padre. Aquel viudo refinadísimo, verdadero hombre de mundo, había pasado buena parte de su vida desempeñándose como diplomático y alternando con toda suerte de aristócratas gracias a Alma, su mujer, a quien había conocido a comienzos de los años veinte en París. Viudo (un cáncer se había llevado a su mujer en pocos meses), sin más hijos que Martine, había regresado a Colombia para refugiarse en aquella hacienda sabanera de sus antepasados, La Cuita, llena de valiosas reliquias coloniales. De algún modo parecía un exiliado en su propio país, pues no hacía ni aceptaba invitaciones y vivía haciendo constantes referencias a su vida en Europa entre las dos guerras. "Para mí", decía, "no hay ciudad de verdad si no tiene muchos siglos, museos de verdad, algunas cúpulas, un río, puentes antiguos y gente de algún interés." Se entendió muy bien con Ramón Aristigueta. Muy pronto se convirtió en una costumbre que Ramón pasara los domingos con Martine y con el viejo. Bastó ello para que la ciudad los considerara comprometidos y se les invitara siempre juntos a cualquier fiesta, mucho antes de que realmente fuesen novios. Ella dio otro paso más en esa dirección, una noche de domingo, al despedirlo en la puerta de aquella casa de campo, echándole los brazos al cuello para darle un rápido beso en la boca. Lo hizo con mucha gracia y naturalidad, como algo que correspondiera a la intimidad creada entre ellos por aquellas visitas dominicales y los paseos a pie hasta el pueblo de Tabio, cercano a La Cuita. Así, sutilmente, fue tejiéndose aquella relación para beneplácito de su padre. Eusebio Borda empezaba a tratar a Ramón Aristigueta como a un yerno.

Tal vez, dice Claudia, ni siquiera, mediando estos recursos, Ramón Aristigueta le hubiese hecho a Martine una propuesta matrimonial, si no es porque ella decidió dar el siguiente paso, mucho más comprometedor. Fue algo premeditado, supone Claudia recordando algo que ella misma le había hecho contar a su padre; algo que Martine se atrevió a hacer, aprovechando un viaje urgente de don Eusebio a Nueva York. Como todos los domingos, Ramón vino aquel día a La Cuita sin estar siquiera enterado de aquella ausencia. De modo que por primera vez se encontró a solas con ella en aquel caserón de penumbrosos salones; realmente a solas, pues los criados se retiraron discretamente después del almuerzo. El crepúsculo incendió con vehemencia las ventanas, luego llegó la noche, siempre súbita en aquellos parajes sabaneros, y ella, Martine, en vez de dejarlo ir (ahora él tenía un auto), lo invitó a tomarse un whisky en un pequeño salón de estar de la casa, frente al fuego de la chimenea. Nunca Ramón le contó a su hija cómo habían sido los preámbulos de aquel primer real encuentro amoroso, pero Claudia imagina que Martine debió hacerle sentir a él, con esas armas secretas de seducción que toda mujer conoce, cierta disponibilidad para ir más allá del trivial beso de despedida. Pudo haberse soltado el cabello o tenderse lánguidamente en la alfombra mientras las llamas de la chimenea se reflejaban en sus ojos y la oscuridad se hacía más negra en el salón y en las ventanas, puntuada por el croar de los sapos en los potreros. Lo cierto es que acabaron besándose una y otra vez. Y fue ella la que le dijo con una sonrisa, mirándolo fijamente, una frase encaminada a facilitarle las cosas. "¿No te parece que sería mucho más cómodo anticipar nuestra noche de bodas?" Sintió entonces, y esto último también se lo dijo Martine a su hija, que era preciso hacer trizas los últimos escrúpulos y temores de Ramón. Lo conocía ya en aquel momento muy bien y debía saber lo que estaba pensando. Por ejemplo, los riesgos que significaba semejante paso para una muchacha en la Bogotá de entonces. Debía pensar también en la sangre y los inconvenientes físicos de la primera entrega. Todo eso lo apagó un nuevo susurro de ella: "Supongo que no pensarás que soy todavía virgen." Debió decirlo con ese tono irónico que de por sí le recordaba su mutua condición de muchachos educados en otra parte, en una sociedad cosmopolita libre de los prejuicios y gazmoñerías del mundo bogotano donde habían caído y donde la virginidad era celosamente protegida antes del matrimonio y por lo consiguiente vista como una virtud y no como una molestia. A partir de aquel momento Ramón no tuvo nada que hacer; ni siquiera repartir las invitaciones; sólo colocarse un sacolevita el día del matrimonio y dejarse fotografiar con la novia vestida de blanco entre don Eusebio y su padre Simón (el uno supremamente elegante dentro de su traje de ceremonia y el otro áspero, rústico y malhumorado como si soportara un disfraz), y dar el sí ante el sacerdote en la capilla de La Cuita, para lo cual, siempre vacilante, tardó unos segundos más de la cuenta.

↬

Han llegado al fin al restaurante de Roger, el mismo que visitaran al día siguiente de su llegada a la isla; sólo que entonces era de noche y tenía otro aspecto con sus luces brillantes en lo alto de la colina. Ahora, en la dura claridad del mediodía, desde su interior fresco y penumbroso, parecido a un claustro, se divisa un espléndido panorama de la costa y del mar y de la pequeña bahía que encierra el puerto.

Roger, el propietario, acude rápidamente al divisar a Claudia. Viste con alguna coquetería una camisa amarilla y unos bermudas blancos, y en la muñeca le brilla una pulsera de oro parecida a la de Graham. Manuel sorprende en su mirada un brillo de traviesa suspicacia al reconocerlo.

–*Puis-je vous offrir un peu de champagne*? –pregunta con una voz de quejumbrosas modulaciones.

–¿Estás festejando algo, Roger? –pregunta Claudia con un brillo de burla en las pupilas.

–Siempre puede haber un motivo –replica Roger.

–Pues mientras lo encontramos prefiero otra cosa. Quizás un simple jerez.

–Me sumo al jerez –dice Manuel–. El champaña antes de almuerzo me da dolor de cabeza.

El propietario hace un gesto de ofendida resignación.

–¿Qué puedes ofrecernos hoy? ¿Algún pescado especial? –pregunta Claudia.

–Pescado hay siempre; es nuestro pan de cada día. Pero puedo proponerles algo más interesante.

–¿Por ejemplo? –dice Claudia.

–Por ejemplo, un conejo a la sidra. O unas tórtolas al oporto con trufas.

–¡Tórtolas con trufas! Eso suena bien –dice Claudia–. Si son tórtolas deben ser tiernas. Roger, ¿no te parte el corazón ponerlas en una olla y convertirlas en un plato en tu menú?

–Más me duele verlas vivas en los árboles, con lo buenas que son –dice Roger con una risita.

–*Ne sois pas méchant* –lo reprende Claudia. Se vuelve hacia Manuel–: ¿Qué opinas tú?

–Tú sabes que en materia gastronómica carezco de toda imaginación. Siempre pido lo mismo. Así que me sumo a las tórtolas.

–*Vous avez fait un bon choix* –dice Roger–. ¿Quién elige el vino? –en su voz hay una ligera intención de ironía que irrita a Manuel.

–Supongo que la señora lo elige –le responde en francés–. No puedo permitirme ese atrevimiento. Soy sólo el conductor de su automóvil.

Roger parece sorprendido al oírle hablar sin acento.

–¿Es usted francés? –pregunta.

–No, soy hijo de estos trópicos. Como la papaya.

Percibiendo su tono de burla, el propietario reacciona como una solterona que hubiese escuchado algo impropio. Dice cortante:

–Hablábamos del vino. Madame dirá cuál prefiere.

–Está bien, elijo yo. Consíguenos un buen Rioja. Torcazas o perdices van bien con un Rioja.

–*Parfait* –dice Roger.

Claudia tiene una expresión divertida siguiéndolo con la mirada cuando se aleja hacia el bar del restaurante. Camina con una leve ondulación de caderas.

–Ahí donde lo ves tiene una lengua de víbora. Le has caído mal. Está celoso. Me va hacer hervir en chismes.

–¿Celoso? No puedo creerte.

–Te aseguro que sí. Alguna vez, estando casada con Tomás, me hizo propuestas.

–¡Pero si es una loca perdida!

Claudia se ríe.

–Para que tú veas.

Están terminando de comer.

–Sí –dice Claudia–, mi madre era una mujer muy especial. Con mucha clase.

–¿Fue ella la que decidió educarte en Suiza?

–Ella, claro. Ya te conté aquello. Yo debía tener unos seis o siete años cuando papá y mamá me llevaron a París. ¡Qué cambio fue para mí! Todo me sorprendía, todo era nuevo: los porteros del hotel Bristol, con sus galones y botones dorados; los ascensores que parecían jaulas de vidrios y las bañeras con grifos de bronce dorado y patas como garras de león. Y luego aquel apartamento tan lujoso que mis padres tomaron en la Avenue Foch, lleno de espejos, de gobelinos y arañas de cristal. Los techos eran altísimos, y todas las mañanas entraba aquel criado francés con un chaleco de rayas negras y rojas trayéndome la bandeja del desayuno. Igual que si fuese una princesa.

–En cierto modo lo eras. ¿No era tu madre una aristócrata?

–Mi madre tenía un título. Siempre me pareció ridículo que algunas personas en París la llamaran condesa.

–Supongo que no se resignó a vivir en Bogotá.

–Ni ella, ni el abuelo Eusebio. Desde que terminó la guerra hacían planes de regresar a Europa.

–¿Y tu padre, a todas estas, qué decía?

Claudia sonríe.

–Papá hizo siempre lo que quiso mamá. Su único problema era el abuelo Simón. Se opuso al principio. Quería que se ocupara de sus negocios. Afortunadamente existía mi tío Pedro, el padre de Federico. Él fue el verdadero heredero del abuelo como empresario industrial. Se quedó en Barranquilla.

–... mientras tu padre y tu madre vivían de rentas en París y tú te educabas en Suiza.

–Exactamente. Papá y mamá se dieron la gran vida en París. Su centro era París, pero tenían una residencia de verano en Locarno, otra en Antibes y un chalet en los Alpes, en Verbier, donde pasábamos siempre las Navidades. Hacían grandes fiestas. Para todo eso sirvió el dinero del abuelo.

–Sus años en la selva del Chocó, en el Carare o en las minas de Antioquia...

–Sí, algo parecido ocurrió con los Patiño de Bolivia. Por cierto, la nieta de Simón Patiño (el viejo también se llamaba Simón, como el abuelo, cosa curiosa) fue una gran amiga mía. La veo a veces.

–¿Albina? No me digas. El mundo es pequeño, porque también es una amiga a quien yo quiero mucho. Como yo, en aquellos años sesenta, tenía una gran devoción por el Che Guevara... y todo aquello que el viento se llevó.

–No me extraña, pues era la oveja rebelde de la familia. Cuando era muy joven, vendía flores o lavaba autobuses en París y nadie podía imaginar que era una heredera riquísima. Alguien fuera de serie.

–Cierto. ¿Dime, que pasó con tu madre?

Una sombra de recelo pasa por el rostro de Claudia.

–¿Por qué lo preguntas?

–No quiero ser indiscreto, Claudia. Tú debes decirme si piso una zona prohibida. Por la cara que pones, me parece que sí.

–Prefiero que me digas lo que has oído sin guardarte nada para ti mismo. Detesto la manera como la gente trata de obtener información de contrabando con preguntas que sólo en apariencia son casuales.

Él reacciona, ofendido.

–No es mi caso, te lo aseguro. No ando cazando secretos de nadie.

–No te ofendas.

–Creo que tú y toda tu familia han vivido rodeados de aduladores e intrigantes, y a veces sin darte cuenta pasas la raya. Todavía hay gente que puede jugar limpio contigo.

La expresión de ella se suaviza.

–Tienes razón, excúsame. Por algún motivo estoy contigo en esta isla. Encontré a alguien con quien tengo en todo sentido una comunicación que creía haber perdido. Ahora, sí, dime, ¿qué has oído a propósito de mi madre? Necesito saberlo.

–Que se suicidó en París el mismo día que cumplió cuarenta años.

–¿Quién te lo dijo? ¿Serena?

–Serena lo oyó y así me lo contó. ¿Es cierto?

–Desde luego que no. Es una de las tantas leyendas que flotan en torno a mi familia.

–¿De dónde salió entonces semejante cuento?

–De esto: el día que mi madre cumplió cuarenta años, mi padre y ella dieron una gran fiesta en su apartamento de la Avenue Foch. Vino mucha gente, el "*tout Paris*". Fue algo memorable, según parece. Mi madre estaba bellísima. He visto las fotos: el pelo recogido en un moño y vestida con un traje de chiffon blanco, ceñido con un velo de brocado transparente que le flotaba alrededor de la cintura y, cosa curiosa, sin una sola joya. Esas fotos fueron publicadas por la revista francesa Point de Vue con un texto que hacía alusión a la misteriosa muerte de la "Comtesse Borda". Porque en efecto, murió aquella noche después de que despidiera en la puerta al último de los invitados.

–¿Murió aquella noche?

–Al amanecer. Y el texto algo equívoco de la revista dio lugar a que se hablara siempre de un suicidio. Hay quienes lo creen como si se tratara de algo evidente, comprobado. Las razones que se dieron fueron absurdas: que tenía un mal incurable; que un amante secreto la había dejado, y una tercera, ridícula, sugerida por la propia revista y basada en algo que supuestamente se le había oído decir, según la cual se había quitado la vida al cumplir cuarenta años, por temor de envejecer y dejar de ser bella.

–¿Cuál es la verdad?

–Un aneurisma. Papá pensó al principio que se trataba sólo de una jaqueca muy fuerte. Cuando se dio cuenta de que era algo más grave, ya era tarde. Murió en la mesa de operaciones, en el Hospital Americano de Neuilly. La noticia me llegó a la hora del desayuno en el colegio de mademoiselle Heuvy, en Lausana.

–Una muerte súbita, en esas circunstancias, se presta a toda clase de fabulaciones.

–Ella no tenía motivo alguno para suicidarse. Era una mujer feliz. Feliz y tranquila como nadie. Habría envejecido al lado de papá. Seguiría siendo una mujer muy bella a los sesenta y cinco años, edad que hoy tendría.

–Seguro. Lo que no entiendo es por qué le das tanta importancia a lo que dice la gente. No va con tu carácter.

–Claro que no. Pero además no es cierto lo que dices: jamás presté atención a lo que se dice por ahí. Desde niña aprendí a sentirme distinta al común de la gente, para bien o para mal.

–Lo digo recordando tu reacción cuando la bruja mencionó a tu madre. Te enfureciste. Se limitó a decirte que alguien, probablemente ella, te seguía, te miraba, te amaba sin dejarse ver, lo que sólo puede ser visto como un pensamiento religioso muy bonito.

A Claudia se le oscurece el semblante.

–Eso es otra cosa –dice poniendo fin a la conversación–. Oye, ¿estás en condición de manejar?

–Claro. ¿Por qué?

–Porque yo no. Se me subió este vino Rioja a la cabeza. Pide la cuenta. Todo lo que necesito con la mayor urgencia, al llegar a casa, es una hamaca.

~

Regresan a la casa en el reverberante sopor de las tres de la tarde y con una luz tan despiadada que duele mirar en torno. Todo está quieto. No vuela un solo pájaro. El mar resplandece como una lámina de metal. A Claudia, amodorrada por el vino y por la hora, se le cierran los ojos. Él siente el sudor resbalándole por el cuello y la espalda mientras conduce el campero a través de la isla. Hay muy poco tráfico en la carretera y los pueblos que cruzan en la ardiente claridad parecen dormir la siesta bajo el zumbido de las moscas y los ventiladores. Al llegar, Claudia le propone descansar en la casa de la playa. Es más fresca, dice; y en efecto lo es, con su única y penumbrosa habitación abierta a la brisa y sus puertas corredizas de palma trenzada protegiéndola del sol. Las dos hamacas, que constituyen su único mobiliario, parecen esperarlos. Tejidas por los indios de la Guajira con largas barbas de hilo, su color de un blanco crudo y su áspera textura recuerdan los ranchos y las arenas del desierto, allá en Colombia. Una vez que se encuentran dentro de la casa, Claudia se desviste con prisa arrojando la ropa sobre los tablones del piso. Al desabotonarse la blusa, una brusca visión de sus senos airosos y húmedos de sudor, lo estremece. Enteramente desnuda y con un movimiento preciso, igual a un paso de danza, se mete en una de las dos hamacas, que cruje y oscila al recibir su peso. Con una sorda ansiedad apresurándole los latidos del corazón, la cabeza aturdida aún por el sol de la carretera y la botella de Rioja bebida durante el almuerzo, y gotas de sudor dejándole un sabor de sal en los labios, él observa cómo el cuerpo de ella ha llenado la hamaca haciendo tensa su tela con la firmeza de las caderas y las nalgas. Se acerca, palpitante, el sexo en ascuas, le pasa delicadamente la yema de un dedo por los labios, unos labios de fiebre que parecen recibir con avidez la caricia. Ella ha cerrado los ojos.

–Tranquilo –dice con una voz densa de sueño.

–Mis demonios están alborotados –murmura él sordamente.

–Déjalos dormir.

–Difícil.

–Piensa en algo muy triste. Esto se está pareciendo demasiado a una luna de miel. No hacemos otra cosa.

–¿Y qué hay de malo en eso?

–Nada. Sólo que ahora no estoy para ejercicios de guerra. Levanto bandera blanca.

–Está bien –suspira él resignado.

Ella parece percibir su decepción. Sus párpados se alzan despacio sobre unos ojos velados de sueño.

–Guarda tus cartuchos para más tarde –susurra con una sonrisa–. Soy muy plebe, ¿verdad?

–Un lujo que tú puedes permitirte.

–Cierto. Ahora échate en la otra hamaca y duerme. Yo me estoy cayendo de sueño.

Él obedece con un oscuro descontento, el mismo que experimentaba cuando Adriana frustraba sus ardorosas expectativas despidiéndose de él a medianoche con un rápido beso, antes de bajarse del automóvil. La iniciativa es siempre de ellas, piensa con humor. Poco a poco, meciéndose en la hamaca y escuchando el ruido de las olas, lo va ganando el sueño.

Despierta con la extraña sensación de haber visto a una mujer muy parecida a Claudia. Era tan bella como ella. Tenía sus mismos ojos claros y el pelo muy oscuro, pero parecía más joven y estaba vestida con un traje de ciudad a pesar de estar en el muelle. "Soy tu hermana", le decía a Claudia. Había algo confuso en el sueño, pues por algún motivo Claudia se negaba a que Graham subiera su equipaje hasta la casa.

Sin saber por qué, él experimenta al despertar una extraña tristeza, tal vez porque había advertido en el sueño que aquella mujer tenía los ojos húmedos de lágrimas y no entendía por qué Claudia la rechazaba.

Desde la otra hamaca le llega la voz alegre de Claudia.

–Dormiste como un bebé.

–No tenía más remedio.

Ella se ríe.

–Espero que ahora estés más tranquilo.

–Contigo nunca lo estoy del todo.

–Vamos al mar. Estoy lavada en sudor.

–No creo que podamos dar a esta hora espectáculos nudistas.

–No soy tan loca. Hay trajes de baño en ese armario.

Antes de salir, ella llama a Graham por un teléfono interno. Le pide en inglés que prepare dos *irish coffees* y los lleve a la playa.

–Tienes un talento muy especial para adivinar lo que uno necesita y a la hora justa, además.

–Graham es un mago para preparar el *irish coffee.*

Ha bajado el sol dorando la colina que se alza detrás de la casa. Mientras caminan por la arena, él le cuenta que ha visto en sueños a su hermana.

Ella lo mira con extrañeza.

–¿Cuál hermana? No tengo ninguna.

–Me refiero a aquella hija que tuvo tu padre.

Claudia frunce el ceño.

–No sé nada –dice evasivamente–. ¿Te imaginas cuál podría haber sido el destino de una muchacha que debió crecer en un lugar donde los hombres van a buscar a las mujeres para pasar la noche?

–Lo imagino, sí. ¿Nunca quisiste saber qué había sido de ella?

–No. ¿Por qué eso te preocupa tanto?

–Simplemente en sueños vi a una mujer muy bonita que venía a verte a la isla. Decía que era tu hermana y tú no querías recibirla.

–Ahí tienes un lindo tema para una telenovela. ¿No era eso lo que hacías en París?

–Escribí dramatizados para el canal 2, sí. Era la historia de una muchacha de los tempestuosos años 60. También el guión de una película.

–Deberías escribir una novela. Tendrías más libertad de poner allí lo que te venga en gana. Tus amores, por ejemplo. Eres un experto en mujeres complicadas.

–¿Lo crees así realmente? Yo creo que todas lo son, cada una a su manera.

Ella lo mira sonriendo.

–¿También yo?

–También tú, claro.

Ella entra en el agua. Lleva un vestido de baño azul y se ha recogido el pelo con un gancho. Va al encuentro de las olas que mueren en la playa.

–Creo que el complicado eres tú. No comprendo por qué no te casaste con tu frívola después de que Serena te dejó. Si lo miras bien, ha sido el amor de tu vida desde que era niña. Al fin y al cabo, sentimentalmente hablando, siempre le fuiste fiel. Y además te alborotaba tus instintos de macho. ¿Qué más pides?

–Tal como ves las cosas, la vida sería sólo coser y cantar. Anda, es hora de una zambullida.

–Tenías razón. Graham es un mago para preparar el *irish coffee*. Y hay que ver cómo lo trae, no hirviente sino helado, y con un rastro de azúcar en el borde del vaso. Además, esta es una hora deliciosa. El sol no arde, sopla una brisa fresca y el mar se llena de reflejos dorados. Es el momento en el cual uno llega a pensar que la felicidad es esto, una isla a las cinco de la tarde, sosiego del cuerpo y del alma al lado de una mujer que a uno le gusta, para no mencionar la palabra amor, prohibida por ti. Realmente no entiendo que uno pueda vivir solo y al mismo tiempo ser feliz. Vivirás la experiencia, y quizás algún día tengas la oportunidad de contarme cómo te fue. Yo sólo puedo hablar por mí. Después de separarme de Serena, he vivido solo, es decir, sólo relaciones efímeras. Cierto, tenía a mis hijas y era encantador ser hasta cierto punto su amigo y su cómplice, y sentarse con ellas a la hora de la cena y oírles sus historias mientras caía la noche en una ventana que daba a la cúpula iluminada de los Inválidos.

–Y Adriana, ¿dónde andaba? ¿No te hacía compañía? ¿No se decidió a vivir contigo?

–Debió asustarse cuando supo que Serena me dejaba para irse a vivir y luego a casarse con otro hombre. Debió asustarse, sí, pensando que ello de algún modo le creaba un compromiso conmigo, aunque siempre, para no crearse disturbios de conciencia, consideró que nada tenía que ver con mi separación. Es increíble cómo el subconsciente fabrica coartadas providenciales. La de

Adriana, en aquel momento, al verme por primera vez libre, libre y seguramente con la profunda necesidad de cubrir el terrible vacío dejado por Serena, fue la de encontrarse por primera vez desde que estaba en París un novio. Así llegó a llamarlo aunque sea difícil llamar novio a un hombre que ha vivido siempre de prestar servicios de acompañante tanto en posición vertical como horizontal a señoras muy ricas, generalmente ya de alguna edad. La suya en Francia es una profesión como cualquier otra. Requiere una buena presencia física, ropa de buen corte, un automóvil deportivo, algunos modales y desde luego un buen desempeño como amante. Jean-Luc, el supuesto novio de Adriana…

–El gigoló...

–No, no lo fue con ella, claro que no. Adriana, siempre asediada por toda clase de hombres, no necesitaba desde luego pagarse un amante. En realidad, en el punto de partida hubo un colosal equívoco. El tal Jean-Luc andaba siempre merodeando por el Bar des Théâtres. Allí lo había visto yo varias veces. Era uno de sus lugares de caza, exactamente como algunas prostitutas de lujo aparecen de pronto en el bar del hotel Ritz o del hotel George V cazando hombres de negocios momentáneamente solitarios. Yo habría jurado que el tipo aquel, con el aspecto y la indumentaria de un modelo de Valentino o de Pierre Cardin, era homosexual. Tenía todo el aspecto de serlo: algunos trémolos en la voz y una especie de coquetería femenina propia del Narciso que se siente admirado y hasta codiciado por hombres y mujeres. Seguramente debió creer que Adriana era millonaria viendo su flamante Mercedes Benz color blanco, su ropa y sus collares y los lugares que frecuentaba en París. Ella por su parte debió pensar lo mismo de él, por razones análogas. Le parecía un hombre divino y elegantísimo, además lleno de plata a juzgar por el Porsche metalizado que confiaba a los porteros del Plaza Athenée y los abrigos de cachemir azules o de color caramelo de anchos hombros y muy ceñidos en el talle que llevaba en invierno. Tal vez, en ejercicio de su profesión, él se propuso seducirla, y no fue difícil en la medida en que correspondía de manera sumamente aproximada a la idea que ella tenía del príncipe azul, muy cercana a la de un galán cinematográfico. Si ella lo vio alguna vez acompañando a una mujer madura con collares de muchas vueltas, debió pensar que se trataba de su respetable madre, quizás una baronesa, y no la dama que pagaba sus variadas atenciones.

–Supongo que con ella todo terminó ahí...

–En cierto modo, sí. Fueron épocas negras para mí, una extraña conjura de circunstancias. Serena se había mudado llevándose su gata y sus libros, y yo me encontraba de pronto con toda suerte de evasivas de parte de Adriana, sin saber exactamente qué le estaba ocurriendo. Sentía una infinita tristeza al volver a casa en las noches y no encontrar a Serena. La extrañaba: extrañaba hasta el humo de sus cigarrillos, sus libros, sus cuadernos llenos de apuntes y sus teorías a propósito de las cosas más inverosímiles. También las hijas parecían desamparadas aunque yo hacía lo imposible por llenar el vacío dejado por su madre en la mesa; cocinaba; les compraba ropa en las Galerías Lafayette. Ellas hablaban con Serena por teléfono. Yo también, de vez en cuando. No me decía nada de su nueva vida con el hombre que tiempo después sería su marido, sino de los libros que estaba leyendo. Adriana, por su parte, se había evaporado. Estaba en Roma, invitada por el embajador del Perú y por su esposa. Cuando volvió, tenía tantas cosas qué contar de su viaje por Italia y las contaba tan tumultuosamente, que resultó imposible hacer nada distinto a oírla.

«En aquel momento yo estaba descubriendo (tal vez sería mejor decir confirmando) hasta qué punto Serena y Adriana habían sido para mí como las hojas de una misma tijera: no podían ir la una sin la otra. Parece una afirmación innoble, estrepitosamente machista, pero así era. Así lo viví, qué quieres. Representaban cosas opuestas y al mismo tiempo complementarias. A Serena me unían muchas cosas; no sólo esa carga sentimental que bien puede llamarse amor, sino también intereses e inquietudes comunes, dos hijas, enjambres de amigos, pobrezas y zozobras compartidas; lo vivido en aquellos duros años en París. Y Adriana, ya te lo he dicho, era no sólo la mujer que uno desea intensamente, sino algo más: la eterna novia, representación de sueños y fantasmas de la adolescencia, y luego esa sensualidad, ese sentido hedonista del goce, del placer de vivir, que nunca encontré en Serena. Sí, las dos eran como flores inseparables del mismo ramo. Y cosa curiosa, poco después de que Serena me dejara, quizás en busca de una tranquilidad que no tenía conmigo, Adriana, como si se hubiese puesto de acuerdo con ella, desapareció también. Tal vez, instintivamente, hizo lo mismo que haría una mariposa cuando siente muy cerca la red del cazador que pretende atraparla. Pienso, sin embargo, que aun si por milagro, renunciando a esa palpitante libertad de mariposa de verano, hubiese permanecido conmigo, me habría sentido incompleto, frustrado, añorando lo que compartía con Serena. No podía imaginarme hablando con Adriana, por ejemplo, de las películas de Bergman, de las novelas de Lezama Lima o de las teorías de Lacan. Supongo que una exposición de Marcel Duchamp, la habría dejado estupefacta, diciendo que no es arte sino una solemne vulgaridad utilizar como tema de una obra un excusado. Era temerario sentarla con los amigos, poetas o escritores, que a veces venían a casa. De sus conversaciones, sólo sacaba en claro que no creían en Dios y que cortaban los pelos en cuatro. "Además", decía, "a muchos de ellos les está faltando un buen baño y un desodorante." Mis amigos en cambio, se divertían oyéndola decir barbaridades. Debían estar siempre llenos de pensamientos lujuriosos viendo la curva de sus senos bajo la blusa o la manera como cruzaba sus largas piernas. Su fresca espontaneidad la defendía. No, ella no tenía complejo alguno, y más de una vez vi a algún célebre escritor o un artista francés conocidísimo haciéndole una corte desaforada, encantados de responderle sus preguntas más atrevidas e ingenuas. Estaban demasiado acostumbrados a tratar con mujeres francesas duras, competitivas, dueñas de un punzante sentido crítico, para no sentirse atraídos por la excitante feminidad de Adriana y lo que ellos llamaban su carácter meridional, mediterráneo. No se le pueden pedir peras al olmo, dice el proverbio. Y la culpa, ciertamente, no es del olmo si un estúpido en vez de admirar su soberbio esplendor, le pide frutas.»

–Todo eso suena muy bonito, pero la triste realidad es que tus dos mujeres, ambas frustrantes, te dieron una vistosa patada por el trasero y una de ellas, la frívola, con un gigoló de quinta categoría. ¿A qué horas te reemplazó por él?

–Poco después de regresar de Italia. Andaba con muchas evasivas, recuerdo. Y alguna noche, al llamarla por teléfono, tuve la sensación de que no estaba sola. Me parecía percibir que había un hombre con ella. Casi lo sentía respirar a su lado. Se lo pregunté. Tuvo una vacilación y luego dijo: "Sí, estoy con Jean-Luc." Tardé sólo unos momentos para darme de cuenta que Jean-Luc era el tipo aquel, bastante amanerado, del Bar des Théâtres. Si estuviese escribiendo la letra de un tango, diría que aquello fue como una puñalada en el pecho. Estaba con Jean-Luc. Desnuda, seguramente. Y no propiamente rezando el rosario, pensaba con amargo furor, sino tirando con él. No hay nada más humillante y horrible que los celos. Revuelven todo lo inseguro y deleznable que hay en uno. Colgué el teléfono bruscamente, temblando de rabia y de despecho. Nunca más, esta vez sí, nunca más la veré, decía y todavía el cuchillo parecía estar ahí, clavado en las entrañas. Era algo sangriento. Y aquello no terminó ahí, porque, contrariamente a lo que antes sucedía siempre, ella no volvió a llamar. Y luego supe, por amigos comunes, que ella presentaba al mequetrefe aquel como su novio. Fue una época negra, sí; de esas que uno vive a veces en París. Lluvia, soledad. Y nada, ni el estrépito, ni el humo de los cafés, ni las luces brillando en los bulevares, ni las pobres hijas trabajando en casa con sus libros y cuadernos o jugando con un gatico que me obligaron a comprarles, nada, nada lo saca a uno de los pensamientos negros, de esa rabia y esa tristeza y ese despecho sin límites. Tiene uno, además, la impresión de ser excluido de una fiesta que llega siempre a París con la primavera. Las parejas se besan sin piedad en las puertas y en los parques, se llenan de sol y de gente las terrazas de los cafés y uno anda por ahí, solo, sin rumbo, preguntándose una y otra vez qué ha pasado. Casi obedeciendo a una decisión puramente defensiva, empecé a salir con una muchacha llamada Anne-Marie. Típica hija de mayo del 68 francés, la había conocido algún domingo en Joinville le Pont, en casa de un escultor peruano amigo mío. Era bonita y áspera, con esa dureza casi varonil de las muchachas que en aquellos tiempos se consideraban liberadas. Vestía con túnicas y collares algo estrambóticos comprados en el mercado de las pulgas, y si te digo que era una hija del mayo francés, no era sólo porque hubiese sido fotografiada en aquellos tumultuosos días de la revuelta estudiantil, cuando sólo tenía quince años, con una cinta negra cruzándole la frente y agitando una bandera en la puerta de la Sorbona, sino por la manera absolutamente libre como tomaba la iniciativa con los hombres que le gustaban. Así, aquel domingo, cuando nos conocimos, no se anduvo con rodeos al salir de la casa del escultor. Habíamos cruzado muchas bromas y habíamos bebido bastante vino como para que aquella tarde, de la manera más natural del mundo, en el automóvil, ella me preguntara: "*On va chez toi ou chez moi?*" "*Chez toi*", decía yo siempre, porque había decidido que mis hijas seguirían teniendo un hogar "*comme il faut*".

«No recuerdo ahora si en aquellos meses cuando todo pareció haberse terminado con Adriana, sólo tuve aquella relación con Anne-Marie; tal vez hubo otras mujeres, igualmente efímeras. A veces veía el Mercedes blanco de Adriana estacionado de la manera más arbitraria en alguna calle de Saint-Germain, y el corazón, muy a pesar mío, latía más aprisa. Si eso me ocurría con su auto, ya imaginarás lo que me sucedió cuando volví a verla en un concierto dado en junio de aquel año por el clavicembalista Rafael Puyana en el Palacio de Versalles.»

–¿Caíste de nuevo como un estúpido?

–¿Qué puedo decirte? Sí y no. La saludé de lejos mientras avanzaba con una multitud de invitados por las fastuosas galerías del palacio. Fue ella la que se aproximó a mí, después del concierto, cuando me dirigía al estacionamiento hacia mi automóvil. "Sabio", me dijo, "¿por qué estás tan odioso?" Siempre, desde que era niña, había resuelto con la misma desenvoltura una desavenencia para mí desgarradora. Era ella la que me hacía reclamos de infidelidad. "Ya sé que tienes novia", me dijo, "y por eso no te he llamado; pero no es motivo para que seas tan antipático." Yo no sabía de quién me estaba hablando. "¿Cuál novia?", pregunté extrañadísimo. "Una especie de hippie llena de collares", me dijo. "Te vi con ella en un café de la rue de Seine. ¿No te da miedo que te prenda alguna enfermedad?" Era como para matarla.

–Pero no la mataste. Caíste de nuevo.
–Cenamos en La Coupole.

❧

–Espera, te lo explico. Hay gente que tiene una prodigiosa capacidad para explicarle a cualquiera, y de la manera más convincente, por qué ha tenido que hacer tal o cuál cosa logrando así, sin que tú llegues a darte cuenta, hacerte cómplice o aliado suyo. Por lo que he oído decir, supongo que esta es la fuerza de Fidel Castro. Colocando a su interlocutor dentro de la lógica del poder, o sea de la razón de Estado o de las exigencias de su revolución, Castro puede explicar con vehemente persuasión por qué ha debido poner a sus opositores en la cárcel o por qué ha sido preciso fusilar a un general o a cualquier otro hombre que desde su juventud le hubiese servido con toda lealtad. Es más: ha llegado incluso a convencer al propio candidato al paredón de fusilamiento de la necesidad de colaborar con los jueces que lo irán a condenar a muerte. Adriana, a su manera, una manera muy femenina, intuitiva y no calculada, tenía una habilidad análoga para hacerte cómplice suyo, por vía de las confidencias, aun de las situaciones que a uno lo habían aporreado. Así, en La Coupole, después del concierto, mientras agotábamos una botella de vino blanco, luego otra más, buscaba explicarme cómo había caído con aquel gigoló por culpa de su propia ingenuidad. Fue algo sumamente vergonzoso, me decía, y si no te lo cuento a ti a quién se lo puedo contar en este mundo. Y en resumidas cuentas lo que me dijo era algo previsible para mí o para cualquiera que hubiese visto a aquel adonis de amores mercenarios, salvo para ella. Al parecer lo tomó por un apasionado admirador suyo, pues inicialmente había empezado enviándole ramos de flores a su apartamento, luego esquelas galantes y por fin unas extrañas cartas llenas de alusiones eróticas muy atrevidas (no vulgares, decía, sino atrevidas), en las que confesaba todas las fantasías que ella le inspiraba desde cuando la había visto por primera vez entrando en el bar del hotel Plaza Athenée. Eran descripciones elegantes y a la vez minuciosas de todos los preliminares del acto sexual, quizás tomadas de algún clásico del erotismo o quizás de su propia cosecha, que a ella la escandalizaban y la perturbaban dejándola a la vez atónita y excitada, sin poder pensar en otra cosa. Sabía, además, por un periodista amigo del gigoló y conocido de ella, que aquel Jean-Luc había sido el amante privilegiado de una ex emperatiz de Irán y de una actriz de cine, no recordaba si era Elizabeth Taylor o Ursula Andress. Todo ello no era sino una manera astuta, ideada por él mismo, de crear en torno suyo un aura de interés y curiosidad, pues luego se había dado cuenta de que aquel periodista, un verdadero cínico, era su amigo y cómplice. Así, gracias a todas estas maniobras, había llegado a seducirla.

–Y te dijo, como de costumbre, con pelos y señales, todo lo que hacía en la cama...

–No, no digas barbaridades. Hasta ahí no llegaban sus confidencias. Tal vez debía advertir mi propia crispación mientras iba relatándome todo esto, aunque después, mucho después, cuando el episodio estaba casi olvidado, me confesara que le hacía comprar ligueros negros y otras prendas, de esas que se venden en los *sex shops* de la rue Saint-Denis o de Pigalle. El caso es que el hombre no tardó en descubrir su propia y flagrante equivocación: Adriana no era la millonaria suramericana que había imaginado, no estaba acostumbrada a pagar las cuentas de quienes salían con ella y el único regalo que había llegado a hacerle era una corbata comprada en Hermès. Aquella corbata fue la gota que desbordó el vaso. Debió parecerle una vil propina para tanto esfuerzo y tiempo perdidos. Cambió. Se perdía algunas noches y fines de semana, seguramente para cumplir obligaciones más rentables. De pronto le llegaba a las horas más inesperadas, la hacía poner aquellas prendas de prostituta y le hacía el amor con prisa y ferocidad. Un día, al aproximarse el verano, aquel periodista de Paris Match, amigo suyo, puso las cosas en claro con brutal cinismo. Le explicó cómo debía sacarse de la cabeza el cuento de hadas que ella se había inventado. Jean-Luc no era el *petit fiancé*, el novio (lo dijo con esa palabra castellana). Jean-Luc tenía que ocuparse de sus asuntos ahora que empezaba la temporada. Damas muy importantes, amigas suyas, con yate propio lo esperaban: una en Antibes y la otra en Ibiza. No podía perder estas grandes ocasiones del verano. ¿O qué era lo que ella se había creído? ¿Qué le había dado? Una corbata de pajaritos; *pagagitos*, decía en español de una manera sarcástica con una horrible sonrisa de dientes manchados de tabaco. Como amigo se lo decía: perdía su tiempo con Jean-Luc. Él era un tipo muy raro (*dingue*, decía). Ahí donde lo veía, le gustaban las chicas de la rue Saint Denis. Lo excitaban. Con ellas era generoso. Tenía sus caprichos, sus fantasmas personales, como todo el mundo. Pero no era hombre para ella. Ahora bien, si necesita una compañía más agradable, él (el periodista de Paris Match) estaba disponible. No iba a despreciar una mujer tan bonita.

«No sabía ella, me dijo, cómo no le había largado al periodista una gran bofetada en pleno Bar des Théâtres. Se había sentido sucia, engañada, con asco de los hombres y tal vez de la humanidad entera. Tenía ganas de vomitar. Había llorado de vergüenza al llegar a su casa. "Quise llamarte, pedirte ayuda", me decía; "pero luego me acordé que tú andabas bravo y además en compañía de esa hippie." Había jurado, de todas maneras, que no se volvería a dejar tocar por ningún hombre. Todos eran iguales. "Todos, incluso tú", me decía con lágrimas en aquel restaurante que estaba a punto de cerrar.»

–Y te reconciliaste con ella. La compadeciste, claro. Echó el hilo y el anzuelo al agua y volvió a pescarte.

–¿Quieres saber la verdad? Te la diré para cerrar este capítulo tan triste, y ojalá Graham tenga la iluminación de traernos otro *irish coffee*. Allí acabó lo mío con Adriana. Quiero decir: el sueño que ella había representado siempre. La novia. Quizás la idea de que un día pudiésemos vivir juntos. Allí, en aquel inmenso restaurante decorado a la moda de los años treinta, murió también algo de mí que traía desde la adolescencia, alimentado por las películas que entonces veía, por los libros, por los versos: una cierta idea romántica, un ideal del amor. Y sobre los escombros de estos sueños quedó un hombre *blasé*. El diccionario traduce *blasé* por hastiado, pero es algo más; es otra cosa: ¿Tal vez un frío en el corazón? Nada importaba ya; y como nada importaba, al día siguiente le propuse a Adriana que pasáramos el fin de semana en los castillos del Loira. Y vino conmigo. Hacía un tiempo espléndido, todo parecía igual que antes, pero ya no lo era, excepto el río, los bosques y los castillos, el verano en las calles de aquellas ciudades a orillas del Loira. Había perdido a Adriana y también a Serena. La primera estaba instalada en un mundo de representación donde nada era cierto. Y Serena, con el tiempo, sólo recordaría de mí lo peor; con razón o sin ella se llenaría de rencores retrospectivos y de esta manera ni siquiera quedaría limpio el recuerdo de los años que habíamos compartido. De toda esa catástrofe (no llevaba sino cenizas por dentro, regresando a París con Adriana a través de bosques y colinas llenas de luz) sólo una cosa quedaba pura, intacta: mis hijas. Recuerdo la divertida complicidad de Clara Lucía cuando me abrió la puerta del apartamento: "Bandido, ¿dónde andabas?"

XVI

Ha caído la noche; tiemblan algunas estrellas solitarias en la vasta bóveda de un azul profundo que se pierde en el mar, mientras él aguarda a que ella aparezca. El aire cálido de la noche, cargado de fragancias y de vibrantes rumores tropicales, tiene un aroma de flores. No sabe cuánto tiempo la ha esperado cuando al fin la ve: bella, luminosa, maquillada y vestida como para una fiesta, con una estrecha túnica blanca que le llega hasta los pies. No lleva zapatos, y dos zarcillos oscuros le cuelgan bajo el pelo recogido en un moño. Avanza sonriendo hacia él desde la penumbra de la galería de las máscaras, bajo el tenue resplandor de unas lámparas, con la silenciosa ligereza de una aparición, cuando resuena el timbre escandaloso de un teléfono que él nunca había oído. Es un sonido largo, reiterado, urgente, insólito en aquel lugar. No ve el aparato sino hasta el momento en que aparece Graham y se acerca al bar para responder. "Es Nueva York", dice después. Claudia parece molesta y toma el teléfono quitándose un zarcillo para oír mejor. Él la oye hablar en inglés con palabras rápidas y cortantes; hace algunas preguntas, escucha, aprueba con resignación sin que la tensión le desaparezca del semblante. Finalmente cuelga el auricular. Lo mira por un instante sin verlo, con unos ojos ausentes en los cuales se lee una cavilosa preocupación. "¿Qué sucede?", le pregunta él. "Nada malo, sólo que...", suspira, mueve la cabeza: "Debo ir a Nueva York por algo urgente." Él siente un repentino frío en el corazón. "Es el fin", piensa. Y por un instante, tiene la impresión de haber vivido aquello en otro momento de su vida: alguien que él desea mantener a su lado debe irse, y al saberlo la misma sensación que ahora tiene de aprehensión, tal vez de orfandad, se le cuela por dentro como una racha de frío por una ventana rota. "Ven", dice ella ahuyentando su propia inquietud y señalándole el sofá colocado en un lugar de la terraza, al abrigo del viento. Delante, sobre una mesa, encerrada dentro de una brisera de vidrio, arde la llama de una vela. "Bebe algo", dice ella, y él alcanza a sonreír pensando en aquella copita de vino que los españoles, en época de la guerra de independencia, daban a los patriotas sentenciados a muerte antes de subir al cadalso. "Hoy tenemos un menú fuera de serie", dice ella esforzándose por mostrarse animada: "caviar, un caviar de primera que me regaló la esposa del embajador de Brasil en Moscú, y que hoy comeremos acompañándolo con vodka bien frío, dentro de unas grandes papas asadas al horno, ¿qué te parece?" "Estupendo", dice él, pero no puede evitarlo, aquella espina dejada por la llamada de teléfono esta ahí adentro clavada en alguna parte del corazón. Debo quitármela de encima, piensa; debo beber algo. Todo, inclusive el fin de este cuento de hadas estaba previsto. "Bebe tú también", le dice a ella, que ha tomado puesto a su lado, en el sofá, fresca y espléndida dentro de la estrecha túnica blanca que le moldea el cuerpo. Parece una figura del teatro griego antiguo. Ella llama a Graham para pedirle que traiga la botella de vodka puesta a enfriar en el refrigerador. Mientras le da órdenes, él dirige la mirada al cielo vasto y pacífico donde han empezado a brillar nuevas estrellas al oscurecer de manera más completa, y le parece que ya empieza a verlo como un recuerdo. Le viene a la mente un verso de Baudelaire: "*Adieu, vive clarté de nos etés trop courts.*" La viva claridad de los breves estíos. Todo es fugaz, piensa absurdamente deteniendo ahora su mirada en la llama trémula de la vela. Más allá se extiende una oscuridad palpitante de rumores. Claudia lo está mirando. De pronto se acerca y lo besa con una inesperada dulzura. "*Quelle connerie la guerre*", murmura muy quedamente citando el poema aquel de Prevert. "*Si, quelle connerie*", dice él, sabiendo muy bien que el verso aquel viene muy bien a cuento, todavía estremecido por aquel roce tibio de sus labios y por su hálito fragante. Ella sigue hablando en susurro. "¿Cómo están tus demonios?", pregunta. Por un instante, a él lo estremece el recuerdo de aquella tarde, a la hora de la siesta: Claudia en la hamaca, desnuda. "Siempre están alborotados", ya te lo dije. "Me gusta esa palabra: siempre", dice ella. Y él piensa en cambio que aquella palabra suena ahora a hueco como los pasos en la soledad de una calle, a medianoche. "¿En qué piensas?", pregunta ella. "En nada muy alegre. ¿Dónde está ese vodka?"

–Siempre me encuentran, esté donde esté –dice Claudia–. Siempre.

–¿Quiénes son ellos?

–Una jauría. Gerentes, abogados, socios, expertos fiscales. Una vez tomé un barco para dar la vuelta al mundo, y me encontraron. Tuve que interrumpir el crucero en El Cairo.

Han comido el caviar con las papas asadas y han bebido buena parte de la botella de vodka, sin conseguir que la conversación se anime. Es como una llama constantemente expuesta al viento y a la lluvia. A cada paso se producen bruscos silencios acentuados por el palpitar de los grillos. Aunque no mencionado, el viaje de Claudia a Nueva York abre entre los dos una grieta que las palabras no cubren. El alcohol bebido lo ha dejado a él denso, aturdido, oscuramente melancólico.

–Claudia –se oyó decir él mismo con repentina brusquedad–, tenemos que hacer algo para no arruinar esta última noche.

Ella lo contempla sorprendida.

–¿Quién te dijo que es la última?

–¿No lo es?

Ella tarda en responder.

–Bueno, debo ir a Nueva York. Mañana... o pasado –una súbita resolución anima su mirada–. ¿Quieres venir conmigo?

Él siente un peso sombrío en el corazón. Es como si otro, dentro de él mismo, hubiese tomado de tiempo atrás una decisión y ahora se la comunicara. Encuentra las pupilas de ella, duras, brillantes, fijas en las suyas. Son como un punto de interrogación en sus ojos muy claros.

–Nueva York no es una isla perdida en el Caribe –dice él, hablando muy despacio–. ¿Qué haría yo en medio de tus abogados y financistas? –mueve la cabeza–. Creo que no sirvo para príncipe consorte. Soy un ave demasiado rara en tu mundo.

Ella guarda un largo silencio, reflexionando.

–Quizás tienes razón –suspira.

–No sería igual.

–No, no lo sería –confirma ella.

Él siente que todo ya está dicho y reacciona:

–Como sea, debemos dejar a un lado esta conversación patibularia. Hasta mis demonios andan esta noche de capa caída.

Ella sonríe, pero sus ojos permanecen preocupados.

–Deberíamos despertarlos...

–¿Qué travesura se te ocurre?

–Ninguna por el momento. Sólo que no puedo beber más. Estoy como un alambre electrificado, no sé por qué.

–Yo también. ¿Sabes una cosa? Creo que deberíamos fumar uno de esos diabólicos cigarrillos que tienes. Como anoche. Puede que tenga el mismo efecto.

–O puede que no. Es jugar con pólvora viva. Pero probemos. En el cuarto, tranquilos.

↝

El cacho de marihuana que han fumado en silencio, pasándoselo alternativa y ceremoniosamente el uno al otro, tarda en hacer sentir sus efectos. Han apagado la lámpara y, tendidos en la gran cama de la alcoba, permanecen atentos a sus propias sensaciones. Claudia se ha quitado la túnica, se ha soltado el pelo y ahora yace a su lado, desnuda e inmóvil, las dos manos enlazadas bajo su cabeza y los ojos fijos en el techo. A él le parece que nunca como ahora había percibido los vivos rumores de la noche tropical. Son como latidos de un vasto corazón que acompañaran los del suyo. Su oído, tan fino como la cuerda de un violín, lo registra todo de una manera absolutamente diferenciada y precisa, de igual modo que dentro de una sinfonía se perciben notas de los diversos instrumentos musicales. Así, por ejemplo, las aspas del ventilador, girando sobre un eje herrumbroso, parecen rasgar el aire con un susurro sigiloso de sedas en un baile. Fuera, en la vasta noche de la isla, los grillos perforan el silencio con notas agudas que se dan la réplica de una manera perfectamente armónica dejándole a los sapos tonos de contrabajo y a los insectos el murmullo más remoto de un coro inacabable. El viento que agita las palmas suena como una fuga de violines y hasta los lejanos ladridos de perros en las fincas de la montaña intervienen con una nota quejumbrosa en las pausas dejadas por otros sonidos. Y ahora, dándose cuenta por primera vez que la hierba fumada ha hecho más sutil y aguda su percepción, descubre también juegos de luz no advertidos en otras noches. La oscuridad, por ejemplo, no es una densidad absoluta que devora perfiles y colores, sino un juego sutil de lilas y azules profundos según el contorno de los muebles; las sábanas tienen un resplandor de nieve y la lumbre lunar que se cuela por las rendijas de las persianas traza vibrantes rayas horizontales en un finísimo diagrama delante de ellos. Sea por aquella infinita riqueza de tonos y sonidos o por los aromas que ahora respira, uno leve y fragante de lavanda en el cuarto y otro más intenso enredado en la piel y en los cabellos de Claudia, la noche semeja un expectante escenario de fiestas en la cual no sabe por qué, pero así lo siente, ella por primera vez no participa. Está enroscada dentro de sus propios pensamientos, ausente y fría. La mira. Ha cerrado los ojos y respira profundamente. Pero no está dormida sino solamente inmóvil. Visto así, en la penumbra casi lunar de la alcoba, su cuerpo parece cincelado en mármol con una armoniosa perfección de líneas y volúmenes. Cosa extraña, no le suscita ningún deseo en este instante, como si fuese sólo una espléndida escultura desprovista de vida y de calor. La observa con el mismo maravillado fervor con que admiraría una yacente figura femenina expuesta en un museo romano. Sólo una mezcla profunda de sangres (pues en sus ancestros había de todo: alemán, suizo, español, indio y probablemente algunas gotas de negro como en toda familia del Caribe) podría reunir aquel refinamiento de líneas, la delicadeza del cuello, de las muñecas y las manos o la dureza insolente de los senos y las nalgas. Suavemente, llevado por estas reflexiones, le roza un flanco.

Es un ademán de simple fervor estético que provoca en ella un breve estremecimiento y una protesta.

–No –dice, y su voz suena despavorida.

Le tiemblan los párpados.

–¿Qué te ocurre? –pregunta él en voz baja.

–No quiero –dice ella, y su tono sigue siendo el de una protesta infantil.

–Tranquila –dice él–. ¿Qué sientes?

–Es algo muy raro –dice ella sin abrir los ojos, como si estuviese hipnotizada o hablando en sueños–. Veo una puerta al fondo de un corredor muy oscuro. Al otro lado están cantando en coro.

–¿Es una iglesia? –dice él, sin saber por qué, tratando de seguirla a tientas en aquella visión.

–No, no es una iglesia –responde–. Cantan... están borrachos –hace una pausa. Bajo los párpados temblorosos deben estar dibujándose imágenes, sombras y luces de algún recuerdo–. Quiero abrir la puerta, pero tengo miedo. Soy muy pequeña –su mano busca la suya y la aprieta, y él siente que realmente, en aquel momento, es sólo una niña asustada en un corredor largo y oscuro ante una puerta cerrada y con rayas de luz que dibujan el dintel.

–¿Qué hay al otro lado? –pregunta él.

Ella parece esperar; está allí de nuevo, temblando de susto. Habla:

–Borrachos.... Cantan. Es un viejo bolero.

Calla, pero sigue escuchando aquella melodía cantada del otro lado de la puerta. Él tiene la sensación de ser una especie de espiritista, un médium que estuviese escuchando con ella voces del más allá. Una parte muy profunda, inconsciente, de sí mismo ha establecido con ella una extraña comunicación.

–Abre la puerta –se oye decir.

Ella se estremece.

–¿La abro? –pregunta, y su voz no es exactamente la de ella sino la de la niña que fue, porque es trémula, tocada por un viento de pavor que sopla desde el fondo de su memoria.

–Ábrela –dice él, y siente la presión de la mano de ella agarrando la suya.

–La estoy abriendo –anuncia. Cambia su semblante como si fuese iluminado por las luces que brillan al otro lado. Las palabras empiezan a brotarle con lentitud describiendo lo que ve–. Es un salón muy grande. Hay lámparas sobre las mesas. Alrededor de un piano veo gente cantando. El pianista es negro. Me ve; sonríe; alza una mano de las teclas y me saluda, a mí, una niña llena de temor que acaba de abrir la puerta del fondo –suspira, y otra imagen le oscurece el rostro: es la de una mujer con lentejuelas de plata en un traje muy estrecho que la ha descubierto también, y se aproxima rápidamente y con enojo a la puerta–. Me regaña, me manda a dormir... –entreabre los ojos. Una lágrima le brilla en las pestañas.

–Tranquila –vuelve a decir él sintiendo venir del fondo de sí mismo una brusca ráfaga de ternura. Liberando la mano que sujeta la de ella se la pasa por suavemente por la cara. Es una caricia enteramente paternal que consigue calmarla–. Tranquila –repite él como si le hablara a su propia hija cuando era pequeña–. Nada malo puede ocurrirte.

Tomando la sábana que habían apartado al tenderse en el lecho, la cubre con ella hasta el mentón. Ella cierra de nuevo los ojos y suspira con placidez.

–Te pareces a Núñez –dice.

–¿Núñez? –repite él.

La voz de Claudia parece avanzar a tientas en otro desván de su memoria. Guarda silencio unos instantes dejando florecer pacíficamente, dentro de ella, aquel recuerdo más grato.

–Era primo de mi mamá. Recuerdo que una vez, subiendo por una escalera, me herí una ceja. Bajé llorando a la cocina y allí estaba él, Núñez. Tenía 20 años. Era muy buen mozo. Olía bien. Me alzó, recuerdo. Me puso unos paños de agua caliente en la cara. Me decía palabras cariñosas mientras me curaba la herida. Yo debía tener unos cuatro años –de nuevo empiezan a brotarle lágrimas en los ojos. La voz se le quiebra–. Era el primer hombre que me mimaba. Descubrí por primera vez que los hombres también eran capaces de ternura… que no todos eran... como los otros, los que veía cantando, bebiendo.

Él la oye, sorprendido. No sabe de dónde le brotan aquellos recuerdos que parecen enturbiarle la memoria. Tras la mujer que ha visto hasta ahora, aguda, a veces fría y siempre con una insolente seguridad en sí misma, descubre un ser oculto, increíblemente vulnerable, frágil. ¿Tal vez la mujer que sólo Tomás Ribón había llegado a conocer? Como sea, siente que dentro de él mismo aparece, por Claudia, un sentimiento nuevo. ¿Será amor?, piensa con asombro mientras su mano continúa acariciándole el pelo. Poco a poco, la respiración de ella se hace más profunda, tranquila y regular. Duerme.

⤳

Él no consigue dormir, lleno de una confusa y dolorosa ansiedad. Imágenes y sensaciones de otro tiempo pasan por su memoria como aves sobre parajes helados. Está en una casa muy vieja, en Mallorca, a su regreso del Festival de la Juventud de Moscú, al que había sido enviado por las Juventudes Comunistas. Toda la noche ha oído el golpeteo de una ventana, empujada por el viento, un viento frío y con ráfagas de lluvia que sopla desde el mar. Es una casa grande, muy vieja y vacía, y él está solo, solo por primera vez al término de una semana luminosa, porque una mujer que ha compartido la casa y de la cual se ha enamorado se ha ido repentinamente para siempre. La había conocido días atrás en la Cartuja de Valldemosa. Era una americana de Boston, muy bella y melancólica. Le contaba que estaba divorciándose de un ingeniero francés que vivía en París. Habían ido a los toros en Palma y luego a la casa del torero que compartía con otro los honores del cartel de aquel domingo, y él no había sido capaz de retenerla, pensando que tenían destinos muy diversos, y ella se había ido, había tomado un avión en el aeropuerto, y él había regresado a pie por la carretera llena de la luz dorada de octubre hasta aquella casa donde ahora está solo, escuchando cómo el viento golpea una ventana con un intenso sentimiento de soledad, el mismo de su infancia, el mismo de aquellas tardes de sábado cuando se refugiaba en la Biblioteca Nacional a leer libros de Schopenhauer. Luego –una imagen superponiéndose a la otra en su mente como si fuese una colección de lúgubres postales–, ve un colchón enrollado, un baúl y un cuarto vacío iluminado por una vela colocada sobre una botella. Llueve ahí afuera, en el patio. Su abuela está sentada en un taburete, la cara sepultada en sus dos manos, llorando. "Que San José y la Virgen me lo protejan siempre", dice. Llora de aquel modo porque esa noche el acudiente señalado por su padre desde Los Ángeles, donde es cónsul, viene a llevarlo a un internado, y su abuela, que lo ha cuidado hasta entonces, se va a morir muy pronto, pues tiene un cáncer. Ahora ve el internado, que es distinto a todos los internados, porque él es el único interno, y cuando todos los alumnos se van para sus casas, él se queda con la servidumbre, y debe comer muy temprano, a las siete de la noche, en el inmenso comedor de los semiinternos, con un Sagrado Corazón en la pared del fondo y un perro lanudo de ojos tristes y grandes orejas haciéndole compañía, y en la noche, en el cuarto que le han dado en un pabellón apartado de las aulas, escucha el viento agitando las ramas de los cerezos y él no puede evitar las ganas de llorar sintiéndose solo, lejos de su abuela moribunda y de su hermana interna en un colegio de monjas. Le parece que siempre ha vivido así, perdiendo la lumbre de amores o de afectos para encontrarla a ella, inevitable, envuelta en su capa de viento y de congojas, la soledad.

De pronto, a su lado, como si adivinase lo que está pensando, Claudia rompe a llorar.

–Dime, habla, ¿qué sucede?

Pero ella no puede decir nada, ahogada en sollozos.

–¿Tuviste una pesadilla?

Niega con la cabeza, mientras las lágrimas brotan incontenibles de los ojos y los labios le tiemblan, arrasada por una pena que le rasga el corazón.

–¿Algún recuerdo que te vino en sueños?

Oye, al fin, su voz quebrada por su llanto:

–No fue un recuerdo. Vino a mi lado, la vi.

–¿A quién?

Ella no lo escucha, absorta en aquella visión que la ha estremecido.

–Tenía razón la bruja: ella me mira, me ama, me sigue a donde vaya.

–¿Quién es ella? Dímelo.

Lo mira vacilando por un instante en el umbral de una confidencia y luego con un hilo de voz parecido a un susurro declara:

–Mamá.

Él guarda silencio pensando en los efectos impredecibles de la hierba. Uno de ellos, es que los sueños podían alcanzar el espesor de la realidad y los muertos cobrar vida.

–La vi, como te veo ahora a ti. Vino. La sentí respirar a mi lado. Tan bella, tan triste.

–¿Murió hace muchos años, no?

Ella reacciona con una ronca vehemencia a través de suspiros que le amordazan la voz:

–No ha muerto, vive. Sólo que... –un sollozo se le enreda en la garganta–. Puede verme, seguirme, saber dónde estoy, y yo no; no puedo verla.

–Me dijiste siempre que tu madre había muerto.

Ella lo mira de nuevo. Sus ojos, a través de las lágrimas, expresan un infinito dolor.

–No hablo de ella, de Martine, la esposa de papá. Hablo de mamá, la mía.

Él la contempla con incrédulo asombro.

–Por Dios, ¿de quién me estás hablando?

Encuentra las pupilas de ella, dilatadas y ahora terribles, luminosas, fijas en las suyas.

–Mamá es Hortensia Reyes.

Él siente una especie de vértigo oscureciéndole el cerebro.

–De modo que aquella niña, la del cabaret...

–Soy yo, sí; yo.

XVII

–¿Qué recuerdos quieres tú que yo tenga de un lugar como aquel? No ciertamente los de una niña de buena familia, ni siquiera los de una niña pobre nacida dentro de una familia normal; es decir, con unos padres y unos hermanos, y una casa con una sala, con cuadros en las paredes, con un florero, un perro o una jaula de pájaros en alguna parte y una mesa en torno a la cual todos, padres e hijos, se reúnen a la hora del almuerzo o de la comida. Nada de eso. Viví mis primeros años en una casa compartida con un cabaret que en la noche se llenaba de una algarabía de voces, de risas y de música, y de ruido de automóviles llegando y partiendo. Dentro de ese escenario nada normal se almacenan confusos y lejanísimos recuerdos. Veo un patio trasero, un muro de ladrillos y al otro lado de esta pared, una calle polvorienta que desciende hacia la carrera trece. Recuerdo un pavo que habían comprado en época de Navidad, la manera como le hacían tragar aguardiente para emborracharlo y luego, tomándolo por las alas, dos empleados de mamá lo hacían correr por aquella calle de tierra antes de torcerle el pescuezo. Recuerdo un huevo crudo que mamá o la abuela (la llamaban así, pero no era mi abuela sino una lejana parienta de mamá) echaban en un vaso de agua el 31 de diciembre para adivinar el porvenir. Lo ponían debajo de una cama y a medianoche, cuando la ciudad se llenaba de un estrépito de pitos y sirenas, lo sacaban de allí y lo miraban a la luz de un bombillo, y según las formas temblorosas dejadas por el huevo en el agua al disolverse, presumían lo que traía el año nuevo: dinero, bodas, nacimientos o muertes; cosas buenas o cosas malas.

«La abuela era experta en leerlo. Era ella quien manejaba la casa a fin de que mamá se ocupara enteramente del cabaret. No sé si pueda llamarse así, casa, lo que era simplemente un corredor con una serie de cuartos, un baño y una cocina, sin nada de los lujos que tenía el cabaret o el apartamento de mamá con su puerta y su escalera independiente en el otro extremo de la calle. No había allí pantallas ni paredes tapizadas de brocado, sino los muebles ordinarios de una pensión cualquiera. Las muchachas del cabaret ocupaban otra ala de la edificación. Dormían allí. Yo las oía hablar y reír mientras estaban maquillándose. Recuerdo una fiesta de disfraces; las veo en el cuarto de mamá, es decir, el cuarto que compartía conmigo cuando no estaba en aquel que albergaba sus amores secretos, peinándose en medio de un bullicioso revuelo de tules y terciopelos, de antifaces y máscaras, de gritos y risas, dejando detrás de ellas, al moverse, una ráfaga de perfume barato. Venían de todas partes del país, especialmente de Cali y de Pereira, y tenían siempre dos nombres: uno que usaban entre sí, de día (seguramente el verdadero), y otro que se ponían en la noche, casi al tiempo con sus vestidos de tul. Nunca duraban mucho tiempo, como si fuesen sólo las clientas de un hotel. Debía ser política de mamá, a fin de que no alcanzaran a tejer amores o relaciones durables con los clientes. Recuerdo a una muchacha norteamericana llamada Helen que vivió algún tiempo con nosotras. No era una de las mujeres del cabaret, sino la novia de un músico de la orquesta, y algo debió ocurrirle porque una mañana amaneció sangrando. Con medio cuerpo envuelto en una sábana, una sábana en la que iban creciendo grandes manchas de sangre, la bajaron alzada hasta una ambulancia de la Cruz Roja que llamaron por teléfono. Debió ser un aborto.

»Mamá era bella; así la recuerdo. No muy alta, pero bella y enérgica. Nos manejaba a todos con un puño, o mejor, con un carácter de hierro que no tenía fisuras sino cuando se enamoraba. Era como una fruta de corteza dura que guardase por dentro una pulpa dulce, inesperada. Iba siempre de un lado para otro dando órdenes. Las muchachas le temían. Con ninguna de ellas intimaba, de modo que al aparecer se apagaban voces y risas. La llamaban "doña Hortensia", con mucho respeto. Ella paseaba sobre ellas una mirada fría, rápida, simplemente valorativa, como la de un ganadero observando su ganado, haciéndoles observaciones sobre el traje o el peinado. Les hacía desprenderse de broches o adornos baratos y les daba instrucciones sobre cómo portarse con los clientes. Con todas mostraba una dureza igual, incluso conmigo, su hija. Me peinaba de una manera muy brusca sin dejar que en los ojos se viera nada parecido a la dulzura. No me hablaba como a una niña sino como a una adulta, y siempre en el tono con que impartía sus órdenes. Sacando tiempo de sus innumerables quehaceres, se empeñó en enseñarme a leer con ayuda de la cartilla de Baquero. Sólo cuando había bebido mucho y se acostaba a mi lado, en la cama, en horas del amanecer, yo sentía florecer esa ternura que debía hervirle por dentro, libre al fin de cerrojos. Era como si otra persona surgiera en la oscuridad murmurando palabras dulces con una voz ronca y un aliento oloroso a whisky, a la hora glacial y quieta en que en los solares de la ciudad empezaban a cantar los gallos; una persona completamente distinta a la mujer pálida y férrea que después del mediodía, cuando se levantaba, empezaba a dar órdenes. Si llegaba a enamorarse –ya te lo he dicho– hacía locuras. Lloraba, bebía. Tengo una imagen de ella que nunca pude olvidar. Estamos en Cartagena, adonde me llevó en una Semana Santa. La veo saliendo del mar, muy linda y con los ojos llenos de lágrimas, porque en alguna parte de la playa, a través de un altoparlante, se está escuchando un bolero entonces de moda que debía recordarle algún amor perdido. Lo canta ella también mientras las lágrimas le ruedan por la cara: "Nosotros, que fuimos tan sinceros..."

«Sí, crecí como una planta salvaje sin mimos ni juguetes, salvo un cochecito de muñecas que alguna vez me regaló Núñez. O quizás fue Carmen, Carmen Arévalo. Era la hija de la abuela, una muchacha muy bonita que vivía con nosotras. Las mujeres del cabaret no la querían tal vez porque se empeñaba en guardar distancia con ellas o simplemente porque no era como ellas. No se vestía ni se peinaba igual y jamás cruzaba aquella puerta, para mí prohibida, más allá de la cual se abría en las noches un mundo tumultuoso de hombres, de música y bebida y de amores mercenarios que a la madrugada buscaban refugio en un hotel del centro, el Petit Paris. Carmen era distinta a todas. Bella, con su cara lavada y sus limpios ojos oscuros. Yo no podía comprender entonces, con sólo cuatro o cinco años de edad, en que consistía la diferencia, pero no dejaba de observarla. Tiempo después, reconstruyendo aquella época con ayuda de Tomás, mi marido, que la conocía tan de cerca por ser el amigo y el abogado de mamá, vine a saber que Carmen se avergonzaba de vivir en El Edén, un lugar rodeado de un prestigio tan equívoco en la Bogotá de entonces. Tenía un novio, que ignoraba donde vivía, y con el cual acabó casándose a escondidas desapareciendo para siempre. Carmen me quería. Era como una hermana mayor que me hacía compañía en las noches, cuando la abuela se sentaba en un taburete en la cocina y me ponía sobre las rodillas un plato de comida sin más cubiertos que una cuchara de sopa. Algunos domingos me llevaba al Parque Nacional, dándome así la única oportunidad de ver niños, de verlos jugar y correr con otros niños o comer helados con sus padres; ese mundo para mí vedado. Me hacía juguetes, ya que nadie me los daba. Ponía a una curuba cuatro palillos para hacer un cerdito o fabricaba un barco de papel, que ponía en el agua de la alberca. Yo debía ser para ella el único ser próximo y tierno dentro de la casa, pues no se entendía bien con la abuela, de mamá sólo recibía órdenes y de las muchachas del cabaret, palabras desdeñosas. Decían que era una creída. No recuerdo o no supe de qué manera se fue; sólo que una tarde sacó un baúl, pero antes se sentó un instante conmigo en el patio y me dio besos con la cara llena de lágrimas. Nunca volví a verla. Su recuerdo me perseguiría años más tarde, viviendo en Suiza y convertida en la hija del millonario Ramón Aristigueta y de la condesa Martine Borda. Pensaba que ella, también a su manera, había escapado del destino de las muchachas de El Edén y que debía ser feliz con un marido e hijos. Siempre soñaba con encontrarla a ella, único hilo frágil que me quedaba de aquella infancia, perdida y escamoteada con toda suerte de papeles falsos para ocultar mi verdadera procedencia. Ojalá haya sido feliz Carmen Arévalo, aunque no por muchos años, porque me queda un último recuerdo suyo y es triste. Estaba en Bogotá, ya casada o a punto de casarme con José Barker Iribarra, cuando vi su nombre escrito en un cartel funerario. Llovía, y desde el automóvil que me llevaba por la carrera Séptima, pude leerlo con todas sus letras: Carmen Arévalo de tal (el apellido de su marido) colocado en el centro de una orla negra en la puerta de la iglesia de la Veracruz. Fue tal vez la última señal visible de aquel mundo desaparecido, el de mi infancia.»

⟜

–Ahora comprendo por qué, apenas el cacho que fumamos empezó a hacerme efecto, me produjo tanto susto encontrarme, más acá del sueño y más allá de la realidad, en el corredor de aquel lugar donde vivíamos. Era un lugar prohibido para mí. Sobre todo la puerta del fondo, que comunicaba con el cabaret. La primera vez que la abrí, a escondidas de todos, era todavía de mañana; mamá dormía aún. El salón estaba a oscuras, oloroso a desinfectante y con las butacas y asientos colocados patas arriba sobre las mesas y la butaca del piano sobre el piano. No entendía por qué era algo prohibido; quise saberlo. Así que una noche, muy tarde, mientras la abuela y Carmen dormían en su pieza, salí descalza y en camisa de dormir al corredor, llegué a la puerta y con el corazón brincándome en el pecho y las voces y la música escuchándose al otro lado, puse la mano en el picaporte y abrí. Fue el pianista el primero en verme. No era negro, como he dicho, sino un hombre entonces joven con una piel color tabaco y unos cabellos charolados. Movió la cabeza y mostrándome una sonrisa de dientes muy blancos, alzó una mano de las teclas para saludarme. Era un ademán amistoso, confidencial, casi secreto entre él y la niña atónita que había aparecido en la puerta del fondo. No fue mamá la mujer con un traje ceñido y salpicado de lentejuelas de plata la que vi en mi mente, bajo el primer efecto del cigarrillo, acercándose a la puerta furiosa. Era otra que recuerdo muy bien. Tenía el pelo rojo y se llamaba Yolima. Mandaba sobre las otras cuando mamá no estaba. A casa de ella, en Cali, me envió mamá alguna vez. Duré dos meses viviendo con ella. No sé por qué lo hizo, porque Yolima era una mujer muy vulgar. Me regañó al verme en aquel umbral, me mandó a dormir y cerró la puerta bruscamente. Pero antes de cerrar, detrás de ella, yo veía al músico sonriéndome aún. Años, muchos años después, casada con Tomás Ribón, volví a encontrarlo en el Grill Europa de Bogotá. Era igual a entonces, sólo que sus cabellos no eran tan negros y brillantes como el charol sino blancos. Debió reconocerme de inmediato, treinta o más años después, porque también entonces retiró una mano del teclado y la movió saludándome al tiempo que su eterna sonrisa de dientes blancos le iluminaba la cara. Se me subieron las lágrimas a los ojos. Lo saludé de igual manera, con una especie de complicidad antigua y secreta. Creo que más tarde tocó intencionalmente el mismo bolero de entonces, el que oía cantar en coro junto al piano a un grupo de borrachos: "Cuando se quiere de veras, como te quiero yo a ti..." Quizás él, Dios mío, sabía dónde se encontraba mamá. Pero no se lo pregunté.

«Ya ves, estoy llorando de nuevo. Y estoy dándote a ti, a quien ocho días atrás realmente no conocía sino de vista, la misma lata que le daba a Tomás. Él sabía todo. Sabía aquella historia mejor que yo, porque no sólo había sido el abogado de mamá, sino también su confidente y, en ocasiones, su amante. Ahora entenderás su emoción al verme en su oficina de Nueva York y luego en aquel coctel en el hotel Plaza. Te conté hace dos o tres días que me hizo una pregunta banal en apariencia pero en el fondo terrible, y que me puse a llorar. Es muy simple; me preguntó: "¿Qué sabes de tu mamá?" Y yo, atónita, le contesté: "No comprendo por qué me haces esa pregunta si tú sabes muy bien que mi mamá murió hace diez años en París." Y entonces él, Tomás, muy tranquilo, casi sonriente, pero con un brillo nostálgico en los ojos, me dijo: "No hablo de Martine, sino de Hortensia, tu mamá." Yo debí palidecer. Y él siguió hablando en un tono cálido, evocativo, lleno, sí, de nostalgia, pues al fin y al cabo me había visto nacer. "Estuviste con tu mamá en una finca mía, cerca de Sasaima, cuando eras muy pequeña", me decía; "te curaste allí una tos ferina." Así, el secreto de familia tan celosamente guardado, el que había obligado a papá y a Martine a radicarse en Europa por larguísimo tiempo, estallaba en aquel coctel como ahora ha estallado contigo. Sentía que Tomás tenía una llave de mi vida y que era el hombre (tal vez debía decir el padre, el marido y aun el amante) sereno y seguro que nunca tuve. Tal vez por eso me enamoré de él casi de inmediato.

«Tuve dos madres, sí. Porque Martine, Martine Borda, la suiza hija de bogotano, también lo fue. ¿Qué habría sido de mi vida si ella no se propone tomarme en sus manos? Mamá, mi verdadera mamá, es un ser admirable, inmenso, ya verás por qué. Vive aún. Sé que vive, me mira, me sigue sin que yo pueda verla, como si estuviese detrás de uno de esos espejos que por un lado te devuelven tu imagen como cualquier espejo y por el otro permiten ver al otro lado como si fuesen un vidrio transparente. Ella entra en mis sueños, y esta noche vino a verme; la vi; la sentí; respiró a mi lado, como cuando yo era niña y entraba al cuarto en la madrugada en puntas de pie, oliendo a whisky, de regreso de El Edén. Y esta noche, por efecto del cigarrillo, creí haberla recobrado, al fin. Creí qua había vuelto. Y ahora lloro, déjame llorar, no puedo evitarlo, porque cada vez que la veo en sueños y despierto, vuelvo a perderla y el corazón se me desgarra. "¡Mamá!", quisiera gritar. "Mamá, vuelve, siéntate conmigo, hablemos, soy mujer como tú, no te escondas, no hay razón para esconderse, y yo no me avergüenzo de ti, si no hay mujer en el mundo que haya hecho por una hija lo que tú hiciste por mí."»

–Me calmo, sí; me calmo. Qué difícil es, Manuel, juzgar a alguien como mamá. Me dejaba crecer como una planta salvaje sin preocuparse de darme lo que cualquier otra niña tendría. Tal vez sabía de sobra que yo no era una niña igual a las otras. Por eso no me buscaba ninguna amiguita. ¿Quién habría aceptado que una hija suya jugara con la hija de Hortensia Reyes? Por eso también no había para mí celebración de cumpleaños, ni novenas de Navidad, ni pólvora quemada en las puertas, ni piñatas o funciones infantiles de cine; nada. Sólo tuve, en esa época, una hora de colegio. Sólo una hora, porque después de la primera clase hui del aula; me refugié en el jardín. Estaba aterrorizada y a la vez enfurecida. Mamá debía haber falsificado mi partida de bautismo para hacerme pasar por la hija de un hermano suyo, de un anodino señor Reyes, pero ni siquiera eso sirvió, porque de alguna manera, desde el primer momento, debió saberse que yo era la hija de la dueña de El Edén. No sé cómo pudo propagarse la noticia, pero el hecho es que, apenas subí por primera vez al bus del colegio, una profesora dijo algo a las otras niñas, y yo alcancé a oírlas; primero un cuchicheo, luego algo propagado en voz alta. Decían: "No se acerquen a Claudia Reyes porque Claudia Reyes tiene piojos." Y así se fueron retirando de mi lado, hasta quedar sola, las dos manos sujetas a la barra metálica que había al fondo del bus. Puedo verme: una niña de cinco años, muy linda, de aterrados ojos verdes, con un gancho en el pelo, haciendo esfuerzos para no llorar mientras la voz iba corriendo: "Claudia Reyes tiene piojos, tiene piojos..." Al llegar a la casa le conté todo a mi mamá y le dije que no quería volver al colegio. Mamá me oyó con cara sombría y refrenando apenas su cólera admitió de una manera terminante, definitiva:

"No volverás." Y no volví. Mamá lo había comprendido todo, sin duda. No era fácil ser Hortensia Reyes (¿acaso cuando entraba en la iglesia no se levantaban las señoras de los escaños?), así como tampoco ser su hija. Para ella, para esa hija cuando creciera, no habría puesto en el mundo, salvo en el cabaret, cosa que desde luego con todas las fibras de su alma no habría aceptado. Tal debió ser la nube negra que vio suspendida sobre mi destino, nube que hasta entonces no había visto ofuscada o deslumbrada por la idea de tener consigo un recuerdo del más hondo amor de su vida, papá.

«Debió nacer en ella, desde entonces, una preocupación que no la dejaba en paz. ¿Qué hacer con la niña? ¿Cómo iba a crecer a su lado? ¿Cuál iba a ser su vida? A fuerza de decisión y de carácter, ella, mamá, había encontrado su lugar en el mundo. Era rica o empezaba a serlo. Los hombres más influyentes del país la conocían y podría decir que la respetaban, al menos en aquel lugar de luces tamizadas y de sincopada música de moda adonde venían a tomarse un trago luego de una prolongada sesión del Congreso o del consejo de ministros. Al otro mundo dentro del cual vivía, el de las muchachas que ella contrataba de igual manera que un ganadero compra ganado, lo despreciaba marcando debidas distancias con él. Todo ese juego de relaciones administradas con cálculo y suma frialdad hacían de ella una mujer dura y solitaria. Pero dentro, allá en el fondo, había, como te he dicho ya, una mujer dispuesta a enamorarse de la manera más impulsiva y pasional esperando encontrar al fin al hombre de su vida. Y este no aparecía nunca. No podía aparecer, pues si se trataba de un hombre dispuesto a aceptar sus favores y regalos sin pudor alguno, era un chulo, y los chulos terminan pelando el cobre tarde o temprano. Si era un hombre de mejor clase, un estudiante, por ejemplo, un estudiante de buena familia iniciado sexualmente por ella; si era el hijo de un millonario como papá o un aspirante a la presidencia (lo hubo), la relación de cualquiera de ellos con ella era fatalmente clandestina, avergonzada y fugaz, y tarde o temprano acababa devolviéndola a ella a su soledad y tal vez acentuándola. Tal era, pues, su destino. El de su hija no prometía ser mejor, con el agravante de que mientras fuera una niña no podía ser tan fuerte como para afrontar el desdén, el rechazo o las burlas y, de todos modos, una marginalidad total.

«Seguramente perseguida por estos pensamientos, mamá tomó algunas decisiones que cambiaron ligeramente nuestra vida. Alquiló, sólo para nosotras dos, una casa amoblada en las cercanías de la Avenida de Chile. Tenía la apariencia de una casa normal, con un vestíbulo, una sala y un comedor y un segundo piso con habitaciones y baños; lo que nunca, en realidad, yo había visto hasta entonces. Pero era sólo un remedo de vivienda normal, un escenario artificial, similar al de una pieza de teatro, pues nunca vi allí nada propio, ni un cuadro colgado en la pared, ni un florero, ni un adorno o una fotografía puesta sobre una mesa. Nunca nos sentábamos en la sala ni en el comedor. Una sirvienta le subía a mamá su comida al cuarto y yo recibía en la cocina un plato de arroz con un trozo de carne como de costumbre. Mamá llegaba a la madrugada del cabaret, en un taxi, y dormía más allá del mediodía. Todo lo que nos rodeaba tenía un carácter provisional como si fuera una vivienda de paso, de esas que se abandonan con sólo poner cuatro trapos en una maleta. Sin Carmen, sin la abuela, sin Núñez, sin el diario ajetreo del cabaret, yo pasaba sola en aquella casa la mayor parte del tiempo, acompañada por la criada; y las horas se me iban oyéndola cantar en el lavadero, escuchando de pronto en la calle el silbato de un afilador de tijeras, viendo cómo se eternizaban las abejas sobre los gladiolos del jardín o espiando, a través de las cortinas de la sala, a los niños de la casa de al lado que jugaban frente a la verja. Sin colegio y sin nada que hacer, y sin poder jugar con los niños del vecindario pues lo tenía prohibido, las horas eran eternas como las de un prisionero. Pero un día todo aquello cambió.»

↞

–Sí. Hubo algo nuevo que vendría a cambiar mi vida para siempre. Ocurrió un domingo a las tres de la tarde. Recuerdo aquel momento perfectamente como su fuese ayer. Había en el aire esa calma soñolienta de las tardes de domingo, llenas de luz y zumbidos de moscas en los vidrios de las ventanas. Mamá, que se había acostado muy tarde como de costumbre, estaba arreglándose en su cuarto del segundo piso y yo jugaba en el lavadero con las conchas de unas ostras, cuando sonó el timbre de la puerta. Como la sirvienta tenía su tarde de permiso, fui yo la que salió a abrir. En el umbral apareció una señora bella y elegante, distinta a todas las mujeres que hasta entonces yo había visto. Hoy diría que Martine Borda vestía según la moda de los años cuarenta, pero esto corresponde a una visión retrospectiva y no a la impresión insólita que debió producirle a una niña de cinco años aquella señora con un sobrio sastre color perla, con un peinado muy alto, con un velo cubriéndole parte de la cara, unos guantes y una cartera de gamuza y unos zapatos de plataforma de un gris igual al de la cartera pero algo más oscuro que el del traje. Detrás del velo, encontré el suave resplandor de unos ojos azules contemplándome con una especie de compasivo y tierno asombro. "¿Tú eres Claudia?", me preguntó muy suavemente. Su voz tenía un leve acento extranjero y sus rasgos parecían dibujados con mucha delicadeza. El sombrero, pequeño, dejaba ver unos cabellos de un rubio ceniciento. Su mano enguantada me rozó la mejilla mientras continuaba observándome con aquella asombrada, conmovida fascinación, tal vez tocada en alguna parte de su corazón por aquella niñita de pelo oscuro y luminosos ojos verdes llenos de estupor parada frente a ella. De pronto oí detrás de mí la voz de mamá, mientras bajaba la escalera. "Ve a jugar al jardín; yo tengo que hablar en la sala con la señora."

«Seguramente atendí aquella orden, pero no de inmediato porque tuve tiempo de verlas a las dos juntas disponiéndose a sentarse en el sofá de la sala. Y aunque esta imagen fue muy rápida, quedó tan bien grabada en el recuerdo que a ella vuelvo con frecuencia enriqueciéndola con mis propias observaciones de adulta. Es como una fotografía que al examinarla una y otra vez revelara nuevas cosas no observadas en el momento de tomarla. Es la imagen de dos mujeres sin nada en común entre sí, salvo que ambas podían considerarse, cada una dentro de su estilo, bellas. Debieron observarse la una a la otra con igual curiosidad sólo que de manera mucho más discreta por parte de la recién llegada. Sus voces eran distintas. Baja, muy suave, impregnada de aquel leve acento extranjero, la de la señora. Dura y algo ronca y vehemente, la de mamá. La señora tenía un cutis fresco y natural como si hubiese vivido siempre en el aire de la montaña, y su labios una tonalidad de un rosa floral sumamente discreto. Había en ella un refinamiento tan sutil como la esencia de un buen perfume, sin nada provocador o exaltante capaz de atraer en el primer momento la atención de un hombre. Y este no era, desde luego, el caso de mamá. Como la vida nocturna que llevaba le daba al levantarse un aspecto demacrado, acentuaba inevitablemente su maquillaje como una actriz expuesta al resplandor de las candilejas. Había también cierto énfasis en su perfume y a veces, en las joyas que se ponía, y las blusas y faldas que usaba, costosas y elegidas con gusto, le ceñían el cuerpo. Aún con un abrigo de piel su silueta parecía moverse dentro con una sensual insolencia, la misma que mostraba en la manera lenta de alzar los párpados y mirar derecho a los ojos. Mamá necesitaba siempre atraer; estaba en su naturaleza.

»–Claudia, vete a jugar al jardín.

»Supongo que mamá debió repetir la orden pues yo seguía allí, en el vestíbulo, con esa viva curiosidad que provocan en los niños los desconocidos. Recuerdo haber vuelto al lavadero para continuar jugando con las conchas de ostras, mientras el sol iba cobrando una tonalidad dorada en el jardín y las abejas se inmovilizaban, necias, sobre los gladiolos. Cuando fui llamada de nuevo por mamá desde el interior de la casa, la señora estaba de pie en medio de la sala y se disponía a partir. En un momento tomó las manos de mamá, le dijo algo en voz baja y las dos volvieron hacia mí una mirada muy extraña. Triste, la de mamá. Dulce, la de la señora.

»–¿Te gustan las muñecas? –me preguntó ella. Yo dije que sí con la cabeza–. Te traeré una mañana –dijo.

»Y al día siguiente, a las cinco de la tarde, allí estaba de nuevo, y no sólo traía una gran muñeca rubia que abría y cerraba los ojos y decía mamá, sino también unos cuentos de Costancio Vigil. Estuvo largo rato conmigo a solas, pues mamá se había ido al centro de la ciudad. Me hacía preguntas. Quería saber por qué no iba al colegio, qué sabía de aritmética y cómo había aprendido a leer. A la tarde siguiente estaba de vuelta, siempre con un vestido distinto, sobrio y elegante, y con un sombrero de velo. A través de la ventana de la sala la vi descender de un Packard negro que ella misma conducía. Dentro del auto, había un señor con sombrero, sentado en el puesto de adelante. No se bajó, mientras ella entraba en nuestra casa.

»–Vine a invitarte a dar una vuelta con tu papá –me dijo de la manera más natural del mundo.

»Yo estaba muy sorprendida.

»–¿Con mi papá? –repetí.

»–Sí –dijo ella–, es el señor que está en el carro.

»Yo subí corriendo a la alcoba de mamá.

»–Ve –me dijo.

»–Dice que ahí está mi papá –le dije.

»Ella no pareció sorprenderse.

»–Yo ya te he hablado de él –explicó quitándome el delantal–; es hora de que lo conozcas –mientras me peinaba, su cara tenía una expresión lejana como si estuviese perdida en un laberinto de recuerdos–. Te gustará mucho –dijo al fin, fijando de nuevo la atención en mí–; es un hombre buen mozo y distinguido. Como un príncipe.

«Y los ojos se le humedecieron.»

↝

–Sí, así lo vi por primera vez. Mamá tenía razón. Era un hombre muy buen mozo y elegante, y olía a agua de colonia, y tenía unas cejas tan negras como las mías y sus ojos, también claros, pero más grises que verdes, me contemplaron bajo el sombrero de una manera parecida a la de la señora cuando me vio por primera vez en la puerta de la casa: con asombro y fascinación. "Claudia, eres muy linda", me dijo, y era como si hablara no para mí sino para él mismo. Después de Núñez, era el segundo hombre que se dirigía a mí de aquella manera, suave y con ternura. No hablaba como las gentes de Bogotá sino como los músicos de la orquesta, que eran de la costa. Mientras la señora conducía el Packard por la carretera del norte, dejando atrás las últimas quintas de la ciudad para internarse dentro de un paisaje de altos eucaliptos y de potreros muy verdes extendiéndose hasta la línea remota y azul de las montañas, el señor, es decir papá, se volvía a cada paso para observarme. Me hacía preguntas, sonreía. Nunca me habían prestado tanta atención. Todo empezaba a resultarme muy extraño, hasta la manera rauda y silenciosa como el auto se deslizaba por la carretera y el olor (a cuero nuevo, a lujo) que se respiraba dentro. Más tarde, sentada en aquel restaurante llamado La Bella Suiza adonde me llevaron para ofrecerme un té y no una taza de agua de panela, como en casa, aquel sentimiento de ser el centro de un interés que nadie hasta entonces me había manifestado seguía asombrándome. Allí estaba aquella pareja haciéndome preguntas y cruzando miradas entre sí al oír mis respuestas. Los dos debían estar sorprendidos, como lo estaba todo el mundo, cuando yo, una criatura de cinco años, explicaba por qué no quería ir al colegio. Un sol de las cinco de la tarde entraba por los ventanales del restaurante, desde el cual se divisaba toda la sabana, y lo que veía (eucaliptos, potreros, sauces, tapias y de pronto, para sorpresa mía, un lejano tren avanzando entre los campos bajo una estela de humo) parecía también salido de un sueño sin relación alguna con el mundo donde había vivido hasta entonces. La señora estaba empeñada en que yo le dijera al señor (para mí todavía era un señor desconocido) "gracias papá", cada vez que me ofrecía un dulce.

»No recuerdo si aquel paseo se repitió. Sólo sé que durante semanas o quizás dos o tres meses, la señora siguió volviendo casi diariamente a casa y trayéndome libros y juguetes o dulces. A veces era mi mamá quien la recibía. Se sentaban muy serias a conversar en la sala, y en esos momentos, mamá me enviaba a jugar al jardín, hasta el momento en que la señora se despedía. No podía saber entonces de qué hablaban, pero siempre tenía miedo de que me mandaran al colegio. Desde que la señora empezó a visitarme, mamá se portaba conmigo de manera muy rara. Era dura y áspera durante el día, más que de costumbre. En cambio, en las noches, o mejor, en las madrugadas, cuando regresaba de El Edén, me despertaba con besos y palabras muy dulces. Mi amor, mi vida, mi criatura, me decía acostada al lado mío llorando y abrazándome, y yo me daba cuenta de que había bebido porque olía a whisky. Me daba toda clase de consejos, como si yo no fuera ya una niña, sino una muchacha. "Tienes que aprender a gustar a los hombres", me decía con aquella voz ronca, húmeda de llanto. Quizás, pienso hoy, no veía para una mujer otra alternativa de triunfo que aquella. "Debes decirles lo que les agrada oír", me decía. "Les encanta que uno les pondere la corbata o su inteligencia." Yo debía dormirme de nuevo, pero ella continuaba hablando como si a través del sueño yo pudiese seguir oyendo sus consejos.

»Luego me daría cuenta de que hacía todo aquello porque se aproximaba la hora de nuestra separación definitiva. Y aquel día llegó, inexorablemente. "Vas a pasar unos días con tu papá y con la señora", me había dicho la víspera. Yo no quería. Protestaba zapateando en el piso. Ella no hizo caso de mis protestas. Aquel día se levantó muy temprano, cosa que nunca hacía, me lavó el pelo y me peinó con movimientos rápidos y bruscos sentada en el borde de la bañera. Estaba muy pálida y no podía evitar que las lágrimas le rodaran por la cara. El agua me chorreaba el vestido, que consistía en un suéter gris y una falda plisada. Me había comprado medias y zapatos nuevos, unas medias blancas que casi me llegaban a la rodilla. Cuando me estaba poniendo el gancho en el pelo mojado, oímos llegar el automóvil y luego el timbre de la puerta.

»–Ya llegan por ti –dijo.

»No quiero –dije yo.

»–No te pongas necia –dijo ella.

»Toda mi ropa estaba en una maleta nueva con bordes metálicos, lista desde la víspera.

»–No quiero, mamá, no quiero –repetía yo con la misma decisión y la misma cólera, inesperada en una niña de mi edad, con que le había dicho meses atrás que no volvería al colegio. Pero ella movió la cabeza sin dejar de llorar. Le temblaban los labios y las aletas de la nariz.

»–Vete, la señora te está esperando abajo. Yo no puedo salir con esta facha –incorporándose, pues había permanecido hasta ese momento sentada en el borde de la bañera, me tomó la cabeza con sus dos manos y me apretó contra ella, y yo la sentía temblar dentro de su leve levantadora de seda blanca. Me besó una y otra vez con una especie de desesperado fervor y luego me empujó hacia la puerta, ordenándome con una voz que parecía cargada de cólera–. Vete, vete ahora, por favor.

»Fue la última vez que la vi.

«La señora, o sea Martine, mi nueva mamá, estaba esperándome en la puerta. Detrás de ella, el Packard negro y un chofer que ya tenía en sus manos mi maleta.»

⟜

–¡Qué día fue aquel, el más oscuro y terrible de mi vida! Debía sentir dentro de mi corazón de niña, aturdido de latidos como el de un pájaro, que todo lo que había sido mi vida hasta entonces quedaba irremediablemente atrás. Tenía un nudo en la garganta y los ojos se me llenaban a cada instante de lágrimas, lágrimas que me rodaban por las mejillas, mientras el Packard entraba en un barrio del norte de la ciudad, lleno de árboles, de grandes casas y jardines. La señora me secaba las lágrimas con un pañuelo, diciéndome palabras muy tiernas: que iba a ser feliz, tendría muñecas, un perrito, montones de libros. Yo sólo repetía la palabra "mamá" con una obstinación ciega y temblorosa. Y llegamos, al fin. Había un muro muy alto con árboles frondosos detrás, una puerta de rejas, un vasto jardín de grama muy bien cortada y al fondo, la casa. Era muy grande, más grande que todas cuantas yo había visto hasta entonces. Camareros de chaqueta blanca esperaban en la puerta. Una pareja de perros negros (dos dóbermans, pienso), atados a su respectiva casa, en el jardín, ladraban furiosamente. Me encontré ante un enorme vestíbu[) con una gran araña de cristal y un ventanal al fondo que daba a otro jardín. Todo lo que se veía sobre las mesas (objetos de cristal, de plata o de porcelana inglesa) parecía reluciente, sin un gramo de polvo. Había en el salón un piano de cola y una gran chimenea con trinches de hierro forjado delante. Mi cuarto, decorado con tonos de azul pastel, estaba lleno de muñecas. Era muy claro y por la ventana se veían los árboles del jardín. "Esta es tu cama. ¿Te gusta?", decía la señora; es decir, Martine, a quien tardaría mucho tiempo en llamar "mamá". Yo no decía nada. Seguía llorando. Acababa de darme cuenta, viendo aquel cuarto, que allí pensaban dejarme para siempre, y esto me aterrorizó.

»A mediodía llegó papá, a quien en aquel momento veía sólo como el señor amable y elegante que me había llevado de paseo a un restaurante en la carretera del norte. Me gustó, sí, que me sentara en sus rodillas tomándome por los brazos y que me acariciara la cabeza hablándome como lo hacía Núñez cuando me veía. Olía bien, como él, y era buen mozo, y tenía como una luz dorada en el fondo de los ojos grises y hablaba siempre sonriendo, como si todo lo que tuviese que decir fuese plácido y agradable. Así que me refugié en sus brazos y puse la cabeza en las solapas de su traje gris respirando su olor, que era un suave olor a agua de colonia. Y de pronto recordé a mamá sentada aquella mañana en el borde de la bañera, llorando mientras me decía que él, papá, era distinguido y buen mozo como un príncipe, y me puse a llorar de nuevo. "¿Por qué lloras?", oí su voz asombrada sobre mi cabeza. "Mamá", dije.

»No, no podía sentirme bien en aquella casa. Era demasiado extraña. Estaba regida por un orden; se comía a horas; había una cantidad de cubiertos de plata al lado de los platos, y uno debía servirse de las bandejas que traía una muchacha de uniforme negro, con cofia y delantal blancos, y para colmo, debía comer cosas que nunca había probado en mi vida. Además, en un extremo de la mesa, frente al lugar que ocupaba papá, estaba sentada una señora muy vieja (hermana del papá de Martine, supe después) que no hablaba, o no podía hablar, y que al comer hacía unos ruidos extrañísimos con la garganta. Martine me ayudó sirviéndome en el plato y cortando la carne en pedacitos muy pequeños. Creo que era muy dulce y comprensiva, y a cada paso cruzaba miradas de preocupación con papá.

»No recuerdo qué hicimos el resto del día. Sólo sé que al llegar la noche mi terror aumentó. No quería quedarme a dormir allí, en esa casa tan grande y tan fría y con todos esos árboles alrededor. Así que cuando me dijeron que iba a dormir en mi cuarto, empecé a llorar, a decir "quiero ver a mi mamá" y a patear el piso con furia. Martine se quedó a mi lado, al pie de la cama, hasta que me venció el sueño. Cuando desperté estaba amaneciendo. Había una claridad gris en la ventana y se oían pájaros en el jardín. Entonces volví a sentir aquella angustia de no tener a mi mamá al lado, en la cama, como todas las mañanas. Se me ocurrió algo desesperado, algo que aún sigue pareciéndome insólito teniendo en cuenta mi edad de entonces: llamar a mamá por teléfono. Sabía el número; lo había oído muchas veces, pues en casa de mamá lo daban siempre al contestar. Así que salí descalza y en camisa de dormir del cuarto, con el mismo sigilo y con la misma furiosa decisión de cuando decidí ver el cabaret o escaparme del aula después de la primera hora de clase. Y sí, en el vestíbulo del segundo piso, sobre una mesa muy baja, encontré un teléfono. Con el corazón saliéndoseme por la boca, marqué el número. Al otro lado, lo oí timbrar muchas veces antes de que mamá, con la voz densa de sueño, respondiera.

»Fue una conversación triste y definitiva. Debí decirle llorando que quería volver a casa. Ella me habló como si yo fuese una adulta, de un modo suave, razonable e irrevocable. "Ahora tienes un papá, tienes una mamá, tienes una casa, lo tienes todo", me dijo. "Aquí no tienes nada. Ya sabes cómo es nuestra vida. ¿Qué te puedo dar yo?" Y eso fue todo. Pidió que no volviera a llamarla. Y por último, con un temblor en la voz y en un tono que parecía de súplica, agregó: "Hazme caso, mi vida. Por favor." Y colgó.

»Papá y Martine debieron entender que no podían permanecer en Bogotá. Debían ponerse a salvo de los chismes. ¿De dónde había salido aquella niñita? ¿Qué historia iban a contar? Así que al día siguiente me llevaron a la finca del papá de Martine en la sabana. Me regalaron un pony. Y luego de unas semanas, cuando se dieron cuenta de todos los problemas que suponía mi regreso al colegio, resolvieron exilarse en Europa. Estuve primero en París;

más tarde, cuando iba a cumplir diez años, entré al colegio de mademoiselle Heuvy, en Lausana.

»Desde luego, antes de partir intenté llamar a mamá de nuevo, a escondidas. Pero nadie contestó. Muchos años después, por el propio Tomás, mi marido, supe que no sólo había desconectado el teléfono, sino que también había cerrado para siempre El Edén y el otro cabaret que había puesto en el norte, llamado Sonatina. Y así, no sólo desapareció aquel lugar mítico de la Bogotá de entonces, sino que desapareció ella, para que yo pudiese vivir libre de su sombra y de su recuerdo. Fue una silenciosa inmolación; casi un suicidio. De cualquier manera, sin que yo haya podido verla, he vivido sintiendo su oculta y amorosa mirada siguiéndome de lejos. Cuando me casé con Tomás, quise que él me ayudase a encontrarla. Muchas veces, sin necesidad de fumarme un cacho de marihuana como esta noche, me desperté llorando, buscándola. Pues bien: Tomás, que era invencible en sus propósitos, la encontró. Habló con ella. Había cambiado mucho. Era ya entonces una mujer con canas, vestida de negro y sin más maquillaje que una delgada capa de polvos de arroz en la cara. No quiso que yo la viera. "No es posible", dijo. "No le conviene."

«Pero siempre vuelve a mí en sueños. Se tiende a mi lado, como cuando volvía muy tarde del cabaret, y me llena de besos.»

XVIII

No tiene necesidad de contarle más. Él lo adivina. Le bastan dos o tres preguntas para obtener las piezas que faltan en el rompecabezas y ver completo el cuadro de aquella historia secreta, inesperada. Y ella, Claudia, con la cara lavada en lágrimas, inmóvil a su lado, responde con una voz tan tenue que apenas llega a oírse sobre el vasto cuchicheo de la noche tropical. Así, él acaba de entender lo ocurrido a partir del momento en el cual Martine Borda, luego de consultar a toda suerte de especialistas, había comprendido sin resignación, quizás con un colérico desasosiego, que no podía tener hijos. Los quería, los necesitaba; de alguna manera eran una pieza esencial de su equilibrio psicológico. Debía irritarle que esta ansiedad no fuese compartida por su marido. Ramón lo aceptaba todo, pasivamente; como si lo bueno (su fortuna desmesurada, su éxito social) y lo malo (tener que vivir en aquella capital andina y parroquial luego de haber conocido el resplandor de las ciudades del norte), fuese siempre el resultado de voluntades ajenas a la suya: la de su padre; la de Tomás, su socio; y ahora la de Martine, su esposa, que era dulce y encantadora para todo el mundo, pero llena de una firmeza indoblegable, de una tenacidad férrea cuando se proponía algo.

Fue de ella, sin duda, la idea de adoptar un niño cuando se supo definitivamente estéril. Ramón, su marido, debió sonreir con un vago desconcierto sin poder oponerse a aquel anhelo irrevocable y profundo de su mujer. Tal vez cuando la vio visitando instituciones caritativas de niños abandonados, se atrevió a contarle a Martine, probablemente a instancias del propio Tomás Ribón, su socio, que había tenido una niña con la propietaria de El Edén. Debió sentirse como un reo ante la mirada severa y asombrada de su esposa. Y no tenía respuestas plausibles para sus preguntas cortantes como navajas: ¿Por qué nunca me lo dijiste? ¿Por qué nunca te hiciste cargo de esa criatura? ¿Has permitido que crezca en un cabaret siendo tu propia hija? Seguramente Ramón se sintió inerme, avergonzado ante el rigor calvinista que endurecía la mirada azul de aquella muchacha educada en Suiza.

Fue ella y no él quien decidió hablar con Hortensia Reyes. Ramón Aristigueta no habría sido capaz de sentarse frente a Hortensia, la amante que había sabido despertar y enardecer sus instintos con una sabiduría nunca experimentada por él, para recobrar a su hija. Carecía del valor para ello. Hasta entonces sólo se le había ocurrido huir y olvidar aquel episodio como se olvida una calaverada de juventud. Según parece, Martine recurrió al socio de su marido, a Tomás Ribón, para establecer un primer contacto con la propietaria de El Edén. Y fue a verla, manejando ella misma el Packard negro. Obedeciendo a su propio instinto femenino, no hirió el orgullo de Hortensia Reyes ofreciéndole dinero por la niña. Se dio cuenta de que sus argumentos debían ser otros. De modo que aquella tarde de domingo, cuando timbró en la puerta y la propia Claudia salió a abrirle, le habló a Hortensia de mujer a mujer con suave, firme y tranquila persuasión. No dio tampoco razones de orden legal; nada que tuviera un aspecto coercitivo, pues desde que vio a Hortensia sentada delante suyo, con unas cejas finas y rotundamente pintadas en un rostro pálido y frío, comprendió que debía eludir toda relación de fuerza y tocar, bajo la cáscara dura de su personalidad, sus verdaderos sentimientos de madre. ¿Cuál iba a hacer el destino de aquella niña? ¿Cómo iba a ser su vida, quedándose en Bogotá al lado de su madre? ¿Cuál, en cambio, podía ser esa vida si fuese reconocida como la hija de Ramón Aristigueta y la heredera del viejo Simón, uno de los hombres más ricos del continente? Tal vez vio en la cara de la otra que sus razones caían sobre terreno abonado, sin saber todavía que a partir del momento en el cual Claudia sufrió el rechazo de sus compañeras de colegio, aquellas mismas preguntas le mordían a Hortensia la mente y el corazón.

Tomás le contaría muchos años más tarde a Claudia que el argumento último y definitivo para convencer a Hortensia de entregarles la niña fue esencialmente de carácter sentimental y no económico. Se lo dio Martine. "Viéndola crecer a su lado, Ramón la recordará a usted para siempre." A Hortensia, pese a ella misma, le brotaron lágrimas de los ojos. Si Martine no hubiese sido una extranjera, sino una de las señoras bogotanas que en señal de repudio se levantaban de las bancas de la Iglesia de la Porciúncula cuando veían a Hortensia Reyes, acompañada de una sirvienta, avanzando por la nave hacia el altar mayor, ningún acuerdo habría sido posible. Hortensia detestaba a aquellas señoras cuya gazmoñería y frigidez eran la principal razón de que las mesas de El Edén se llenaran cada semana de hombres casados. En cambio en Martine no encontró rasgo alguno de censura hacia ella y hacia su vida, sino una profunda comprensión, un eco de sus propias preocupaciones relacionadas con la niña, razones expuestas con inteligencia y serenidad y un fulgor de limpia bondad en los ojos. De ahí el mutuo impulso de tomarse las manos cuando se despedían delante de Claudia. Había acabado aceptando con dos simples palabras que le hacían temblar la voz. "Está bien." Las dos habían convenido que Martine vendría diariamente a la casa durante varias semanas (o quizás meses, dos o tres meses) para ganarse el afecto y la confianza de la niña y hacer menos traumático el cambio de vida y de madre.

Lo que ni Martine Borda ni Ramón Aristigueta llegaron a prever fue que, con la entrega de Claudia, Hortensia Reyes desapareciera del escenario de manera tan inmediata y dramática, cerrando los cabarets y dejando caer el telón sobre su vida. De paso, piensa él, Manuel, mientras Claudia permanece a su lado, trémula e inmóvil, el fin de El Edén debió ser también el fin de toda una época y de un mito. La apacible Bogotá de tranvías, tejados coloniales y campanas sonando al tiempo en el crepúsculo, empezaba a vivir tiempos revueltos. Inmensas muchedumbres vibraban cada viernes escuchando por radio, o en un teatro polvoriento, las arengas apasionadas, feroces, de un caudillo, Jorge Eliécer Gaitán, fustigando a los ricos y a los oligarcas. Cuando Gaitán fue asesinado, todo el centro de Bogotá sería devorado por una orgía de fuego y de sangre, el 9 de abril de 1948, y nada sería igual que antes. Así, Hortensia Reyes desapareció con su época; tal vez con una ciudad que nunca llegó a resucitar. Para ese momento, Claudia se encontraba en París con sus nuevos padres. Todo lo que debía recordar de aquel año terrible era un departamento de grandes ventanas y altos techos en la Avenue Foch, y el camarero francés con una chaqueta de rayas negras y rojas que entraba todos los días con la bandeja del desayuno diciéndole a ella, la Cenicienta convertida en princesa y acostada en una gran cama con baldaquín, "*bonjour mademoiselle*".

Nunca olvidó a su verdadera madre; de hecho no la ha olvidado, y todavía las lágrimas suscitadas por su recuerdo le humedecen la cara. Pero ha cerrado los ojos y al parecer duerme. Afuera brilla la luna. Toda la isla debe estar envuelta en ese esplendor de metal que se cuela por las persianas entreabiertas y llega hasta el lecho en franjas horizontales. Han empezado a cantar los gallos de la madrugada. Viéndola dormir, él se siente tocado por una honda ráfaga de ternura. Es otra distinta a la que he visto y oído estos cuatro días, piensa; otra. Frágil, vulnerable, secreta; cercana a mí, cosa extraña. Sigue contemplándola. Lo malo es que ahora no cabe duda; la amo.

QUINTA PARTE

XIX

Qué día tan triste, piensa él viendo caer la lluvia en torno a la casa y a lo largo de la costa con un rumor sordo y constante. Todo huele a humedad y todo es de un taciturno color ceniza. No hay la menor esperanza de sol.

–Qué día –murmura él.

–Horrible –confirma ella desde el otro lado de la mesa, mientras sostiene a la altura del rostro una taza de café–. Muy bueno para cerrar maletas e irse cuanto antes.

Su voz suena dura, casi amarga. Él la contempla sorprendido. En la luz que viene a través de la lluvia, sin otro maquillaje que una leve sombra en los párpados y con un par de grandes lentes oscuros cubriéndole los ojos enrojecidos por el llanto de la noche, la ve pálida, tensa. Está deprimida, piensa. Ahora que ha recobrado el control de sí misma, debe estar arrepentida de haberme contado todo lo que contó.

No sabe cómo romper el hielo. Está así, erizada de continuos silencios, desde que se sentó a desayunar. Graham ha colocado la mesa en la parte cubierta de la terraza y ahora no se escucha más ruido que el de la lluvia cayendo monótona sobre las plantas del jardín. No esperaba que las cosas acabarán así, piensa él bebiendo su café en silencio.

Ella parece apartarse de sus propios pensamientos para fijar su atención en él.

–¿En qué piensas? –pregunta.

–No esperaba que todo terminase así. En eso estaba pensando.

Ella baja la vista hacia el mantel.

–Yo tampoco lo esperaba –dice, con una voz taciturna.

Es mejor no preguntarle nada. Todo lo de anoche está pesando sobre su ánimo y no sabe, sin embargo, por qué se atreve a decirle:

–Claudia, no soy un extraño. Ni tú, después de estos cinco días, lo eres para mí.

Ella lo mira con una especie de asombro y su expresión se suaviza al fin.

–Tienes razón –intenta sonreir–. Tienes razón –repite como si debiera convencerse de algo que había puesto en duda–. Perdóname. Debes entender por qué estoy así. Todo lo de anoche fue muy violento.

–Sin duda.

–Pero es sólo un *trou noir*, un agujero negro. Todos lo tenemos a veces.

–Todos, sí.

–Lo malo... –empieza a decir ella mirándolo a través de sus lentes oscuros. Vacila sin decidirse a continuar.

–Lo malo... –repite él.

–Lo malo es que debo irme.

–Que debemos irnos –corrige él–. Eso ya está hablado. Tú para el norte y yo para el sur.

Trata de decirlo de la manera más ligera pero sus propias palabras dentro de él tienen una resonancia lúgubre.

–Eso lo decidimos en Puerto Rico, si te parece. Por lo pronto debemos alistarnos para partir. Viene una avioneta de San Juan a recogernos.

–¿A qué horas?

–Hacia mediodía.

Voilà, c'est la fin, piensa él. Todo apesta a partida esta mañana. Hasta la lluvia puso fin a la fiesta.

Ella parece adivinar sus pensamientos, porque de pronto dice:

–Lástima que haga un tiempo tan malo. Habríamos podido darnos un último baño de mar. Pero todo debe estar lleno de barro y además debo hacer todavía unas llamadas.

–Tranquila. Yo creo que a pesar del barro voy a ir a la playa con un pantalón de baño antes de alistar mi maleta. No quiero quedarme aquí mirando la lluvia.

–En eso nos parecemos.

–Y en otras cosas también –dice él, y no entiende por qué se siente invadido por una sorda tristeza.

Necesito caminar, piensa él. Como siempre… Llamas que se apagan de repente, ¿fue eso lo que dijo la bruja?

Siente la lluvia azotándole la cara y los hombros desnudos mientras camina por la playa. Piensa en Serena. El mar le trae siempre su recuerdo, pero no cualquier mar, sino el Caribe, aun este ensombrecido por una lluvia que no da tregua cayendo sin parar desde la montaña hasta el horizonte marino cargado de nubes oscuras. Absurdamente habla con ella, con Serena, como si estuviese a su lado caminando sobre la arena húmeda muy cerca del mar, un mar sin oleaje, gris, tranquilo, apaciguado por la lluvia. Llueve ahora, Serena, como llovía en octubre en Barranquilla, y este olor es el mismo, húmedo y descompuesto, que se metía por las ventanas de aquella casita donde vivíamos cerca de los cuarteles. Y la luz es igual; sombría; la luz del invierno tropical, que no es sino lluvia, humedad y calor. Todo eso llegaba en octubre, inexorablemente, pero éramos tan jóvenes Serena, tan felices, sólo ahora lo comprendo. Y tú eras tan bella, tan segura y decidida; a nada le temías. Todo nos parecía posible entonces; todo. ¿Qué pasó, Serena? ¿Dónde terminó, dónde terminará aquel viaje sin regreso que emprendiste un día buscando un destino distinto al que creías desde siempre previsto para ti? Años terribles te fueron demoliendo en París, y de pronto sólo había en tus enormes ojos oscuros no el estupor de la vida, sino el de la muerte, haciéndolos más intensos y profundos como si nada te quedara por saber y esperar, salvo el fin. Te temblaban las manos. Te veías tan pobre y tan pálida, tan distinta a la Serena que subía conmigo los atardeceres del domingo hasta el castillo de Salgar. "Estoy como esa rosa", me dijiste señalando la rosa marchita que tenías en un delgado florero de vidrio junto al frasquito de esmalte para uñas; y de pronto, sólo por una vez, te brotaron dos lágrimas en los ojos, y cuando me acerqué, cuando te pasé una mano por el pelo pues no tenía palabras para decirte el dolor de irme, sonreíste al fin; "Qué torpe eres", me dijiste, "nunca aprendiste a acariciar la cabeza de una mujer". Y esa imagen tuya, con una taza de café en la mano, que se me quedó grabada, me había hecho un nudo en la garganta cuando el avión de Avianca aterrizó en el aeropuerto de Bogotá. Sentí todo lo que dejaba atrás para siempre. Tú te quedabas en tu triste barrio de Belleville apagándote sin ruido como una vela que ha ardido mucho tiempo, en medio de tus libros y cuadernos. Serena, cómo me gustaría estar contigo, caminar contigo bajo la lluvia y hablar como siempre lo hacíamos, desenredar esa intricada madeja de sentimientos, saber por qué no dejo trabajar honestamente al olvido, por qué he vuelto a tu ciudad, por qué Claudia, por qué esta tristeza sin fondo que me devuelve siempre al niño solitario temblando en la tarde de domingo cuando llegaba la hora de volver al internado. Tú sabrías explicármelo, ahí te volvías madre o hermana, o esa novia dulce que fuiste cuando me viste pobre y perdido en Barranquilla. Nos sentábamos en el Heyneman, ¿recuerdas? Y había luciérnagas en el jardín y el aire olía a jazmines, y yo tenía de pronto la certeza de que esa muchacha espléndida que hablaba de libros con un extraño fervor me estaba destinada para siempre (ese siempre tan corto que es la vida humana). Y a partir de aquel momento, no había más ansiedad; todo parecía claro y limpio y sobretodo definitivo: viviríamos siempre juntos. Qué suerte haberte encontrado, decías. Qué suerte, pensaba yo. Y ahora que han pasado los años y vuelvo al punto de partida, solo de nuevo y con el sentimiento inexorable de lo poco que, frente a la soledad, valen los amores contingentes, como tú los llamabas, aquí me encuentras caminando bajo la lluvia en esta isla perdida del Caribe, mientras tú, desvelada por las fiebres, el pulso tembloroso, el aire faltándote en los pulmones, desciendes peldaño a peldaño hacia tu propio fin con la callada austeridad de una monja de clausura para la cual todo, hasta lo más terrible, es designio divino. Sólo que tú no tienes ese consuelo; tú miras de frente las leyes de la condición humana y las aceptas sin dramas y aspavientos: vivir y desaparecer, todo entra en el orden natural de las cosas. Quisiera gritar el verso aquel de Vallejo: "¡no mueras, te amo tanto!", pues algo se insurge dentro de mí contra esa ley ineluctable: lo que es hoy no será, ese extraño proceso de continuas despedidas y muertes que hace de uno un sobreviviente desconcertado caminando siempre sobre recuerdos como quien camina sobre cenizas. Ahora sufro porque siento que Claudia no será sino otro episodio fugaz, otro sueño, quizás. Con lo cual se confirma que estoy prometido a este destino particular y que debo aceptarlo. Tú podrías explicármelo, Serena.

Tú sabrías poner un poco de orden donde sólo veo turbulencia y confusión. Serías como una madre arreglando a su hijo el maletín de la escuela con sus libros, lápices y cuadernos y dándole valor para ir a ese mundo todavía desconocido, la escuela. Luego de oírte, subiría a la casa tranquilo, haría mi equipaje y dejaría atrás esta isla con el ánimo ligero de quien pone fin a una bonita aventura de verano, de esas que he vivido tantas veces, sin mañana, sin *lendemain*. En paz conmigo mismo. En paz con la vida, y no con este nudo que tengo en la garganta; no con este nudo, Serena y con estas lágrimas corriendo por mi cara. Cómo llueve. ¿Volveré a verte algún día?

Cuando Claudia aparece al fin en el porche de la casa, Graham ha terminado de colocar el equipaje en el baúl de la camioneta. Protegiéndola con un paraguas, le abre la puerta del automóvil; luego, dando la vuelta por detrás del vehículo, abre la otra para que él pueda acomodarse en el asiento trasero. Después de cerrar el paraguas, se sienta delante del volante y pone en marcha el motor. Graham parece impecable con su limpia camisa de lino blanco y su eterna corbata negra. Marita y otra muchacha negra les dan la despedida desde la puerta, sonriendo.

La casa queda atrás. El paisaje de la costa parece temblar tras la cortina de agua que cae sin cesar, con un rumor vasto y monótono azotando flamboyanes y palmas. Los pocos pueblos que cruzan parecen desiertos. El mar es una llanura gris. Las casas del puerto, bajo la lluvia, han perdido sus colores. En la ciudad, algunos negros circulan en bicicleta por las calles enfangadas, sosteniendo en su mano derecha un paraguas abierto y sujetando el manubrio con la otra.

Claudia parece encerrada en uno de esos silencios suyos, siempre indescifrables.

–No sé si la avioneta podrá llegar con este tiempo tan malo –dice de pronto contemplando el cielo–. En principio, debió salir ya de San Juan.

Se ha maquillado cuidadosamente pero aún lleva grandes lentes oscuros.

–Tienes ya una pinta de ciudad… –dice él, por decir algo y quebrar aquel silencio que lo hace sentirse como un extraño a su lado.

Ella observa distraídamente sus ropas: una chaqueta de lino beige de corte muy clásico y un par de pantalones del mismo color.

–Se supone que debo vestirme como una mujer de negocios para entrevistarme con ellos. Ni siquiera esta ropa es adecuada.

–¿Quiénes son ellos?

–La jauría. Todo ese circo de asesores que me dice cada día lo que debo y lo que no debo hacer.

–Abogados, contabilistas, expertos financieros...

–Ellos, sí. Desde ayer están aguardándome en San Juan.

Y yo, en este paseo, estoy de sobra, piensa él. Debo arreglármelas para salir de escena discretamente. No sirvo para príncipe consorte. Todo esto lo sabía de antemano, y no tengo por qué sorprenderme. Ánimo, pues.

Ella se ha quedado de nuevo en silencio viendo correr al lado de la carretera un triste paisaje de campos de caña bajo la lluvia. Ahora es otra, piensa él. Otra. Fría, distante. Debe considerar que anoche, aprovechando un momento suyo de debilidad, le robé su secreto más íntimo, y ahora está molesta, irritada conmigo y consigo misma y con ganas de que yo desaparezca cuanto antes. Y debo hacerlo; en puntas de pie. Debo hacerlo.

Le sorprende la voz de ella, a su lado:

–No dices nada.

–Eres tú la retraída.

–Siento que estás haciendo conjeturas sobre mí.

–¿Por qué lo dices?

–Lo siento así. Acuérdate de mis radares.

–¿Llamas a eso radares? Eres una bruja, yo lo sé.

Ella acaba de sonreír. Lo mira con atención a través de los lentes. Inesperadamente se acerca y lo besa en el mentón. Aquel roce suave y húmedo de sus labios y la suave fragancia de su pelo lo estremecen. Se pregunta de pronto si volverá a tenerla desnuda en una cama. Las trampas del deseo, piensa.

–Si estuviese en un confesionario, diría: "Acúsome padre de malos pensamientos."

–Pues no esperes que te dé la absolución –se ríe ella–. No todavía.

No todavía, registra él y de nuevo está allí, latiéndole por dentro, aquella ansiedad que creía ya desaparecida. La última vez que hicimos el amor fue en la cabaña del negro, hace dos noches, piensa. Ayer no hubo espacio sino para recuerdos y lágrimas. Y ahora... ¿volveremos a estar juntos?

Cuando llegan al aeropuerto, la lluvia ha amainado. Fuera del auto se respira un aire húmedo y caliente con ásperos olores vegetales. Varios muchachos negros se precipitan hacia la camioneta disputándose ruidosamente el equipaje y hablando al tiempo en su confusa jerga antillana. Graham los aparta enojado como si fueran moscas.

–Cada uno lleva una maleta –interviene Claudia en inglés.

Dentro del aeropuerto, que se reduce a una sala vasta y desnuda, no hay nadie excepto un par de empleados, dos negros soñolientos sentados detrás de un escritorio bajo el retrato del presidente de la isla y una bandera de colores vivos con una estrella en el medio. Pese a las ráfagas de aire tibio que lanza sobre ellos un ventilador, parecen abrumados por el calor. Revisan los pasaportes con desconfianza, como si escondiesen alguna trampa, y finalmente ponen en ellos un sello. Parsimoniosamente responden a las preguntas que les hace Claudia.

–El Falcon está llegando –traduce volviéndose hacia él.

Minutos después, lo ven corriendo por la pista. Es un aparato pequeño y veloz con sus dos turbinas pintadas de azul plata. Cuando se ha detenido del todo, se abre la puerta y descienden a la pista el piloto y su ayudante de vuelo. Son dos muchachos norteamericanos, de cabellos cortos y de porte atlético. En sus camisas blancas de manga corta llevan discretas insignias de pilotos civiles. Parecen viejos conocidos de Claudia. Hablan con ella en un inglés rápido salpicado de bromas, mientras los negritos del aeropuerto llevan el equipaje hasta el avión.

El pequeño jet huele a nuevo por dentro como si acabase de salir de la fábrica. Tiene cuatro sillones de cuero, confortables, con una mesita al lado. Claudia toma el puesto de la ventanilla.

Rayos de un sol todavía esquivo se abren paso a través de las nubes iluminando un trozo muy verde de la isla con la estela blanca de las olas estrellándose a lo largo de la costa. Sobre los campos ven correr la sombra del avión antes de que cobre altura y se enrumbe hacia el mar. Claudia se ha quitado los lentes y contempla el paisaje por la ventanilla.

–Siempre que salgo de la isla, lo hago a disgusto –dice–. Entiendo muy bien a los que han decidido quedarse aquí para siempre.

–Según me has dicho, su vida no es tan feliz. Se alcoholizan.

–Eso es cierto –lo mira, risueña–. También ese habría sido nuestro destino, tú. Todo lo hicimos en exceso. Incluso beber.

–Todo, sí.

Ella le toma la mano entrelazando sus dedos con los suyos. Parece como si sus reservas de aquella mañana hubiesen quedado en la isla.

–Y nos quedamos sin secretos el uno con el otro. Gracias a la isla.

–Y al alcohol.

–Y a la hierba –dice ella lanzándole una mirada llena de intención–. Después de todo, tienes material para una novela.

Qué extraña es, piensa él de nuevo. Ahora lo está tomando todo a broma. Empieza a experimentar un oscuro desasosiego ante la idea de que quizás sea esta una manera suya de hacer más digerible la despedida. Mejor saberlo, de una vez. De la manera más natural que le resulta posible, le pregunta:

–¿Te quedas en San Juan o sigues a Nueva York?

A ella se le ensombrece la cara.

–No sé nada. Dejemos ese tema a un lado, ¿quieres?

–Entonces bebamos algo.

–Voy a ganar kilos, cosa que no me gusta nada. Tendré que someterme después a una dieta feroz... –toca un botón, y el ayudante de vuelo aparece en la puerta de la cabina–. ¿Qué nos das de beber?

–Nada dulce –bromea el muchacho en inglés–. Un dry martini.

–Perfecto. Con unas aceitunas. Estoy muerta de hambre.

–Tenemos previsto antipastos de salmón y caviar. Y un vino francés. Blanco.

–Estupendo –dice ella. Se vuelve hacia él–. ¿Cómo te sientes?

–Mucho mejor ahora. Esta mañana estaba lleno de pensamientos fúnebres.

–Aléjalos. Mira, ya salió el sol. El Caribe ha vuelto a ser azul.

❧

A medida que el avión vuela a gran altura hacia el norte, el cielo se despeja. El aparato parece inmóvil, a veces, suspendido sobre nubes resplandecientes de sol. Mientras almuerzan, Claudia ha querido hacerlo hablar de sus hijas, de la vida que llevaba con ellas luego de que Serena se casara con el francés que había conocido en el consultorio de su médico. "Nunca supe a qué horas crecieron", dice él con ese estupor con que se descubre siempre el paso de los años. De pronto, las dos niñas con gorritos de lana y la nariz embadurnada de helado que saltaban en el parque de Luxemburgo se habían convertido en dos bonitas adolescentes que al reír parecían una réplica de su madre. Eran alegres y agudas y a medida que crecían –le dice a Claudia– empezaban a mirar a sus padres con una divertida condescendencia como si se tratara de un par de chiflados con códigos de conducta absolutamente distintos a los de los padres franceses de sus amigas. Eran muy unidas entre sí y tenían la misma inteligencia rápida, pero se abrían paso en el mundo difícil que les había tocado vivir de distinta manera. Clara Lucía era suave y disciplinada. Con la misma pasión por el estudio y los libros de su madre, infundía una especie de sorprendido respeto entre sus profesoras. Tenía a propósito de todo, el juicio sereno de una persona mayor. Sacaba siempre notas deslumbrantes. Lina era rebelde, atrevida, viva como un fósforo; decía lo que pensaba siempre con mucha vehemencia y no le importaba que sus maestras se escandalizaran oyendo sus opiniones. Se refería al liceo como a un lugar maldito, "*cent fois maudit*", decía. No le interesaban para nada las matemáticas y las ciencias, pero en cambio se apasionaba por cosas que nada tenían que ver con sus estudios como el cine, la fotografía y la música rock. Durante un tiempo estaba empeñada en ser una actriz y alguna vez terminó actuando en un grupo teatral de chilenos exilados. Clara Lucía tenía mucho de su madre y Lina de él y cada una de ellas era como un complemento inseparable de la otra. Entre ellas y sus padres existía una curiosa complicidad. "Ellas son lo mejor que hemos hecho en la vida", solía decirle él a Serena, siempre sorprendido de que aquellas hijas hubiesen resultado indemnes luego de las dificultades y durezas vividas en París durante tantos años; de todo eso sólo les había quedado un valioso y defensivo sentido de la realidad. Nada parecía sorprenderles. A las dos les parecía natural que su madre hubiese encontrado otro hombre y que él se interesara por otras mujeres. A Adriana la juzgaban de manera distinta. Clara Lucía siempre la encontraba encantadora y un poco coqueta, lo que no era raro porque era muy linda, decía. "Sí", irrumpía Lina con ferocidad, "pero ella no va contigo, papi. Te empobrece. ¿De qué puedes hablar con ella? Mami, en cambio, encontró al hombre apropiado. Le escucha todas sus teorías, le explica las suyas y no tiene ojos sino para ella. Fuma como un desesperado, eso sí, y le gustan los animales. Otro chiflado, claro. Deberías conocerlo, papi. Seguro que se harían amigos." Con esta idea en la cabeza, las dos se empeñaron en facilitar un encuentro entre ellos. Él, Manuel, le daba de largas a esta propuesta hasta que un día las dos muchachas decidieron organizar una cena para Serena y su marido (o su futuro marido, pues aún no se habían casado esperando a que se formalizaran los trámites de la separación de Serena). Muy seriamente dieron sus razones. Las de Clara Lucía tenían un corte absolutamente cartesiano. "Si tú has aceptado desde un principio la decisión de mamá", decía, "debes ser consecuente con ella. Ustedes se tienen un afecto grandísimo y ningún tercero, ni de tu lado ni del lado de ella, puede impedir estos sentimientos del uno por el otro. Ustedes nunca han actuado de manera convencional, de modo que la persona a quien ella encuentre o la que encuentres tú, no debe quedar excluida de la vida del otro." Lo decía con una precoz y tranquila autoridad como si en vez de ser una bonita y suave muchacha de dieciséis años fuera una señora de cuarenta, curtida por la vida. De la misma manera, por cierto, desconcertaba a sus profesoras. Lina intervenía a su manera, con su impetuosa vehemencia de siempre: "Sí, papi, no puedes actuar como un vulgar machista latinoamericano." De modo que no hubo manera de oponerse. Al día siguiente estaban cenando todos a la luz de las velas. No eran sólo cinco personas (Serena, su novio, las dos muchachas y él), sino seis, porque a última hora había venido también Adriana. Había sido una velada sin ninguna tensión, muy divertida. Claude, el futuro marido de Serena, resultó ser un hombre delgado, de cabellos grises, inteligente y con un vivo destello de humor en sus ojos azules cada vez que hacía un comentario. No era ni mucho menos un francés arquetípico. Hijo de un general francés que había muerto durante la guerra haciéndole frente al avance alemán, había crecido en las colonias francesas del Magreb africano donde su padre había sido gobernador o comandante militar. Sus largos años pasados luego en los confines del Sahara lo habían marcado de alguna manera, pues debajo de su trato amistoso y fácil uno descubría con el tiempo cierto hermetismo, un austero sentido de la dignidad personal y tal vez un desprecio por todo lo que resultaba superfluo y artificial. Vivía en medio de una gran sobriedad, colindante con la pobreza, sin que la propia Serena llegase a saber mucho de su vida, ni siquiera de la manera como se ganaba la vida: confusamente sabía algo de una renta que le había dejado una tía solterona. Aquella noche, cuando él lo conoció, fue Adriana la que rompió cualquier hielo haciéndolos reír con el relato de sus problemas con un noble austríaco muy viejo, que en Viena, durante un almuerzo, la había perseguido dando vueltas alrededor de la mesa. "Estábamos en su palacio y no había otros invitados; sólo yo", decía. "Quién sabe qué comió o qué bebió el pobre, algo estimulante, sin duda, porque de pronto le entraron unos arrebatos feroces conmigo. Inesperadamente se levantó de su puesto, quiso abrazarme y yo tuve que forcejear y luego correr alrededor de la mesa. A su edad, ¡por Dios! Me tocó agarrar al vuelo una campanilla y hacerla sonar con desesperación para que vinieran los sirvientes. Sólo eso lo tranquilizó, pobre Alfonso." Era una de las típicas cosas que le ocurrían siempre a Adriana y que ella sabía contar con mucha gracia; con tanta, que la cena aquella fue sólo una risa desde el principio hasta el fin. Parecían una sola familia. Contra lo que podía suponerse, el propio Claude se divertía muchísimo oyendo a Adriana. Debía verla como la muestra explosiva del temperamento suramericano, absolutamente desconocido para él. Era como un ornitólogo viendo una especie de ave nunca vista antes por él. "Es encantadora", decía después; "mujeres así, con esa feminidad y esa espontaneidad, ya no existen en Europa."

Se hizo costumbre que ellos vinieran cada semana a casa o que Adriana, él y las hijas fueran a la suya, en el norte sombrío de París. A Adriana le parecía, con toda razón, un barrio muy deprimente. "No se ven sino señores en túnicas y chinelas", decía refiriéndose a los árabes y a los negros que paseaban interminablemente de un lado a otro por el bulevar de Belleville. A veces él iba solo y se sentaba largas horas a charlar con Serena o con ella y Claude, mientras la minúscula perrita suya, que parecía de juguete, ladraba y saltaba de un lado a otro. Se hizo buen amigo de Claude y llegaba a reprenderlo por vivir tan encerrado con el humo del cigarrillo impregnándolo todo y sin ver nada de lo que sucedía en París. "Saca tu automóvil, y llevamos a esta pobre mujer al cine", le decía a veces. Serena y Claude parecían divertirse mucho con él. Cuando se casaron en la alcaldía del *20ème arrondissement*, todos estaban allí. Serena lo llamaba por teléfono todos los días. Le asustaba que él decidiera regresar a Colombia. "Cásate con una tranquila muchacha francesa y quédate aquí para siempre", le decía. "Si te fueras, me moriría de tristeza."

–No puedo creer que no sintieras celos –dice Claudia.

–¿Celos? Para nada –le dice él.

Era algo realmente extraño. O quizás no tanto, si se tomase en cuenta que su relación con Serena era semejante a la de un padre con su hija mayor. Había algo intacto y profundo en su relación, aunque Serena, mitad en serio y mitad en broma, le hacía ver que, como marido, al lado de un Claude, había sido un verdadero desastre. Él se reía. "Tú decretabas mutua libertad, y la mía la tomas ahora como un cargo contra mí. Eres en teoría una feminista militante, proclamas la más absoluta libertad sexual y toda suerte de conductas emancipadas, pero en la práctica sólo aspirabas a tener un hombre fiel y tranquilo al lado tuyo; eso era lo que buscabas." "Quizás", admitía ella, perpleja. Claude y él estaban de acuerdo siempre en considerar que el siglo XX había visto el auge y la quiebra de toda suerte de propuestas e ideologías, derrotadas por la realidad. Lo curioso es que las hijas veían todas las teorías de su madre con igual escepticismo. "El ejemplo de todo lo que ustedes han intentado nos basta", decía Clara Lucía riendo. "Somos más sanas que una zanahoria." Y era cierto.

–Después de todo has debido casarte con tu frívola –dice ahora Claudia, mientras la avioneta continúa volando tranquilamente sobre las nubes más blancas que el algodón y el espejo azul del Caribe–. Uno no se casa con alguien para hablar de filosofía, sino para sentirse bien tanto en posición vertical como en posición horizontal.

Tal sería el caso contigo, piensa él de pronto. Si no fuera porque... Y por un instante no sabe qué camino darle a sus pensamientos. Claudia habría sido una magnífica mujer para él, si no fuese... Y ahí se detiene de nuevo. Había su dinero, que deformaba sus relaciones con cualquier hombre. Y luego, era evidente que pretendía administrar sus sentimientos en vez de dejarlos surgir libremente. Ahora que había enviudado, no quería enamorarse sino llevar la vida libre con que siempre había soñado.

–No has logrado darme una buena respuesta en todos estos días –insiste Claudia–. ¿Por qué no te quedaste con Adriana? En muchos aspectos, formaba ya una pareja contigo...

–Faltaba de su lado algo muy simple –dice él–: amor.

No sólo por mí; por cualquiera, piensa. Quizás lo más cercano a ese sentimiento era lo que ella llamaba una amistad amorosa. Era lo que la traía hacia él aun después de largas ausencias. Pero no era suficiente. Se lo dice a Claudia. Y le cuenta ahora cómo la propia Adriana no lograba poner sus cosas en claro dentro de sí misma. Era demasiado auténtica para asumir un matrimonio de conveniencia con cualquiera de esos admiradores que la asediaban, muchos de ellos bastante ricos. Y al mismo tiempo, sabía que el dinero era importante y que un tipo como él no podía dárselo. Se lo había dicho alguna vez en el aeropuerto de Orly, antes de tomar un avión para España. "Sabio, lástima que no tengas un centavo."

Era la época en que ella pasaba largas temporadas en Madrid, en el apartamento que le había dejado el diplomático español. Al parecer aquellas temporadas transcurrían para ella en medio de una nube de admiradores, yendo a toda suerte de lugares de moda. Cada vez que volvía a París, lo llamaba. Le hablaba impetuosamente de sus enredos y todo terminaba inevitablemente en la cama. Lo malo es que, con su sola presencia, Adriana ponía fin a cualquier relación con otra mujer que él tuviese en aquel momento. Al lado de ella, siempre tan excitante, cualquier amante ocasional le resultaba insípida y su relación con ella acababa brusca y desastrosamente. Y para nada, pues Adriana volvía a Madrid y reanudaba la vida que llevaba allí. Lo llamaba todas las semanas y a veces le enviaba unas esquelas alegres y traviesas desde cualquier lugar de España. Aquel día, cuando en el aeropuerto de Orly le dijo, "lástima, sabio, que no tengas un centavo", él se rio comprendiendo que decía en voz alta y casi con tristeza lo que realmente estaba pensando.

Como partido matrimonial él era un desastre. Recuerda haber regresado a su apartamento con un ánimo melancólico. Por primera vez había pensado seriamente en volver a Colombia. Ocho días antes, Clara Lucía, su hija mayor, había ingresado a una de las altas escuelas donde se forma la tecnocracia francesa, la HEC. En el atardecer de un domingo, él la había llevado a las residencias de aquella universidad en Jouy-en-Jossas, y al dejar sus maletas en el dormitorio que le había sido asignado (la ventana, los olmos en el crepúsculo de fines de verano, recuerda), él había tenido la sensación de que aquella hija empezaba a volar con sus propias alas. Quedaba Lina. Lina lo había acompañado todo aquel invierno y la primavera, mientras terminaba sus estudios de secundaria. Al llegar el verano, se había ido con su hermana y un grupo de muchachas y muchachos franceses a Grecia. Estaba empeñada, al llegar el otoño, en irse a Londres a estudiar cine. De modo que las dos hijas, desde luego con todo su apoyo, alzaban vuelo. Era la vida. Aquel verano –cuando las dos se fueron para Grecia, y Serena y su marido a una casa en el sur de Francia– él había sentido que París se había consumido para él como una vela. Las calles estaban llenas de luz; la luz resplandecía en las vitrinas, en las copas, en los espejos y terrazas de los cafés, y él se movía en aquel aire cálido y luminoso del verano igual que un sonámbulo; había descubierto, por primera vez, que no participaba ya en aquella fiesta. No sabía a dónde ir. Nada era igual a otros tiempos. Era un sobreviviente. En cada rincón de la ciudad no encontraba sino el rastro de otros años. Recuerdos de todo tipo. Lóbregos, como los que lo asaltaban cruzando el canal Saint Martin. Mañanas glaciales de invierno, cuando él y Serena subían temblando –él de frío, ella de fiebre– hacia los pabellones sombríos del hospital Saint-Louis. Pigalle, el barrio de las putas, le recordaba algo inocente: a sus hijas cuando estaban pequeñas. Allí vivían todos, en un apartamento de bulevar Clichy. Veía a las dos niñas con sus gorritos de lana y sus maletas de libros a la espalda, rumbo al liceo Jules Ferry. A esa hora, desierto y sucio, sin los encajes y filigranas de neón de las noches, sin las iluminadas vitrinas repletas de fotografías de mujeres desnudas, aquel bulevar de pecados parecía una corista que hubiese cambiado sus lentejuelas por los harapos de una mendiga. En su memoria ve a las dos niñas en el parque de Luxemburgo, corriendo tras una pelota en la luz filtrada por los castaños. Todo el mundo suyo había quedado también adherido a la Place Maubert y a los pequeños restaurantes griegos de la rue Saint-Severin, y un recuerdo de vinos y tangos, y de amigos del cono sur que el tiempo devolvería a Buenos Aires, a Montevideo o a Asunción, flotaba en las calles del *14ième arrondissement*. Inclusive una avenida elegante y fría como la Avenue Montaigne levantaba una polvareda de recuerdos asociados a Adriana. Todo quedaba en el pasado y no se veía porvenir alguno en París.

–De modo que decidiste hacer borrón y cuenta nueva –dice Claudia.

–Sí, aunque no sé si realmente podré hacerlo... –suspira él.

Claudia reacciona con vivacidad.

–Mientras uno viva, puede siempre empezar de nuevo.

–Tienes razón –admite él.

Ella se queda mirando a través de la ventanilla el paisaje luminoso del mar.

–Ya se ve la costa de Puerto Rico –anuncia.

XX

"¡Qué horror!", exclama Claudia apenas entran en el hotel. Y él piensa lo mismo observando el amplio vestíbulo de pomposas pretensiones neoclásicas, lleno de turistas norteamericanos vestidos como si acabaran de regresar de la playa. Botones uniformados de verde van de un lado a otro empujando carritos cargados de maletas. El hotel parece una prolongación del aeropuerto. Tiene el mismo ambiente ruidoso, la misma agitación.

–Hay un lugar mejor en el viejo San Juan –comenta Claudia mientras suben en el ascensor–. Un buen hotel con patios coloniales. Pero ellos adoran este sector de Isla Verde.

–¿Te refieres a tus consejeros?

–Los del circo, sí. Solo faltan estatuas griegas o bustos de emperadores romanos en los pasillos para que sea enteramente de su gusto. Esa es su idea de lujo, sacada probablemente de Hollywood.

La habitación que les han asignado en el piso doce es amplia, refrigerada y con muebles y cortinas de un color rosa pálido similar a los que predominan en el vestíbulo. Luego de depositar el equipaje, el botones gradúa el aire acondicionado y abre las cortinas del balcón dejando ver allí una mesa y un par de sillas y más allá, el mar y una extensa playa con altos edificios.

–Si hubiésemos declarado que veníamos en luna de miel, nos habrían puesto una botella de champaña en un balde, un ramo de flores y una tarjetica del gerente deseándonos muchas felicidades –ríe ella.

–Fabulosa luna de miel en Puerto Rico –dice él, imitando la voz de un locutor antillano a tiempo que le da al botones cinco dólares.

Apenas se han dejado caer en la cama, suena el teléfono. Responde Claudia. Durante un buen rato habla en inglés con un tal Bob. Le anuncia que estará abajo en cinco minutos, pero en realidad tarda casi una hora en hacerlo, pues a última hora decide tomar una ducha, maquillarse y cambiarse de traje. Mientras ella permanece en el baño, él sintoniza en el televisor un canal americano de noticias.

–¿Quieres bajar conmigo? –pregunta ella cuando se dispone a salir.

–¿Y oír hablar de inversiones bursátiles? ¡Jamás! Prefiero ver televisión o dormir una siesta. Y secuestrarte luego, para ver el viejo San Juan.

–Perfecto. Búscame en el bar. De paso me salvas de ellos con cualquier pretexto. No los soporto nunca más de una hora.

Cuando se ha ido, él se queda largo rato absorto mirando las figuras confusas que se mueven en la pantalla. En la pared, frente a la cama, hay una acuarela que representa un campesino borinqueño, flaco y con un sombrero de paja, avanzando a horcajadas en un asno por un camino amarillo. Sigilosamente infiltrándose en su ánimo, él siente el mismo desasosiego de aquella mañana. Vuelve a preguntarse qué está haciendo allí. Todo terminó en la isla, piensa; cuanto antes me vaya, mejor.

Toma el teléfono y llama a la recepción del hotel para saber si en la planta baja hay una agencia de viajes.

❧

Despierta de un sueño confuso y largo sin saber dónde está. A través del balcón ve que está oscureciendo sobre el mar. Se incorpora de prisa, entra en el baño y abre la ducha.

Tarda algún tiempo buscando a Claudia en los innumerables salones del hotel. El vestíbulo es un hervidero de gente. Al fondo hay una orquesta tropical tocando melancólicos boleros en medio de la indiferencia y la algarabía de los turistas sentados en torno a las mesas, todos idénticos entre sí y hablando al tiempo como si fuesen cotorras encerradas en la misma jaula. ¡Por Dios, dónde me he metido!, se dice cruzando salones adornados con lámparas y helechos. A través de los ventanales que miran hacia el mar, descubre que ya la noche ha caído del todo.

Encuentra a Claudia en el bar, sentada a una mesa en medio de cuatro americanos. El lugar, penumbroso e intensamente refrigerado, está iluminado por pequeñas lámparas de mesa de luz muy íntima. Ella le hace una seña al verlo en la puerta. Uno tras otro los americanos le estrechan la mano presentándose con su nombre de pila. Con camisas blancas de manga corta y corbatas oscuras, parecen uniformados por la misma compañía. Son hombres gruesos y maduros de cabellos entrecanos, con excepción de uno mucho más joven llamado Bob. De pelo corto, atlético y bien parecido, lo examina con unos penetrantes ojos azules como si fuese un policía observando a un sospechoso aparecido de repente en su despacho.

Mientras bebe whisky, el diálogo entre los cuatro americanos y Claudia prosigue en inglés. Bob es el más locuaz. Habla rápidamente señalando algunos puntos en los planos con un bolígrafo. Por lo que él, Manuel, alcanza a comprender, se trata de un conjunto residencial en Coral Gables. Cada vez que Claudia hace una breve pregunta, desata torrenciales explicaciones en Bob. Parece impacientemente interesado en convencerla de algo, quizás una inversión. Debe ser, piensa él observándolo, uno de esos típicos ejecutivos que viven de comisiones de venta; fuera de los negocios, su única pasión debían ser los campeonatos de béisbol de las grandes ligas. Los otros se limitan a dar a sus propuestas breves gruñidos de apoyo. Y Claudia se divierte oponiéndole pequeños reparos por pura travesura. Seguramente los está haciendo sufrir a todos.

Como si advirtiera que él lo está pensando, ella cruza una mirada cómplice con él.

–Bob –dice después de mirar su reloj de pulsera–, se nos ha hecho tarde; creo que todo esto podemos decidirlo en Nueva York.

–Seguro –responde Bob, descontento como un jugador obligado a suspender una partida de póker–. Creo que esa es una gran oportunidad –agrega débilmente, suscitando en los otros una muda aprobación.

Empieza a doblar los planos sobre la mesa.

Ahora que la conversación de negocios ha concluido, otro de los norteamericanos sentados en torno a la mesa, un hombre robusto de párpados pesados y grandes manos velludas, se siente obligado a decirle algo a Manuel.

–*What is your business*? –pregunta abruptamente.

–Poesía –responde él en inglés.

El otro hace un gesto de extrañeza como si no hubiese entendido bien.

–¿Edición?

–No, poesía.

En la cara del otro aparece una sombra de desconfianza.

–¿Qué clase de poesía?

–Erótica.

–Sumamente atrevida –interviene Claudia, risueña.

Él siente que la mirada de Bob se vuelve hacia él, lenta y suspicaz.

–¿Hace mucho tiempo que usted conoce a Claudia? –le pregunta en español y de nuevo, él, Manuel, tiene la impresión de encontrarse frente a un policía.

–Toda la vida –responde él.

–Sí y no tengo ningún secreto con él –interviene ella con picardía.

Bob los mira alternativamente, olfateando una broma. Me está viendo como un rival, piensa Manuel. O tal vez un competidor comercial, alguien capaz de escamotearle una comisión de venta.

–Bien –dice Bob dirigiéndose a Claudia–. ¿A qué hora quiere que la recojamos? Hemos reservado una mesa en un lugar muy divertido.

–¿Rumberas con caderas frenéticas? –pregunta ella.

Bob tarda en comprender la pregunta hecha por Claudia en español con una luz traviesa en las pupilas.

–Más o menos –responde Bob–. Algo que puede gustarle a su amigo, si quiere venir con nosotros.

–Se llama Manuel. Y es él quien decide. No creo que sea un programa de su gusto, la verdad sea dicha.

–No –confirma él–. Prefiero un paseo romántico con Claudia por el viejo San Juan. Con luna y coche de caballos.

Un destello de complicidad le hace brillar los ojos a ella.

–¿Lo ves Bob? Manuel es un poeta –recoge el bolso y se incorpora–. Creo que los dejo a ustedes con sus rumberas. Realmente, Manuel y yo tenemos un compromiso esta noche.

Bob hace un ademán conciliador.

–Usted es quien decide –dice en inglés, sin disimular su decepción–. Tendré oportunidad de invitarla en Nueva York.

–Perfecto –dice ella.

–Sí, sí, me hace una corte desenfrenada –cuenta Claudia mientras el taxi se dirige a la parte vieja de la ciudad–. Desde que enviudé. Y tal vez antes, cuando vivía Tomás, aunque entonces de manera más discreta. Bob debía ver a Tomás como un hombre demasiado viejo para mí y se permitía algunos avances.

–Que tú rechazabas.

Ella lo mira con burla en la penumbra del vehículo.

–¿Estás seguro de que los rechazaba?

A lo mejor no, se dice él movido por un repentino sentimiento de celos, viendo cómo la cara de ella recibe a veces relámpagos de luz provenientes de los autos que vienen por la avenida en sentido opuesto. El taxi avanza en medio de un tráfico intenso. Al fin y al cabo, piensa él, todo es posible con ella. Siempre le habían dicho, antes de conocerla, que era una mujer de reacciones impredecibles. Lo decía inclusive Serena, que la conocía muy bien. Claudia tenía, en todo caso, un cierto gusto por la provocación en todo; hasta en la manera como ahora iba vestida. Había subido al cuarto de nuevo, al salir del bar, y había bajado media hora después con aquel traje largo muy simple y muy elegante que ahora lleva de un gris virando al violeta, con un largo collar de rojos corales que parecen vibrarle en torno al cuello. Nunca la había visto tan elegante. Y todo, piensa él, sólo para sentirse perfectamente distinta a los turistas gringos de sandalias y camisas floreadas que inundan los hoteles. Si ellos estuviesen en traje de ceremonia, ella saldría en sandalias.

–¿A dónde vamos? ¿Tienes alguna idea?

–Ninguna –se ríe ella.

–Creí que íbamos a algún club.

–¿Por la manera como estoy vestida? ¡Qué va! –se inclina hacia adelante y le habla al conductor–. Usted debe conocer un sitio alegre donde bailen salsa.

–Muchos –responde jovialmente el conductor, un hombre todavía joven, lanzándoles una rápida mirada por el espejo retrovisor–. Ahora, si quieren oír algo bueno, realmente bueno, los llevo al centro, a la plaza San José. Allí hay esta noche un concierto.

–¿Concierto de salsa? –pregunta ella, sorprendida.

–De salsa, sí señora. Candela pura.

Da el nombre de un cantante y de su orquesta, diciendo que es el ídolo de Puerto Rico.

–Vamos allá. Pero antes demos una vuelta por la ciudad vieja.

–La plaza San José está en pleno centro –explica él–. Es mejor que lo recorran a pie.

De pronto han desaparecido las avenidas atestadas de automóviles y el taxi está entrando en la parte vieja de la ciudad por una calle estrecha y empinada con casas coloniales a los lados. Cruzan una plaza muy antigua iluminada por faroles. Bajo los árboles (¿magnolios?, ¿almendros?, se pregunta él), sentados en escaños de madera, viejos mulatos toman el fresco de la noche conversando y fumando cigarros. La plaza tiene un aire nostálgico de otros tiempos.

–Esto me recuerda mucho a Cartagena –dice él–. Las mismas plazas y la misma gente.

–Es el viejo Caribe que yo adoro –dice ella.

El conductor los deja en la calle del Cristo, a pocos metros de la plaza San José, que hierve de gente. Apenas se bajan del auto, como si hubiese sido concertado así, revienta la música en el aire caliente y oscuro de la calle, viniendo de la plaza. Difundidas por altoparlantes, las notas rápidas y nerviosas de un piano fosforecen sobre el ritmo de las tumbadoras y de las maracas, antes de que una corneta vibrante se sume al conjunto, dominándolo. Avanzan envueltos en el ritmo de una típica salsa portorriqueña, sintiéndolo no sólo en la calle sino dentro de sus cuerpo como si sus propias vísceras fuesen el parche de un tambor. No sabe a qué horas están en medio de la multitud, bailando frente al estrado iluminado donde toca la orquesta cuyos músicos visten pantalones blancos y camisas de seda color naranja. A él le sorprende la manera como baila Claudia, sin agitarse, con un extraordinario juego de rodillas y de pies, tan ágil y rápido como las manos del pianista sobre el teclado. Las parejas que bailan al lado suyo, no le quitan los ojos de encima. Con aquel traje largo y el collar de corales, bella y bailando con tanta destreza, debe resultarles muy extraña.

–Perdone usted, caballero –se dirige a él un hombre joven de bluyines y barbas que baila al lado suyo, sujetando a una criatura de corta edad sobre sus hombros–. Mi esposa dice que la señora es una famosa actriz de televisión, ¿es verdad? Dice que trabaja en *Dinastía*, una telenovela muy famosa en Puerto Rico en estos momentos.

–Cierto –responde él–, pero está de incógnito.

El hombre se vuelve hacia la muchacha que baila con él.

–Tenías razón, mujer. Tenías razón –se dirige a él, de nuevo–. ¿Podría recordarme el nombre de ella?

–Ella insiste en estar aquí de incógnito...

–Bueno, nos bastará con verla –sonríe el hombre–. Baila como una verdadera portorriqueña.

En aquel momento estalla en la plaza una ovación. Surgiendo del fondo de la orquesta un hombre rubio y maduro, vestido con una guayabera, se adelanta hacia el micrófono moviéndose al ritmo de la salsa y empieza a cantar. Los gritos de la multitud casi ahogan su voz.

–Este debe ser el ídolo –dice Claudia.

En torno a un refrán que es coreado una y otra vez por todos los músicos de la orquesta, el hombre empieza a hacer maliciosas variaciones de la letra, con una voz segura y sin perder por un instante el ritmo. Deben ser alusiones políticas porque provocan risas y aplausos.

La pieza resulta inacabable, pues el propio cantante, con extraordinaria versatilidad, pasa de una composición a otra.

Claudia se detiene al fin, extenuada.

–¡Arrojo la toalla! –exclama riendo–. Vamos a tomar algo aquí cerca. Lo necesito.

Entran en un bar de la calle del Cristo, lavados en sudor. Es un lugar en penumbras hasta donde llega débilmente la música de la plaza.

–Parece una cantina de Barranquilla –dice él observando el piso de cemento y las paredes de un color verde lechuga llenas de letreros e inscripciones amorosas. En el techo giran dos ventiladores de grandes aspas.

–¡Qué antro! –ríe Claudia.

Dentro no hay nadie, excepto un americano corpulento que está sentado en una de las butacas de la barra hablando con la dueña del bar. Debe haber bebido, porque ríe y habla con ella ruidosamente en inglés. En el resplandor de la única pantalla que hay sobre el mostrador, su rostro se ve rojo y curtido por el sol. Tiene el aspecto de un capataz o un estibador.

Ocupan una pequeña mesa bajo el ventilador que susurra en el techo. La dueña abandona al americano para acercarse a ellos.

–¿Qué tiene usted de especial? –le pregunta Claudia en inglés.

–¿Fuerte o suave?

–Fuerte.

–Un margarita. Es nuestra especialidad. Tequila y otras cosas –ríe la mujer, que evidentemente es también norteamericana como el hombre de la barra.

–Está bien –dice Claudia–, tráiganos dos –se vuelve hacia Manuel–. Creo que es lo mejor para el calor. Queda uno incendiado por dentro y no nota la diferencia de temperatura. Fuego afuera y fuego adentro.

–Y ningún bombero a la vista –ríe él.

–Ninguno –lo mira con simpatía tomándole las manos–. Creo que la noche empezó bien.

–Con el ritmo apropiado.

–Fue un comienzo algo frenético, pero necesario para quitarme de encima las conversaciones de negocios. Ahora soy toda tuya, ¿qué dices?

Él siente un vacío en la boca del estómago. En la densa penumbra color de azafrán, le brillan a ella intensamente los ojos claros y el collar de corales.

–Esto parece un reencuentro –dice–. Estabas tan lejana.

De ponto ella dirige la mirada hacia la puerta y su cara tiene una brusca expresión de pánico.

–*Oh, my God!* –exclama en voz baja.

Él sigue su mirada y encuentra en el umbral a un hombre con

ojos rasgados y un bigote lacio cayéndole a los lados de la boca. Pasea una mirada por las mesas buscando a alguien y hace una pregunta a la dueña que está sirviendo los margaritas en el mostrador.

Gradualmente el rostro de Claudia recobra la calma.

–Qué susto me dio ese hombre –susurra–. Por un momento, fue como una aparición.

–Sé a quién te recordó –dice él–. A Rozo.

Ella se vuelve hacia él, asombrada.

–A Rozo, sí. ¿Hasta ese punto adivinas mis pensamientos?

–No, fue que yo tuve la misma impresión. Sólo le faltaba el colmillo al reírse.

La dueña del bar se acerca trayéndoles los dos margaritas en una bandeja. Los coloca sobre la mesa. Claudia se ha quedado pensativa.

–Hay algo que todavía no te he dicho. Y debería decírtelo, pues ya no tengo secretos contigo.

–¿De qué se trata?

–De Rozo. Justamente –la mirada de ella resulta momentáneamente endurecida por un brillo metálico, fosforescente–. Parece que era hermano mío.

–¡Hermano! –exclama él.

–Medio hermano.

Lleno de asombro, él bebe un trago de la copa que tiene sobre la mesa como si así pudiese digerir mejor aquella revelación. El gusto del tequila le quema la garganta.

–No entiendo nada.

⇝

–Lo supe tiempo después del secuestro. Y fue por pura casualidad. No sé si has oído hablar de un empresario de Cali llamado Néstor Restrepo. Es un hombre de buen humor, robusto, parsimonioso, satisfecho con su suerte y ya con unas cuantas hebras plateadas en el pelo ensortijado. Alguna vez hizo negocios con Tomás. Debe andar por los cuarenta y tantos años. Si lo vieras, siempre bien vestido, alojándose en los mejores hoteles de Nueva York y resolviendo a toda hora problemas de negocios con un teléfono celular en la oreja, no podrías adivinar que años atrás, cuando era todavía muy joven, fue miembro de un grupo guerrillero en las montañas del Cauca. Cayó preso y estuvo cerca de un año en la cárcel de Palmira, hasta que pudo beneficiarse de una amnistía concedida por el gobierno de esa época. Quedó curado de espantos. Supo lo que era la guerrilla por dentro, especialmente las FARC. Vio, por ejemplo, cómo una jovencita de quince años, su novia en aquel mismo grupo, era fusilada por haberse quedado dormida dos veces consecutivas durante una guardia nocturna. Desengañado, se dedicó a hacer plata y realmente, al cabo de algunos años, la hizo con la exportación de frutas y de ají a los Estados Unidos. "El ají tabasco acabó con todas mis polillas revolucionarias", dice siempre con risa. A Tomás y a mí nos resultaba simpático. Pues bien: una noche lo encontramos en un hotel de San Juan, no recuerdo si fue en El Convento, que está algunos metros más abajo de este bar, y nos invitó a cenar. Inevitablemente, Tomás terminó refiriéndole los episodios del secuestro. Era un tema que lo obsesionaba, ya te lo he dicho. Y, de pronto, hablándole de Rozo, cuya identidad había sido divulgada en aquellos días por la prensa colombiana a raíz de su muerte, resultó que Restrepo lo había conocido cuando estuvo en la cárcel. Compartían la misma celda. Rozo era entonces un enlace urbano de las FARC y pagaba una pequeña condena por porte ilegal de armas. Restrepo lo tenía por un mitómano. "Contaba muchos embustes", nos dijo aquella noche, mientras cenábamos. "Imaginate, alguna vez me sostuvo que vos, Claudia, dizque eras hermana suya. Se puso furioso conmigo cuando le dije mirá, ve, tené cuidado, el encierro te está trastornando el coco. El hombre, por lo que veo, tenía pretensiones de sangre azul", decía Restrepo sacudido de risa, y nosotros, Tomás y yo, celebramos naturalmente aquello como un chiste estrepitoso sin cambiar una mirada para no delatar nuestro asombro. En realidad, estábamos como fulminados por la centella de una revelación atroz. Era como si acabaran de darnos la última pieza de un rompecabezas que daba al fin coherencia de un cuadro acabado a fragmentos hasta entonces inexplicables. Porque había otras cosas que sólo entonces concurrían para darle verosimilitud a lo referido por Restrepo. Sí, varios años atrás, había sabido yo que mamá, mi verdadera mamá, tenía un hijo más joven que yo. Me lo dijo un muchacho desconocido, una noche, en un club de jazz en la calle 93 de Bogotá. Debía haber bebido. Me vio sola, en el bar, al lado de un teléfono, y se acercó saludándome por mi nombre de pila como si fuese una vieja amiga suya. "Conozco a tu mamá", me dijo con aire confidencial, y yo entendí de inmediato a quién se refería no sólo por aquel tono íntimo, sino porque Martine, mi otra madre, había muerto ya. "Conozco a tu mamá y a Chucho, tu hermano. Soy amigo de ellos", dijo. "¿Me aceptas un whisky?" "No tenía la menor idea de que tuviese un hermano", le dije, dándole la espalda. No le conté nada a Tomás, que llegó al club poco después. De pronto habría provocado un incidente. Estaba trastornada. Como otras veces me ha ocurrido en la vida, había alguien allí que conocía un trozo de mi pasado oculto. Después de todo, pensé, era natural que mamá se hubiese casado, o simplemente, si tal no era el caso, que hubiese tenido otro hijo con cualquier hombre al cual consagrarle el resto de su vida, ya que a mí me había perdido del todo. En aquel momento no podía imaginarme que ese hermano fuese el mismo sujeto que después nos secuestraría a Tomás y a mí en una carretera, al frente de otros hombres, con una pistola ametralladora bajo el brazo, haciéndose llamar comandante Emilio y colocándose, para hacer valer ese rango, una gorra militar en la cabeza.

–¿Por qué creíste semejante cuento? No hay evidencia alguna. Rozo podía haber dicho una simple fanfarronada...

–Espera, no te apresures. Déjame colocarte las otras piezas del rompecabezas. En el club de jazz, aquel muchacho me habló de Chucho, mi hermano, y el nombre de pila de Rozo era, acuérdate, Jesús María. Chucho es el diminutivo de Jesús, no lo olvides... Pero hay algo más. La misma noche de nuestra conversación con Restrepo, Tomás recordó haber oído que mamá, después de haber clausurado El Edén para siempre, había vuelto a vivir con aquel azaroso diputado de la cicatriz en la mandíbula. Sólo por un tiempo, supongo, pues el hombre, que era liberal, fue asesinado en el Valle del Cauca en la época más dura de la violencia. ¿Sabes cuál era su apellido? Rozo. Rozo, sí. Debió ser el padre de nuestro secuestrador. Le dio su apellido, ¿por qué no?

«Creo que buena parte de los complejos de Rozo estaban relacionados con ese origen turbio. Debía alimentar un sordo resentimiento comparando su suerte con la mía, pues de sobra debía saber que yo, su hermana, era la heredera de un millonario y vivía en un mundo donde él jamás habría podido poner los pies, a menos que vistiera una chaqueta de camarero. Supongo que debió crecer como yo hubiese crecido, en casas tristes y descuidadas, sin rastro alguno de vida familiar, comiendo con una cuchara sopera la comida que cada mediodía y cada noche le ponían en un plato, expuesto a que sus condiscípulos terminaran enterándose de quién era o quién había sido su madre, rojo de vergüenza e hirviendo en secretos rencores. Ya podrás imaginar su vida de estudiante resentido, los horrendos cafés del centro de Bogotá donde debía pasar horas enteras envenenándose con pocillos de café tinto y paquetes de cigarrillos Pielroja, lleno de teorías marxistas sobre la lucha de clases y la opresión de la burguesía.»

–Eso lo conocí yo también.

–Seguro que sí, y también tú debiste vivir los sueños desatados en esa clase de muchachos por la revolución cubana. Rozo debió imaginarse, como tantos otros pobres diablos ofendidos por injusticias o desaires, que él podía ser otro Che Guevara, ¿por qué no?, o un dirigente maoísta o de cualquiera de esas fracciones revolucionarias que en esos años habían decidido pasar a la lucha armada y con cuyas siglas se habría podido hacer una gran sopa de letras. Su momento de gloria, su operación más atrevida y memorable debió ser nuestro secuestro por el que obtuvo una suma jamás soñada, quinientos millones de pesos. De paso, fue una manera de vengarse de su propio destino infligiéndonos un pago cuantioso y una humillación. Yo sentí, desde el primer momento, desde cuando se apoderó de nuestro automóvil en la carretera y empezó a conducirlo, la inmensa curiosidad que yo le provocaba. Veía sus ojos rasgados en el espejo retrovisor buscando una y otra vez los míos, con una especie de vanidad triunfal, como si no pudiese creer que esa figura tal vez mítica en su hogar (la Cenicienta, su hermana, convertida en princesa) estuviese allí, a merced suya. Como yo no sabía entonces la verdadera naturaleza de su interés, temía que me estuviese mirando simplemente como una mujer codiciada y que a la primera ocasión intentaría violarme. Pero no era eso, claro. No era eso, sino otra cosa mucho más profunda y compleja que en aquel momento yo no podía comprender. El hecho es que apenas me tuvo a solas en un cuarto de aquella casa de nuestro secuestro, fuera de la vista de Tomás, empezó a llamarme con una insospechada familiaridad por mi propio nombre y hasta sacó del bolsillo de su chaqueta militar una vieja fotografía mía. Era yo, de niña. Parecía gozar intensamente de mi estupor. Recuerdo que levanté la mirada y le pregunté, tuteándolo por primera vez: "¿Cómo la conseguiste?" El tuteo pareció inundarlo de placer. Rojo como un tomate, pues se ruborizaba por todo, y con su colmillo de perro pisándole el labio inferior en una sonrisa, dijo: " Para que vea cómo estamos de bien informados. De una mujer tan linda y encopetada lo sabemos todo; todito." Irradiaba orgullo, satisfacción. No se habría cambiado por nadie en aquel momento.

»Yo estaba en la isla cuando lo mataron en Bogotá los agentes del DAS. Tomás y el inglés supieron organizarlo todo muy bien. Demasiado bien, pues yo no esperaba encontrar el cadáver de Rozo fotografiado en El Tiempo. Estaba tirado en el corredor de aquella casa, en medio de un charco de sangre, y no le habían cerrado aún los ojos cuando le tomaron la foto. Ahora entiendes por qué sus amigos, los que mataron a Tomás, en realidad de quien deseaban vengarse era de mí, la hermana de su jefe. Quizás me buscan todavía, y por eso no puedo volver a Colombia. Así que ya lo sabes todo, y podrás entender el frío que me corrió por la espalda cuando vi aparecer a ese hombre en la puerta. Era idéntico.»

–Muy parecido, sí. Olvídalo ya.

⇝

–¡Caramba, que trago más traicionero! Me lo bebí como si nada y ahora la cabeza me da vueltas.

–Hemos bebido cuatro sin darnos cuenta a qué horas.

Bajan por la estrecha calle del Cristo a través de bares penumbrosos y una que otra heladería luminosa, respirando el calor de la noche. Las gentes que llenaban la plaza San José parecen haberse dispersado y ahora todo está en silencio. Pasan delante de un hotel que parece un claustro colonial; es El Convento. Doblando una esquina, Claudia lo conduce hasta una plazuela fresca y tranquila. Con el melancólico resplandor de algunos faroles brillando a través del follaje de los árboles, escaños de madera y la oscura y casi espectral silueta del convento alzándose al fondo, parece un decorado de teatro. Ráfagas de aire salobre vienen envueltas en una remota fragancia de jazmines. El reloj del convento da la hora, y sus campanadas quedan vibrando en el aire de la plaza. Es un espacio de soledad, lejos de los bares y las heladerías.

–Qué linda es esta plaza, ¿verdad? –dice Claudia–. Siempre que vengo a la isla y paso por Puerto Rico, vengo aquí. Me encanta el viejo San Juan –se apoya en él y le pasa amorosamente la mano por la cintura; él respira el perfume de su pelo–. No quiero ponerme triste –agrega ella de improviso en el tono íntimo de una confidencia.

–¿Triste por qué?

–Por nada. Sólo que a veces me gustaría detener el tiempo.

–Ahora sí creo que los margaritas se te subieron a la cabeza.

–Seguro que es eso –lo vuelve a mirar y él encuentra en su mirada una lumbre melancólica–. A veces me gustaría que la película empezara de nuevo.

–¿Cuál película?

–Siempre digo que la vida es una película hecha sobre un libreto muy desordenado, al menos para mí.

–¿Y te gustaría volver atrás y corregir ese libreto, no? A todos nos ocurre lo mismo.

Ella se acerca a él pegando el flanco de su pierna contra la suya. Nunca la ha sentido tan ligera, frágil y femenina a su lado.

–Me gustaría besarte –dice él.

–No pidas permiso. Aunque en el viejo San Juan eso debe ser un escándalo.

–No hay nadie, sólo ese viejo solitario con bastón. Debe estar rememorando tiempos mejores.

Ella se vuelve hacia él, haciéndolo detener, y lo besa en la boca de manera resuelta. Él se estremece sintiendo la suave presión de los senos y la curva de su cadera.

–Creo que esta noche no está para ir a un restaurante –murmura.

–¿Me quieres matar de hambre? –exclama ella–. Pero tienes razón, no me dice nada meterme en un lugar *très comme il faut*. No estoy para eso. ¿Sabes una cosa? Hay un lugar donde van a medianoche los choferes de taxi de San Juan a tomarse un asopado. ¿No sabes lo que es un asopado portorriqueño? Levanta a un muerto. Y luego sí...

–Luego sí...

Ella se ríe.

–No seas procaz.

❧

Es casi medianoche cuando llegan al hotel. Ella se quita los zapatos al entrar y con ellos en la mano cruza tranquilamente el vestíbulo bajo la mirada sorprendida de los porteros. En el ascensor le echa los brazos al cuello y se restriega contra él con la indolente sensualidad de una gata.

A él le parece interminable aquel pasillo que conduce a la habitación. La sigue estremecido por el vaivén de sus caderas y el rápido movimiento de sus piernas dentro del estrecho traje de noche.

–No enciendas –le susurra ella dándose la vuelta y apoyándose en él con todo su cuerpo cuando entran en la habitación–. Nos basta la luz de la luna que entra por el balcón.

Mientras él le baja despacio la cremallera del traje, ella vuelve a hablar en susurro.

–Quiero que lo hagamos todo delante del espejo. Ya sabes que tengo aberraciones.

❧

Lo despierta una voz hablando por teléfono y la luz de una lámpara encendida en la mesa de noche.

Claudia cuelga el teléfono y lo mira con aire preocupado. Está vestida con una falda y una blusa; en el brazo izquierdo tiene la chaqueta del traje.

–¿Qué pasa? –pregunta él con la voz húmeda de sueño–. ¿Qué horas son?

–Las cinco de la mañana. Tengo que hablarte –dice ella gravemente.

–Espera, espera... Todavía estoy medio dormido.

–¿Quieres beber algo?

–Solo agua.

–Bébete un whisky.

–¡Por Dios! ¿A esta hora?

–Un whisky tranquiliza siempre.

Él la observa como si ya estuviese muy lejos:

–Creo que no lo necesito para aceptar que te vas –dice él muy despacio.

–Sí, salgo para Nueva York dentro de media hora. Me esperan en el aeropuerto.

Él siente un frío por dentro y el corazón le late más aprisa. Calma, se dice; esto lo he vivido ya, lo conozco muy bien; calma.

–Manuel –dice ella sentándose a su lado, en la cama–. Debí haberte hablado anoche. Pero no pude. O no quise.

–Teníamos algo mejor que hacer –bromea él.

–Todo fue muy bello. Un bonito fin de fiesta en el viejo San Juan.

–Te hiciste muy popular entre todos los choferes de taxi en aquella fonda.

Ella no parece dispuesta a seguirlo en sus pobres tentativas de humor. Lo mira con tristeza:

–Se me tuerce el corazón de dejarte así.

Los ojos verdes se le llenan de lágrimas.

–Era algo ya aceptado, Claudia. Desde el principio.

–Créeme que no ha sido fácil. He pensado tantas cosas en estos días... ¿Te acuerdas de lo que te dije en el cementerio de Saint Kitts, junto a la tumba de sir Thomas Warner? Te dije que cinco días en la isla podrían equivaler a toda una vida juntos, y así lo siento. No creo que pueda olvidarlos.

–Nunca se sabe –sonríe él.

Pero ella prosigue:

–Y te dije también que no podía volver a hipotecar mi vida con nadie, que siempre quise ser libre y que nunca, en realidad, lo había logrado plenamente. Ahora me toca intentarlo con valor.

–Lo sé, sí.

–Pero si con alguien habría podido compartirla de verdad sería contigo, cosa extraña. Las cosas nunca suceden en el momento debido.

–La vida es una historia de encuentros y desencuentros. Linda letra para un bolero.

Ella tiene dos lágrimas enredadas aún en las pestañas.

–No pienso llamarte desde Nueva York. Sé que sentiré la necesidad de hacerlo, pero es mejor que no.

–No, no lo intentemos. No pienso darte ningún número de teléfono en Bogotá. No lo tengo, además.

Ella se queda mirándolo un instante en silencio.

–¿Qué harás?

–La patria me llama, sus raíces telúricas...

–Habla en serio.

–Quisiera volver a lo mío. Escribir...

–Te he dado un lindo tema para una novela con todo lo que te he contado.

–Es una idea.

–¿Tus hijas?

–Vuelan solas. Pero siempre estaré vigilándolas a distancia. Soy un padre con corazón de madre.

–¿Y Serena?

–Se apaga suavemente en París. Mejor no hablemos de eso.

–No busques reemplazarla. Y no sufras por ella. Toda historia tiene su principio y su fin.

–Como la nuestra.

–La nuestra duró cinco días en vez de quince años.

Se queda callada sin saber qué decir. Mira subrepticiamente el reloj.

–Te acompaño al aeropuerto –propone él–. Prefiero ver despegar el avión en vez de quedarme mirando en la pared esa acuarela del borinqueño en su burro.

–No, mejor que no. Odio las despedidas en los aeropuertos. Y luego, te encontrarás con Bob y todos los del circo. Creo que nunca podré quitármelos de encima.

Él la contempla sonriendo.

–Lástima que no seas pobre, Claudia.

Ella sonríe pero los ojos vuelven a llenarse de lágrimas. Lo besa en los párpados con intensa ternura.

–Habría podido ser una muchacha muy distinta si... –murmura.

–Ya lo sé. Es mejor que seas como eres.

En ese momento se oyen golpes en la puerta.

–Es el botones que viene por el equipaje.

❧

Abriéndose sobre el mar y la vasta playa desierta, la primera luz del sol, todavía frágil, tiembla sobre las aguas. Todo está quieto. Es muy temprano. El aire es fresco, aunque contiene ya el presentimiento de un día cálido y luminoso. No hay sino silencio, un silencio quebrado a veces por el grito repentino de un pelícano, y el mar, sólo el mar juntándose con el cielo en la línea diáfana y remota del horizonte. Leves olas mueren en la playa. Camina. Hace rato que camina. Camina como aquella noche en París, cuando quedó solo. Lleva el mismo peso abrumador en el corazón, pero no hay, como entonces, hojas de otoño bajo sus pasos, ni el Pont des Arts con la luna brillando sobre el río, sino arena, una infinita franja de arena extendiéndose detrás de los hoteles hasta perderse de vista en el punto donde se levantan confusas fortificaciones coloniales. Respira muy hondo. "Tampoco ella ha de volver", piensa dirigiendo la vista hacia el mar.

EPÍLOGO

Un año después moría Serena. Recuerda aquella llamada de Claude que lo despertó al amanecer y la manera como sus palabras quedaron vibrando en su cabeza, breves y brutales, nubladas por el sueño, mientras miraba la trémula luz del alba por la ventana de su apartamento bogotano. Fuera hacía frío y algunas luces desamparadas del alumbrado público permanecían encendidas en la brumosa claridad que iba abriéndose sobre el paisaje de la ciudad todavía dormida. "*Serena est morte ce matin*", le había dicho Claude. Muerta a las ocho de la mañana. Se le había detenido el corazón mientras dormía. Estaba solo, solo con ella, decía Claude, sin encontrar a nadie, "*même pas les deux filles*", ni siquiera las dos muchachas, Clara Lucía y Lina, pues era día de fiesta en París, el 14 de julio. Era como un llamado de auxilio desde el otro lado del Atlántico, pero él, Manuel, no llegaba a admitirlo, no podía imaginar a Serena muerta aquel mismo día a las ocho, hora de París, mientras la ciudad escuchaba en los aparatos de televisión o a lo largo de los Campos Elíseos las fanfarrias de un desfile militar y se preparaba para una noche de acordeones y fuegos artificiales.

Recuerda sus desesperados y al fin coronados esfuerzos por hallar un avión aquel mismo día, las inútiles tentativas por localizar a través del teléfono a sus hijas, que pasaban vacaciones en alguna parte al sur de Francia. Recuerda su llegada a París al día siguiente en la mañana, regreso inesperado y sombrío a una ciudad agotada por la noche de fiesta y sumergida en la humedad y el calor de un día de verano con constantes amenazas de lluvia. Todo aquí no fue sino tristeza, pensaba absurda y rencorosamente cruzando en un taxi la Porte de la Chapelle para entrar en ese mundo de inmuebles leprosos, de camiones, viaductos y vías férreas que es el norte proletario de París. Recordaba de nuevo aquella tarde cuando Serena había robado una caja de galletas para las dos niñas en el supermercado Leclerc y cómo, luego de contarle aquella humillación –los gritos de la cajera, la intervención al fin y al cabo benévola del director del establecimiento–, los dos, él y Serena, sentados en la cama, bajo el polvoriento resplandor de un bombillo colgado del techo, habían llorado sintiendo, o más bien descubriendo, el extremo de pobreza e indignidad al cual habían llegado subrepticiamente. No entendía ahora por cuál extraña obstinación se habían quedado en una ciudad de entrañas tan duras. Y allí, en el más paupérrimo de sus barrios, Belleville, se había extinguido Serena sin haber vuelto jamás a su país; allí estaba ahora, dormida para siempre.

Recuerda la brusca emoción que le estrujó el corazón al reconocer el desmedrado bulevar lleno de árabes y de negros africanos, luego el edificio de esquina donde había vivido Serena, el marco de sus ventanas pintadas de rojo, el vestíbulo oscuro y el ascensor metálico que lo conducía al quinto piso, todo impregnado de ese indefinible olor del París de los pobres, olor a infortunio y a polvo almacenado por muchos años en escaleras y buhardillas. Subiendo en aquel ascensor le parecía ahora que, como tantas otras veces, al llegar al vestíbulo del quinto piso iba a encontrar a Serena en la puerta de su apartamento, alertada por el citófono, alta y delgada, siempre con un par de bluyines y una blusa cerrada hasta el cuello y sus largos cabellos sueltos sobre los hombros, mientras su perrita, una *caniche* gris diminuta e histérica, ladraba agudamente a sus pies. "Hola", diría Serena contenta de verlo, con ese tono de afectuosa intimidad que se tiene con quien se ha compartido media vida, antes de hacerlo pasar a la pequeña salita, abarrotada de libros, donde pasaba el día escribiendo.

Aquella ilusa impresión fue borrada bruscamente, al abrirse la puerta del ascensor, por la figura algo funeraria de Claude esperándolo en la puerta del apartamento en mangas de camisa y con un par de lentes oscuros. Estaba tenso y perfilado por el sufrimiento. Tenía ojeras profundas y tras el cristal de los lentes sus ojos se veían enrojecidos. Lo saludó con un fuerte apretón de manos sin poder decir palabra. Le temblaba el mentón. Dentro todo parecía igual que siempre, el mismo olor tibio y polvoriento, las máscaras africanas, el flanco leproso de un ánfora griega colgado en la pared, el cuadro de un amigo común, Luis Caballero, una planta marchita en el minúsculo balcón, y en las ventanas, los inmuebles anodinos de enfrente y el cielo bajo y gris de París dejando filtrar una luz de ceniza sobre el amplio sillón donde Serena se sentaba a escribir en las tardes con un cuaderno sobre las rodillas.

"¿Dónde está ella?", recuerda haberle preguntado a Claude apenas este colocó la valija en la sala. "*Là, dans la chambre*", le había dicho él en voz baja, como si temiera despertarla. Y esa era, en efecto, la impresión que ella daba: la de haber quedado envuelta en la paz y la dulzura de un sueño apacible como si estuviese durmiendo una tarde de mucha luz y calor a la sombra de los árboles. La luz de la pantalla encendida sobre la mesita de noche le daba al rostro un cálido resplandor estival y también estival era la blusa que llevaba puesta, una prenda con los colores vivos de un sarape mexicano. Su perrita se había acomodado en el hueco de uno de sus brazos, gruñendo inquieta y examinándolo, a través de su pelambre de lanas, con un par de ojos negros, desconfiados, pequeños como botones. También al animal parecía haberlo engañado la muerte llegando al descuido, sin ruido, con pasos más ligeros que el viento. Nada, en realidad, delataba su presencia. Aquel cuarto tenía la atmósfera sobria de una celda monacal, sin cuadros en sus paredes blancas, con una camita estrecha y un estante de tablas sin pintar repleto de libros. Sobre la mesa, al lado de la lámpara, había un collar de grandes cuentas de ámbar que Serena debía haberse quitado antes de acostarse, y un frasquito de esmalte para uñas. En aquel entorno y con el aro de luz iluminándole pacíficamente el semblante, no había nada definitivo, nada que hubiese sido esculpido por el buril glacial de la muerte, en su expresión. Serena daba la impresión de haber cruzado sonriendo una última frontera de la vida, como si hubiese ido a encontrar la muerte al otro lado, en un paraje lleno de paz y de olvido. Tanto tiempo había convivido con ella, con la muerte, que no debía resultarle una extraña. Quizás la había sentido caminando a su lado, sobre la nieve, cuando viniendo del hospital Saint-Louis cruzaba algún puente del canal Saint Martin o cuando subía de la estación del metro deteniéndose varias veces para tomar el aire. Contemplando el bello rostro inmóvil de Serena, lo había asaltado un recuerdo.

Era víspera de la Navidad, en Suiza, y bajaba en un automóvil conducido por Claude desde un hospital de montaña hacia Montreux, hacia el hotel a orillas del lago Leman donde estaba hospedado. Lina, la menor de sus hijas, se había fracturado una pierna esquiando en Verbier, y todos tres, Claude, Serena y él habían viajado a Suiza de urgencia desde París. Serena se había quedado con su hija en el hospital, y ahora Claude lo llevaba al hotel avanzando a través del aire diáfano y glacial de la noche de invierno. A la luz de la luna, visto desde lo alto, el lago Leman brillaba como un diamante reflejando las cumbres nevadas de los Alpes y las luces de las riberas. “Debo decirte algo que sólo tú y yo debemos saber”, le había dicho de pronto Claude con una voz grave. “He visto al médico de Serena. Su enfermedad ha entrado en una fase terminal. Le ha afectado el pulmón. Es un mal progresivo. Tuve una amiga que murió de cáncer en un pulmón. Sé lo que es eso. Serena también. Una horrible muerte por asfixia. Antes de que estos síntomas finales empiecen, Serena prefiere suprimirse. Yo estoy de acuerdo. Creo que el derecho de elegir uno su muerte es el último que nos queda por conquistar.” Recuerda, la noche pura y glacial y la nieve en la cumbre de la montaña, bajo la luna, mientras su mente y su corazón alojaban con un estremecimiento aquella confidencia. “También yo estoy de acuerdo con eso”, había dicho tras una breve pausa. Y los dos, Claude y él, habían continuado en silencio su viaje hacia Montreux.

Ahora, mirándola muerta, había sentido un atroz presentimiento. Se había vuelto hacia la puerta del cuarto donde permanecía Claude.

–Dime la verdad, ¿se mató?

–No –lo tranquilizó él.

Y entonces le había referido cómo esa eventualidad había sido examinada por él y por Serena dos días atrás. Ella había empezado a experimentar fuertes ahogos. “Es difícil hacerlo sola”, le había dicho a Claude. “Tendrás que ayudarme.” Él la había tranquilizado. “Esperemos aún algunos días”, le había dicho. “Y si esto sigue, puedes confiar en mí. Haré lo que sea necesario.” Habían hablado hasta más allá de la medianoche en la sala. Luego, por primera vez, él había tenido que ayudarla llevándola alzada hasta su cuarto, sin sospechar desde luego que la muerte vendría piadosamente en su ayuda, por su propia iniciativa, en la primera hora de la mañana.

–Yo duermo en el cuarto al lado del suyo. Me levanté dos veces –refirió Claude–: la primera vez a las cinco de la madrugada. La oí respirar y volví a dormirme. La segunda vez, a las ocho de la mañana, me sorprendió que hubiese sacado un pie fuera de las sábanas. Me acerqué. Estaba todavía tibia cuando le toqué la cara.

Él, Manuel, no podía dejar de mirarla, recuerda, como si quisiese convencerse a fuerza de contemplar su irrevocable inmovilidad que no la vería nunca más, que esta sería su última visión de Serena. Había observado sus manos largas, finísimas, muy bellas. Lo había notado la primera vez que se sentaron en la terraza, iluminada con luces de acuario, de un bar, el Heyneman, en Barranquilla, muchos años atrás. "Tienes manos de artista", le había dicho viendo cómo levantaba con una de ellas, la mano derecha, una copa de refresco. Y ella, examinándolo por encima de la copa, con unos ojos muy serios, asombrados, casi infantiles, lo había sorprendido con aquella declaración absolutamente inesperada: "¿Sabes una cosa? Yo no me podría casar sino con un tipo como tú."

Le corrían las lágrimas por la cara cuando se inclinó a besar la frialdad de mármol de su frente provocando los agudos ladridos de la perrita. Más tarde Claude lo había dejado solo en el apartamento mientras iba a la alcaldía del barrio para notificar el fallecimiento y adelantaba las primeras diligencias en la funeraria. Todo estaba en silencio. No se oían por la ventana sino los vagos arrullos de las palomas mientras él permanecía allí, en el sillón de Serena, delante del cuaderno de escolar donde ella había empezado a escribir un cuento, respirando aquel familiar olor a polvo, a viejas alfombras, a papel envejecido de libros que ella debía respirar en sus largas tardes de escritura y soledad. En un estante había reconocido un viejo álbum con tapas de cuero verde: el que guardaba las fotos de su matrimonio con ella, tomadas en el Country Club de Barranquilla. Le sorprendió ver a Serena con traje de novia. Era casi una niña. También él era sólo un muchacho extremadamente flaco a quien el traje nuevo, comprado para aquella ocasión, parecía quedarle muy grande. Al doblar una página, había atraído su atención la fotografía de una mujer muy linda. Era Claudia Aristigueta. Lucía un gran sombrero blanco y reía con Serena, las dos mirándose a los ojos con una especie de complicidad. "Éramos las dos locas de la ciudad", decía siempre Serena, y ahora, viéndolas juntas en la foto, espléndidas, radiantes, sorprendidas en el momento de celebrar una broma con una copa de champaña muy cerca de los labios, él comprendía hasta qué punto aquello era cierto: estaban unidas por el mismo desafío a su medio, por su afán de ir en contravía a lo que debía hacer una muchacha bien. Ahora era como si las dos hubiesen muerto, al menos para él, pues desde aquellos días en la isla nunca había vuelto a ver a Claudia. Todo lo que sabía de ella era que vivía en Nueva York con un abogado o ejecutivo cercano a sus negocios, un americano mucho más joven que ella; probablemente aquel Bob que él había conocido en Puerto Rico.

Temblando había cerrado aquel álbum lleno de recuerdos ya marchitos, cuando empezó a sonar el teléfono.

~

Era una llamada que había temido y esperado durante todo aquel tiempo: la de una de sus hijas, cuyo paradero no había podido localizar. Al otro lado del hilo estaba Clara Lucía, la mayor. Por el tono de su voz, que era muy alegre, se dio cuenta de que nada sabía. "¡Papi, tú en París!", exclamó. "¿Por qué no nos avisaste de tu llegada?" Ella debió darse cuenta de todo apenas le oyó una voz quebrada por la emoción diciéndole que algo grave había ocurrido. "¿Mamá está en el hospital?", había preguntado ella asustada. Luego, al no obtener respuesta inmediata, sino un brusco silencio, lanzó una exclamación y empezó a sollozar. "Murió, ¿no es eso?"

Ella y Lina, su hermana, habían llegado aquella misma tarde de Niza en avión. Recuerda la manera como las dos, todavía con aire desamparado de adolescentes, se precipitaron hacia él al verlo en el aeropuerto: los tres abrazados, con las lágrimas corriéndoles por la cara, en medio de viajeros apresurados que avanzaban por el pasillo. Recuerda su llegada al apartamento de Belleville y el incrédulo y aterrado estupor que se les dibujó en la cara al detenerse en el umbral del cuarto para contemplar a Serena, su semblante tranquilo, casi sonriente, con los párpados cerrados, en la luz de la lámpara. "No, no puede ser, mamá, no puedo creerlo", decía Lina sollozando mientras le acariciaba el pelo y la cara con una temblorosa ternura y la perrita ladraba furiosamente. Más tarde, recuerda, los cuatro –Claude, las dos muchachas y él– estaban cenando en la sala luego de traer comida del restaurante chino de los bajos. Claude apenas probaba bocado. Tenía dos días sin comer. A veces volteaba la cara hacia la pared haciendo esfuerzos por contener el llanto.

Aquella noche, después de llevar a sus dos hijas al pequeño apartamento que compartían con una amiga en la rue de l'Université, se había quedado acompañándolo. Eran como dos viudos de la misma mujer. Hablaban, bebían whisky, sin poderse quitar la impresión de que sólo estaban allí vigilando el sueño de Serena. Cada vez que uno de ellos entraba en el baño, veía, a través de la puerta entreabierta del cuarto, el rostro tranquilo de ella.

–Dime –le había preguntado él a Claude, ya de madrugada,

cuando habían bebido casi toda una botella de whisky–, ¿qué piensas hacer ahora?

Ni él ni sus hijas, como probablemente tampoco Serena, le conocían amigos o familiares a Claude. En realidad, muy poco se sabía de él salvo que su padre –un general compañero de armas de De Gaulle– había muerto durante la guerra, en combate. Toda la infancia de Claude había transcurrido en las colonias. Era un solitario. No tenía más que a Serena en la vida y era evidente que la adoraba. Tenía por ella una fascinada devoción que se adivinaba en el menor de sus gestos y en sus miradas.

Claude había guardado silencio mientras buscaba una respuesta; un silencio que fue acentuado por el lento toque de una campana dando la hora en alguna iglesia del barrio.

–Viví buena parte de mi vida en el desierto, tú sabes –había empezado diciendo con voz muy queda–. El desierto es la soledad. Sólo tuve por breve tiempo una mujer, una francesa, que me dejó. Quizás debía resultarle muy parco y hermético. Como un monje. Quizás debía encontrar mi vida muy dura, lejos de la civilización, de los teatros y grandes hoteles que a ella le gustaban. El caso es que cuando fue imposible vivir en las colonias, volví a la *métropole*, enfermo, solo y sin conocer a nadie. Estaba a la deriva. Tal vez me hubiese pegado un tiro en la cabeza si no encuentro a Serena en aquel consultorio del doctor Lemaire. Ella debió darse cuenta de lo que me ocurría.

–Lo sé. Me dejó por ti.

–Así es. Y sufrió mucho tomando aquella decisión. Lloraba.

–Recuerdo haber recorrido a pie medio París, del Parc Montsouris al Pont des Arts, cuando me lo dijo. "Vendrán días de vino y rosas." Ese fue el epitafio que me dejó, mientras se maquillaba aquella tarde de otoño ante el espejo del baño.

–Ustedes habían sido muy unidos.

–Recién casados, ella lloraba sólo al imaginar que uno de nosotros moriría antes que el otro.

–Habían vivido buena parte de su vida en común con mucha transparencia.

–Cierto, pero la vida cambió las cosas, Claude. Ella se fue recluyendo dentro de sí misma, mientras que yo me abría al mundo, al demonio y sus tentaciones.

–A partir de ese momento, estaban de espaldas el uno al otro.

–Queriéndonos mucho. A veces pienso que ella se me había vuelto como otra hija. Así la veía, de modo que nunca pude cortar con ella, olvidarla.

–También ella debía sentirlo así. Se alegraba mucho viéndote.

–Claude, no me has contestado. ¿Qué piensas hacer?

Él había guardado silencio de nuevo. Tenía los ojos húmedos.

–No sé. Creo que debo asumir de nuevo mi soledad. No quiero escapar de ella con subterfugios. No ahora. Puede que más tarde encuentre nuevas razones para vivir. O puede que no. Quizás mi vida era Serena.

No pudo agregar más: estaba llorando.

–Debes darle un chance a la vida, Claude.

Él había tardado algunos segundos en serenarse.

–¿Sabes una cosa? –estaba secándose los ojos con un pañuelo–. Me gustaría ir a Barranquilla. Conocer el mundo de ella.

–Ese mundo de ella ya no existe, Claude. Ha cambiado mucho. Barranquilla es una ciudad sin recuerdos.

–Ella decía lo mismo. Tal vez por eso había decidido que sus restos fueran incinerados y sus cenizas echadas al Sena.

–¿Lo harás?

–Es una promesa.

Llevado en un tosco ataúd de madera sin pintar, el cuerpo de Serena permaneció en la morgue del cementerio del Père Lachaise hasta el día de la cremación. La ceremonia fue breve y sencilla, como a ella le hubiese gustado, sin otra cosa que las notas del *Requiem* de Mozart resonando en la bóveda del Columvarium, un recinto penumbroso y solemne, sin imágenes religiosas, que se alza al fondo del cementerio y al cual se llega por desiertas avenidas bordeadas de árboles y mausoleos. Apenas un empleado trajo la urna con las cenizas y la depositó en una base de mármol delante de los asistentes, se abrieron de par en par las puertas del recinto y la luz gris de la mañana sacó de la sombra al escaso grupo de personas que componían la concurrencia. Había allí viejos amigos y a veces personas ya olvidadas que a él le recordaban los primeros años vividos con Serena en París. Fuera, el aire tibio, envuelto en aquella luz plomiza, tenía una vaga fragancia estival de flores y cerezas. Confusamente recibía con sus hijas y con Claude abrazos y apretones de manos. De pronto, surgiendo de aquella niebla de rostros compungidos, una esbelta silueta femenina vestida de gris y con un amplio sombrero blanco había avanzado hacia él con la fácil elasticidad de una modelo en un desfile de alta costura. Era Adriana. Fue como una aparición, pues hacía mucho tiempo que no sabía nada de ella, ni siquiera en qué parte del mundo vivía. Lo estremeció respirar de nuevo la fragancia sutil e incitante de su perfume y sentir en la mejilla el roce leve de sus labios a tiempo que murmuraba quedamente: "Sabio, qué tristeza tan grande. Lo supe ayer en la embajada y me resisto a creerlo. Era tan linda, Serena." Tenía los ojos llenos de lágrimas. La acompañaba un hombre pequeño y calvo, muy elegante y con un vago acento del sur del continente, a quien presentó como Arturo, igual que si fuese su marido.

Adriana seguía siendo una mujer muy atractiva, pero había envejecido. Tenía una red de finas arrugas a los lados de los ojos y en torno a la boca unas líneas más acentuadas. Seguramente, como toda belleza al entrar en la edad otoñal, se defendía desesperadamente de la edad con dietas y cosméticos. Pero su pelo seguía siendo sedoso y espeso, la voz y los ojos tenían la vivacidad de siempre y, cosa sorprendente que percibió al instante, en él, sólo al verla y respirar su perfume, creaba desasosiego, una especie de apremio, de ansiedad sexual, algo repentino y en fin de cuentas irritante pues obedecía a un dictamen ciego del instinto dejándolo desamparado. "Dios mío, sigo siendo con ella un adolescente", había pensado contemplándola con un admirado estupor en el atrio de aquel recinto donde acababan de incinerar los restos de Serena.

No había podido en aquel momento, cuando la gente se acercaba a él para despedirse, saber mayor cosa de ella. Sólo le había preguntado al descuido, mientras su acompañante, aquel hombre pequeño y ya mayor llamaba al conductor de su automóvil, si se había casado.

–Casi –dijo ella con aire travieso. Y luego, con un súbito impulso–: ¡Ay sabio, me haces falta! Necesitaría hablar contigo.

Y sólo al oírle decir esto, todo un enjambre de confusos sentimientos, los que ella le inspiraba siempre, le habían alborotado la sangre y el corazón, obligándolo a reaccionar con una frase brusca.

–Me voy mañana, Adriana. Regreso a Colombia.

Además, no quería pasar aquella noche tan triste lejos de sus hijas. Las veía unos metros más allá, vestidas de negro, bellas, pálidas y con los ojos enrojecidos por el llanto, en medio de condiscípulas también muy jóvenes. En el último momento, sólo había convenido con Adriana tomar una copa a las seis de la tarde en el Deux Magots.

Y allí estaba ella aguardándolo, a la hora convenida, vestida con un traje veraniego de color muy claro, ya sin sombrero y con sus cabellos sueltos sobre los hombros.

–Cosa absurda –le había dicho él al sentarse a su lado–. Te veo y me da un vuelco el corazón.

Ella había soltado la risa.

–Sabio, tú no cambias.

–Dime, ¿quién es ese personaje diminuto que te acompañaba esta mañana?

–No lo llames así; estoy a punto de casarme con él.

Era la misma de siempre, recuerda. Le parecía que aquello que le estaba refiriendo se lo había oído otras veces. El tal Arturo era un diplomático uruguayo a punto de jubilarse, a quien había conocido cuando era embajador de su país en España. Se había divorciado y quería casarse con ella. Tenía mucho dinero y estaba dispuesto a vivir donde ella quisiera, Madrid, París o Roma.

–Eso me resolvería muchos problemas, pero...

–No estás enamorada de él.

–Amor, lo que es amor, sólo a ti puedo decírtelo, no siento por nadie. Tú lo sabes. Tal vez le tengo a Arturo simpatía y la simpatía con el tiempo puede convertirse en afecto, ¿por qué no?

–No te cuentes mentiras, Adriana. Tú sabes que no es así.

A ella se le había ensombrecido la cara.

–Tú me conoces demasiado bien. Eres como mi hermano.

–Incestuoso.

–¿Todavía? –los ojos de ella habían tenido un destello de coquetería.

–Siempre. Dime, ¿te vas a casar o no?

–Hazme traer un campari y me confieso contigo. Me parece increíble que estemos de nuevo en París. Como en los viejos tiempos. Cada vez que vengo, me acuerdo de ti, sabio.

Al otro lado de la plaza, frente a la abadía de Saint-Germain-des-Prés, veían a un mimo con la cara pintada de blanco, un sombrero de copa y un bastón imitando delante de un grupo de curiosos a Charlot. Había salido el sol y la terraza del café tenía un ambiente de fiesta propio de los comienzos del verano. Por un instante, él se había acordado de Serena entrando en aquel mismo café, una tarde de verano, con un estrambótico sombrero oriental comprado en el almacén France Orient, igual al que usaban los campesinos chinos en los arrozales. Pese a saber que tenía una enfermedad incurable, ella estaba muy contenta aquella tarde. "Debo darle rehenes a la vida", decía. "Te tengo a ti, tengo a las niñas, a mi gata Salomé y mañana empiezo a escribir mi novela."

Había sentido que se le humedecían los ojos al recordar aquello. Como contagiada por la tristeza de él, Adriana se había quedado pensativa.

–Sabio, debo decirte una cosa –movía la espátula revolviendo el campari que les había traído el camarero–. Tengo miedo de envejecer. Si fuera sensata, me casaría con Arturo. Es muy simpático.

–Eso no basta para compartir la vida con alguien.

–Tienes razón. Tal vez lo que me sucede es que no soporto vivir con un hombre, cualquiera que sea. Oírlo roncar cuando ha bebido whisky. O encontrar la espuma de su jabón de barba en el lavamanos. O sentir su mirada de inquietud o reprobación cuando sigo probándome vestidos sin decidirme por ninguno.

Genio y figura, pensó él. Pero dijo otra cosa:

–Quédate soltera entonces. Así te acostumbraste a vivir.

Ella había guardado de nuevo silencio con una expresión inquieta.

–Los años me asustan, sabio. Ya te lo dije. No soy rica, y no puedo vivir modestamente, economizando, como una viuda con su pensión. Siempre tengo saldos en rojo en el banco. Soy imprevisiva.

–*La cigale ayant chanté tout l'été* –había recitado él– *se trouva fort dépourvue quand la bise fut venue*... Detesto la moraleja de esta fábula. Prefiero las cigarras locas del verano a las hormigas laboriosas.

–En fin –sonrió ella–, ya te conté mi problema. Como siempre, amanecerá y veremos –se había vuelto hacia él, curiosa–. ¿Y tú? ¿Tienes a alguien? ¿No quisieras volver a París? Tal vez contigo mi vida sería distinta. Podríamos intentar vivir como pobres.

Él había sentido un oscuro peso en el corazón.

–También yo ronco cuando bebo whisky, Adriana. Además, cosa extraña, me gusta vivir en Colombia.

Ella parecía muy sorprendida.

–Debes tener a alguien. No veo, si no, qué le ves a ese pobre país nuestro. Tan violento. Tan peligroso.

No habría podido explicárselo. De nada habría servido. ¿Qué podía haberle dicho? El mundo que él había asumido desde hacía un año no tenía nada que ver con el mundo en el cual se encontraban. París estaba en otra galaxia, lejos de los ardientes caseríos, de las regiones selváticas o montañosas salpicadas de toda clase de violencias a cargo de guerrillas o narcotraficantes cuya realidad él se había propuesto conocer y divulgar a través de reportajes escritos o televisados. Había peligros y amenazas. Podían pegarle un tiro en cualquier momento. Pero tal vez, hundiéndose en esos dramas terribles y cotidianos de su país, había encontrado razones para vivir. Adriana no lo entendería.

Le estaba hablando:

–Tú y yo hemos hecho muchas tonterías, sabio. Pero uno cambia. Quizás yo sea distinta. Y es tan difícil encontrar a alguien como tú con quien uno pueda ser tal como es....

Trop tard, había pensado él. Pero no lo había dicho. Simplemente había asentido.

–Cierto, Adriana.

La había llevado en un taxi hasta el hotel Bristol, donde estaba alojada con el diplomático uruguayo. Era duro dejarla, pero lo había hecho sin pretender verla de nuevo o aplazar su viaje, aunque algo dentro de él se rebelaba contra esa decisión viéndola a su lado, todavía llena de encanto, deseable. Después de besarla, la había visto desaparecer entre dos porteros uniformados, en la puerta del hotel.

Recuerda aquel último día en París, horas antes de tomar el avión. Era un día de viento y con un cielo variable que parecía pintado por Turner, con súbitos destellos de luz y breves ráfagas de lluvia. Caminaba con sus dos hijas por los *quais* del Sena, junto a los puestos de libros de los *bouquinistes*.

–Anoché soñé con mamá –refería Clara Lucía; su voz trémula en cualquier momento podía deshacerse en llanto–. Estaba muy linda, vestida de negro, de la cabeza a los pies, con un pantalón y un pullover. Quería irse y yo me aferraba a ella. Niña, vuelvo pronto, me decía riéndose. Sólo voy a la esquina a comprar una caja de chocolates Leonidas. Pero yo sabía en el sueño que no era cierto, que si la dejaba ir no volvería a verla nunca más.

La dos muchachas lloraban ahora en silencio caminando por los *quais*.

–Qué horrible es la muerte, papi –decía Lina–. Todo es tan... tan fugaz.

–Cierto. Me parece que era ayer, sólo ayer, cuando ella y yo las llevábamos a ustedes a la rueda de las Tullerías, al otro lado del río.

–Esta mañana estuve en el apartamento de Claude ayudándole a arreglar los papeles y la ropa de mamá –contaba Clara Lucía–. Ella tenía cantidad de cosas sin estrenar. Hasta un abrigo de visón. Qué locura comprarlo, si no tenía dónde lucirlo viviendo en Belleville.

–Se lo quiso poner un día de primavera –recordaba Lina sonriendo a través de sus lágrimas–. Ni siquiera hacía frío. Y nosotras nos reíamos, ¿te acuerdas, Clara? Parecía disfrazada.

–Dio la vuelta delante de nosotras con mucha elegancia como si fuera una modelo en una pasarela. Sabía hacerlo muy bien. Y luego lo dejó colgado en un ropero para siempre.

–Así era ella.

–Papi –había dicho de pronto Clara, suspirando–, no me gusta que te vayas.

–Vendré a verlas de cuando en vez.

–¿Tienes a alguien en Colombia? Parece que te enamoraste de una amiga de mamá.

–¿Quién te lo dijo?

–Ella lo supo.

–Fue una historia que duró sólo cinco días. En una isla.

–Qué romántico. ¿Y después?

–Después nada. Otro recuerdo más. De pronto, detrás de uno, no queda sino eso: la vida.

FLORENCIA,
23 DE SEPTIEMBRE DE 1995.